U0217699

「十三五」国家重点出版物出版规划项目

国家出版基金项目
NATIONAL PUBLICATION FOUNDATION

中国中药资源大典

中国中药资源大典

湖南卷

4

黄璐琦 / 总主编

张水寒　刘　浩 / 湖南卷主编

王　智　刘　浩　陈阳峰 / 主编

北京科学技术出版社

图书在版编目（CIP）数据

中国中药资源大典. 湖南卷. 4 / 王智，刘浩，陈阳峰主编. -- 北京：北京科学技术出版社，2024. 6.

ISBN 978-7-5714-3951-4

Ⅰ. R281.4

中国国家版本馆CIP数据核字第2024TX1345号

责任编辑：侍　伟　李兆弟　尤竞爽　王治华　吕　慧　庞璐璐　刘　雪
责任校对：贾　荣
图文制作：樊润琴
责任印制：李　茗
出 版 人：曾庆宇
出版发行：北京科学技术出版社
社　　址：北京西直门南大街16号
邮政编码：100035
电　　话：0086-10-66135495（总编室）　　0086-10-66113227（发行部）
网　　址：www.bkydw.cn
印　　刷：北京博海升彩色印刷有限公司
开　　本：889 mm × 1 194 mm　　1/16
字　　数：937千字
印　　张：42.25
版　　次：2024年6月第1版
印　　次：2024年6月第1次印刷
审 图 号：GS京（2023）1758号
ISBN 978-7-5714-3951-4

定　价：490.00元

《中国中药资源大典·湖南卷》

编写委员会

总　主　编　黄璐琦

顾　　　问　邵湘宁　郭子华　肖文明　蔡光先　谭达全　秦裕辉　葛金文

主　　　编　张水寒　刘　浩

技术牵头单位　湖南省中医药研究院

普查队依托单位（按拼音排序）

安化县中医医院	安仁县中医医院
安乡县中医医院	保靖县中医院
茶陵县中医医院	长沙市中医医院
长沙县中医医院	常德市第二中医医院
常德市第一中医医院	常宁市中医医院
郴州市中医医院	辰溪县中医医院
城步苗族自治县中医医院	慈利县中医医院
道县中医医院	东安县中医医院
洞口县中医医院	凤凰县民族中医院
古丈县中医医院	桂东县中医医院
桂阳县中医医院	汉寿县中医医院
赫山区中医医院	衡东县中医医院
衡南县中医医院	衡山县中医医院
衡阳市中医医院	衡阳市中医正骨医院
衡阳县中医医院	洪江市第一中医医院
湖南省直中医医院	湖南医药学院
湖湘中医肿瘤医院	华容县中医医院
花垣县民族中医院	会同县中医医院

嘉禾县中医医院	江华瑶族自治县民族中医医院
江永县中医院	津市市中医医院
靖州苗族侗族自治县中医医院	蓝山县中医医院
耒阳市中医医院	冷水江市中医医院
澧县中医医院	醴陵市中医院
涟源市中医医院	临澧县中医医院
临武县中医医院	临湘市中医医院
零陵区中医医院	浏阳市中医医院
龙山县中医院	隆回县中医医院
娄底市中医医院	泸溪县民族中医院
渌口区淦田镇中心卫生院	麻阳苗族自治县中医医院
汨罗市中医医院	南县中医医院
宁乡市中医医院	宁远县中医医院
平江县中医医院	祁东县中医医院
祁阳市中医医院	汝城县中医医院
桑植县民族中医院	邵东市中医医院
邵阳市中西医结合医院	邵阳市中医医院
邵阳县中医医院	韶山市人民医院
石门县中医医院	双峰县中医医院
双牌县中医医院	绥宁县中医医院
桃江县中医医院	桃源县中医医院
通道侗族自治县民族中医医院	望城区人民医院
武冈市中医医院	湘潭市中医医院
湘潭县中医医院	湘乡市中医医院
湘阴县中医医院	新化县中医医院
新晃侗族自治县中医医院	新宁县中医医院
新邵县中医医院	新田县中医医院

溆浦县中医医院 　　　　　　炎陵县中医医院

宜章县中医医院　　　　　　益阳市中医医院

永顺县中医院　　　　　　　永兴县中医医院

永州市中医医院　　　　　　攸县中医院

沅江市中医医院　　　　　　沅陵县中医医院

岳阳市中医医院　　　　　　岳阳县中医医院

云溪区中医医院　　　　　　张家界市中医医院

芷江侗族自治县中医医院　　资兴市中医医院

主编简介

>> 张水寒

二级研究员，博士研究生导师。享受国务院政府特殊津贴专家、享受湖南省政府特殊津贴专家、湖南省卫生健康高层次人才医学学科领军人才，入选国家"百千万人才工程"，并被授予"有突出贡献中青年专家"荣誉称号。主要从事中药资源、中药制剂及中药质量标准方面的研究。

近10年来，主持和参与"重大新药创制"、国家自然科学基金、"十二五"国家科技支撑计划等20余项课题。获得新药证书12项、药物临床批件22项、国家发明专利13项。发表学术论文200余篇，其中以第一作者和通讯作者发表SCI论文30余篇，编写专著7部。获得国家科学技术进步奖二等奖1项、省部级奖励5项。

2011年以来，担任湖南省第四次全国中药资源普查技术总负责人、湖南省中药资源动态监测省级中心主任，主持建立"技术分层、突出量化、严把质控"的中药资源普查组织管理与技术保障模式；开展重点品种研究示范，大力推动普查成果转化、应用。

主编简介

>> 刘 浩

副研究员。湖南省中医药研究院中药资源研究所中药资源与鉴定研究室主任。主要从事中药资源、中药鉴定与本草学研究。

历任湖南省中药资源普查工作领导小组办公室成员、专家委员会委员、专家委员会办公室副主任，负责湖南省第四次全国中药资源普查组织管理与技术保障工作的具体实施，采集、鉴定普查标本近10万号，参与建成湖南省中药资源数据库、药用植物标本馆，熟悉湖南省中药资源基本情况及道地药材传承与发展的情况，编制省级、县级中药材产业发展规划10余份。2014年起任湖南省中药资源动态监测省级中心秘书，参与建成"一个中心，三个监测站，百个监测点"的湖南省中药资源动态监测与技术服务体系。

《中国中药资源大典·湖南卷4》

编写委员会

主　　编　王　智　刘　浩　陈阳峰
副 主 编　刘湘丹　付学森　龙雨青　宁露云　聂　莼　廖　飞
编　　委（按姓氏笔画排序）

　　　　　　王　智（湖南中医药大学）

　　　　　　王志辉（湖南中医药大学）

　　　　　　王勇庆（湖南省中医药研究院）

　　　　　　尹玲桃（娄底市中医医院）

　　　　　　石雨荷（湖南中医药大学）

　　　　　　龙雨青（湖南中医药大学）

　　　　　　付学森（湖南中医药大学）

　　　　　　宁露云（湖南中医药大学）

　　　　　　刘　浩（湖南省中医药研究院）

　　　　　　刘笑蓉（湖南中医药大学）

　　　　　　刘湘丹（湖南中医药大学）

　　　　　　余佳丽（张家界市中医医院）

　　　　　　陈阳峰（湖南农业大学）

　　　　　　聂　莼（湖南中医药大学）

　　　　　　曾　娟（湖南中医药大学）

　　　　　　谢果珍（湖南中医药大学）

　　　　　　廖　飞（临武县中医医院）

序　言

　　中药资源是中医药事业和产业发展的重要物质基础。随着中医药事业和产业蓬勃发展，社会各界对中药资源的需求量逐渐增加。为摸清中药资源家底，科学制定中药资源保护和产业发展政策措施，国家中医药管理局组织实施了第四次全国中药资源普查，对促进中药资源可持续利用、助力健康中国行动的实施和区域社会经济发展做出了重要贡献。

　　湖南地处云贵高原向江南丘陵、南岭山脉向江汉平原过渡的地带，属大陆性亚热带季风湿润气候区，独特的地理环境孕育了丰富的中药资源。锦绣潇湘，物华天宝，人杰地灵。湖南省作为首批6个中药资源普查试点省区之一，由湖南省中医药研究院作为技术牵头单位，组织全省技术人员队伍，出色地完成了湖南第四次中药资源普查工作任务。

　　张水寒和刘浩两位"伙计"基于湖南中药资源普查获得的第一手调查资料，系统整理分析、总结普查成果，牵头主编了《中国中药资源大典·湖南卷》。该书既有湖南自然社会概况、中药资源种类等总体情况介绍，又有湖南特色中药资源的历史源流与生产现状阐述，还对4 196种中药资源的基本情况进行详细介绍。该书可作为认识和了解湖南中药资源的工具书，具有重要的学术价值和应用价值。希望该书的出版，能助力湖南中药产业高质量发展，为中药资源的可持续发展、优化中药产业布局、促进学术交流和科学研究起到积极推动作用。

　　付梓之际，欣然为序。

中国工程院院士

中国中医科学院院长

第四次全国中药资源普查技术指导专家组组长

2024 年 4 月

前　言

　　湖南地处云贵高原向江南丘陵过渡、南岭山脉向江汉平原过渡的中亚热带，位于东经 $108°\ 47'\sim114°\ 15'$、北纬 $24°\ 38'\sim30°\ 08'$。东以幕阜、武功诸山系与江西交界，西以云贵高原东缘连贵州，西北以武陵山脉毗邻重庆，南枕南岭与广东、广西相邻，北以滨湖平原与湖北接壤，形成了东、南、西三面环山，中部丘岗起伏，北部湖盆平原展开的马蹄形地形。湖南有半高山、低山、丘陵、岗地和平原等多种地貌类型，其中山地面积占全省总面积的 51.22％。湖南位于长江以南的东亚季风区，加之离海洋较远，形成了气候温暖、四季分明、热量充足、雨水集中、春温多变、夏秋多旱、严寒期短、暑热期长、雨热同期的亚热带季风湿润气候。湖南为华东、华中、华南、滇黔桂 4 个植物区系的过渡地带，其境内植物具有较明显的东西、南北过渡性。地带性植被为常绿阔叶林，地带性土壤为红壤。湖南亚热带季风的大气候与复杂地势地貌的小环境，共同孕育了丰富的中药资源。

　　湖南历史文化悠久，是华夏文明的重要发祥地之一。道县玉蟾岩遗址出土了世界上现存最早的人工栽培稻标本，距今 1.2 万年。澧县城头山古文化遗址被称为"中国最早的城市"，距今约 6 000 年。宋代罗泌《路史》载炎帝"崩，葬长沙茶乡之尾……唐世尝奉祀焉"。《古今图书集成·衡州府古迹考》载："炎帝神农氏陵，在酃之康乐乡。""康乐乡"即今株洲市炎陵县鹿原镇。长沙马王堆汉墓出土的 16 部医书涉及方剂学、脉学、经络学等多门学科，代表了我国先秦时期的医药成就，其中《五十二病方》是我国现存最早的方书。

湖南中药资源的研究与应用历史悠久。马王堆汉墓出土的药材有桂皮、花椒、干姜、藁本、佩兰、辛夷、牡蛎、朱砂等，出土医书中的中药名共 406 个。《新唐书·地理志》载："岳州巴陵郡贡鳖甲，潭州长沙郡贡木瓜，永州零陵郡贡零陵香、石蜜、石燕，道州江华郡贡零陵香、犀角，辰州泸溪郡贡光明砂、犀角、水银、黄连、黄牙……锦州卢阳郡贡光明丹砂、犀角、水银。"唐代柳宗元《捕蛇者说》云："永州之野产异蛇，黑质而白章。"此即常用中药蕲蛇。宋代苏颂等编撰的《本草图经》，实际上是继《新修本草》后本草史上第二次全国药物普查的成果，集中反映了宋代实际的药物出产与使用情况，该书收载了当时湖南境内 8 州的 28 幅药图，包括辰州丹砂、道州石钟乳、道州滑石、道州石南、永州石燕、衡州菖蒲、衡州玄参、衡州栝楼、衡州地榆、衡州百部、衡州马鞭草、衡州五加皮、衡州乌药、澧州莎草、邵州苦参、邵州天麻、邵州乌头、鼎州茅根、鼎州连翘、鼎州地芙蓉、鼎州水麻、岳州假苏、岳州薄荷等。清代吴其濬所著《植物名实图考》收载的湖南药用植物达 267 种。明清之际，湖南各府县广泛修著地方志，并在"物产"中记载本地所产药材，如清道光《宝庆府志》（1849）与光绪《邵阳县志》（1876）均记载："百合，邵阳出者特大而肥美。"清末《邵阳县乡土志》（1907）载："玉竹参一名葳蕤，又名女萎，近谷皮洞多产此。"并载邵阳常见中药材尚有黄精、香附子、金樱子、栀子、金银花、桑白皮、厚朴、丹皮、天花粉、天南星、何首乌、前胡、桔梗、牛膝、五倍子、络石藤、吴茱萸、木通、车前草、香薷、木鳖子等。

中华人民共和国成立以来，党和政府高度重视中医药的传承与发展。湖南先后开展了 4 次全省范围的中药资源调查工作，掌握了全省中药资源的种类、分布、产量与民间药用情况的本底资料。20 世纪 50 年代末，湖南开展了"群众性的中医采风运动"，全省献方达数十万个，湖南中医药研究所（1957 年创办，1962 年更名为湖南省中医药研究所，1984 年更名为湖南省中医药研究院）组织专家对献方进行了研究，为各地挖掘使用中药资源奠定了坚实的基础。20 世纪 60—70 年代，湖南开始兴起中草药群众运动。为了更好地开展中草药群众运动，湖南省中医药研究所对基层医疗工作者、赤脚医生、老药农、老草医与地方卫生局、药品检验所、医药公司提供的大量标本和资料进行了整理与鉴定，系统地梳理了这一时期湖南中药资源的种类和应用情况。1962 年，湖南省中医药研究所出版了《湖南药物志（第一辑）》，该书收载药用植物 417 种。1972 年，《湖南药物志（第二辑）》出版，收载药用植物 406 种。1979 年，《湖南药物志（第三辑）》出版，收载药用植物 341 种。20 世纪 80 年代，湖南第三次中药资源普查正式开始，此次普查共采集植物、动物、矿物标本 298 785 份，拍摄照片 13 457 张，调查到全省中药资源种类 2 384 种，其中植物药 2 077 种，动物药 256 种，矿物药 51 种；全国重点调查的 363 种药材中，湖南产 241 种；测算全省植物药蕴藏量 107.8 万 t，动物药蕴藏量 1 306 t，矿物药蕴藏量 1 147 万 t；共收集单验方 25 355 个，经各地（州、市）筛选汇编的有 8 000 多个，经名老中医严格审查选用的有 2 400 余个，这 2 400 余个单验方编成了《湖南省中草药民间单验方选编》。

2011 年，第四次全国中药资源普查试点工作启动。湖南作为首批 6 个试点省区之一率先启动普查工作，历时 11 年，先后分 6 批，进行了全省 122 个县级行政区域的中药资源普查工作。湖南本次普查共调查代表区域 550 个，代表区域总面积 149 101.03 km²；调查样地 4 598 个，样方套 22 904 个；采集腊叶标本 116 443 号、药材样品 10 204 份、种质资源 5 913 份；调查传统知识 1 252 份；拍摄照片 1 519 340 张；计算蕴藏量的种类 584 种；调查栽培品种 160 种、市场流通中药材 479 种；调查数据约 210 万条。本次普查全面掌握了湖南中药资源种类与分布、重点品种的资源量、中药材市场流通等信息，为湖南中医药事业、产业发展提供了科学依据。

湖南第四次中药资源普查为适应时代发展需求，创新应用了大量现代技术，提高了工作效率，保障了数据的完整性、一致性、准确性和实用性。通过引入空间信息技术与分层抽样方法设置的调查区域与样地更具代表性，从而使资源蕴藏量的估算更加科学。野外调查中应用 GPS、数码相机、信息采集软件等获取经度、纬度、海拔等信息化数据，搭建了信息化工作平台。湖南在约 210 万条数据的基础上建成了湖南省中药资源数据库，实现了全省中药资源数据的长久保存、可视查询、成果转化和共享服务。本书中的基原图片、资源分布等内容充分利用了数据库的查询、统计功能，湖南省最新中药资源区划也利用了普查数据，全省被划分为湘西北武陵山中药资源区、湘西南雪峰山中药资源区、湘南南岭北部中药资源区、湘中湘东丘陵中药资源区、洞庭湖及环湖丘岗中药资源区 5 个中药资源分区。

编著一套图文并茂、系统全面反映湖南中药资源家底的著作是普查工作的重要组成部分。2021年，湖南第四次中药资源普查进入收尾阶段，我们组织专家对《中国中药资源大典·湖南卷》的编写体例、资源名录、图片整理及分工安排进行了多轮讨论，最后形成了编写工作方案。野外工作得到的一手数据，是我们编著本书的关键素材，书中的图片来源于野外拍摄，分布信息来源于凭证标本的采集地点，资源蕴藏量信息来源于实际调查，因此，本书充分体现了湖南第四次中药资源普查的全方位成果。

第四次全国中药资源普查技术指导专家组组长黄璐琦院士多次带领普查专家组莅临湖南指导普查工作。湖南省委、省政府高度重视中药资源普查工作；湖南省中医药管理局作为普查组织实施单位，构建了符合湖南实际情况的普查组织模式；湖南省中医药研究院作为技术牵头单位，组织成立了专家委员会，指导全省普查工作。在各方的共同努力下，湖南顺利完成了第四次中药资源普查工作。我们向支持普查工作的社会各界表示由衷的感谢，向奋战在普查一线的"伙计们"致以诚挚的敬意！

普查的大量数据是我们编著本书的优势，同时也为整理图片、撰写文稿带来了巨大的挑战，加之编者学术水平有限，书中难免存在资料取舍失当及错漏之处，敬请有关专家、学者批评指正。

编　者

2024 年 4 月

凡 例

（1）本书共14册，分为上、中、下篇。上篇综述了湖南自然社会概况、中药资源调查历史、第四次中药资源普查情况、中药资源分布；中篇论述了34种湖南道地、大宗中药资源；下篇共收录中药资源4 196种，其中药用菌类资源36种、药用植物资源3 799种、药用动物资源315种、药用矿物资源46种。另外，附录中收录药用资源305种。

（2）分类系统。菌类参考 Index Fungorum 最新的分类学研究成果。蕨类植物采用秦仁昌分类系统（1978）。裸子植物采用郑万钧分类系统（1978）。被子植物采用恩格勒系统（1964）。

（3）本书下篇主要介绍各中药资源，以中药资源名为条目名，下设药材名、形态特征、生境分布、资源情况、采收加工、药材性状、功能主治、用法用量及附注等，其中采收加工、药材性状、用法用量为非必要项，资料不详者项目从略。各项目编写原则简述如下。

1）条目名。该项记述中药资源物种及其科属的中文名、拉丁学名。其中蕨类植物、裸子植物、被子植物的名称主要参考《中国植物志》，藻类、动物、矿物的名称主要参考《中华本草》。

2）药材名。该项记述中药资源的药材名、药用部位与药材别名。凡《中华人民共和国药典》等法定标准收载者，原则上采用法定药材名；法定标准未收载者，主要参考《中华本草》《全国中草药名鉴》《中国中药资源志要》。药材别名记载湖南各地乡村中医、草医及民间习惯用名。

3）形态特征。该项简要描述中药资源的形态特征，突出鉴别特征。主要参考《中国植物志》，并结合普查实际所获取的信息进行描述。

4）生境分布。该项记述中药资源在湖南的生存环境与分布区域。生存环境主要源于凭证标本的生境，并参考相关志书的描述。分布区域源于凭证标本的采集地，以"地市级行政区划（县级行政区划）"的形式进行描述。在湖南五大中药资源分区中皆有分布且凭证标本超过 20 号者，记述为"湖南各地均有分布"。

5）资源情况。该项记述中药资源的蕴藏量情况，用丰富、较丰富、一般、较少、稀少来表示；并用"野生"或"栽培"记述药材的主要来源。

6）采收加工。该项记述药材的采收时间与加工方法。

7）药材性状。该项主要记述药材的性状特征、品质评价等内容。

8）功能主治。该项记述药材的性味、毒性、归经、功能和主治。

9）附注。该项记述中药资源最新的分类学地位与接受名的变动情况；记述《中华人民共和国药典》与地方标准收载的物种学名；描述物种的濒危等级、其他医药相关用途，以及本草、地方志书中的资源方面的记载情况等。

（4）附录。以名录形式收载中篇、下篇没有收载的湖南分布的中药资源。

被子植物

马齿苋科 Portulacaceae 马齿苋属 Portulaca

大花马齿苋

Portulaca grandiflora Hook.

| 药 材 名 | 午时花（药用部位：全草。别名：半支莲、佛甲草、打砍不死）。

| 形态特征 | 一年生草本，高 10 ~ 30 cm。茎平卧或斜升，紫红色，多分枝，节有丛生毛。叶密生于枝顶，下面的叶不规则互生，叶片细圆柱形，有时微弯，长 1 ~ 2.5 cm，直径 2 ~ 3 mm，先端钝圆，无毛；叶柄极短或近无柄，叶腋常簇生白色长柔毛。花单生或数朵簇生于枝顶，直径 2.5 ~ 4 cm，日开夜闭；叶状总苞 8 ~ 9，轮生，被白色长柔毛；萼片 2，淡黄绿色，卵状三角形，长 5 ~ 7 mm，稍具龙骨状突起，无毛；花瓣 5 或重瓣，倒卵形，先端微凹，长 1.2 ~ 3 cm，红色、紫色或黄白色；雄蕊多数，长 5 ~ 8 mm，花丝紫色，基部连合；花柱长 5 ~ 8 mm，柱头 5 ~ 9，线形。蒴果近椭圆形，盖裂；种子

圆肾形，直径不及 1 mm，铅灰色、灰褐色或灰黑色，有光泽，被小瘤。花期 6 ~ 9 月，果期 8 ~ 11 月。

| **生境分布** | 栽培于公园、花圃。湖南各地均有分布。

| **资源情况** | 栽培资源丰富。药材来源于栽培。

| **采收加工** | 夏、秋季采收，除去残根及杂质，洗净，鲜用，或略蒸烫后晒干。

| **药材性状** | 本品茎圆柱形，长 10 ~ 15 cm，直径 0.1 ~ 0.3 cm，有分枝；表面淡棕绿色或浅棕红色，有微隆起的细密纵皱纹，叶腋处常有白色长柔毛。叶多皱缩，呈线状，暗绿色，长 1 ~ 2.5 cm，直径约 1 mm；鲜叶扁圆柱形，肉质。枝端常有花着生，萼片 2，宽卵形，长约 6 mm，浅红色，卷成帽状，花瓣多干瘪皱缩成帽尖状，深紫红色。蒴果近椭圆形，浅棕黄色，外被白色长柔毛，盖裂，内含多数深灰黑色细小种子；种子圆肾形，直径不及 1 mm，具金属样光泽，先端有歪向一侧的小尖，于立体显微镜下可见表面密布细小疣状突起。气微香，味酸。

| **功能主治** | 淡、微苦，寒。清热解毒，散瘀止血。用于咽喉肿痛，疮疖，湿疹，跌打肿痛，烫火伤，外伤出血。

| **用法用量** | 内服煎汤，9 ~ 15 g，鲜品可用至 30 g。外用适量，捣汁含漱；或捣敷。

马齿苋科 Portulacaceae　马齿苋属 Portulaca

马齿苋 *Portulaca oleracea* L.

| 药 材 名 | 马齿苋（药用部位：全草。别名：马齿草、马苋、马齿菜）、马齿苋子（药用部位：种子。别名：马齿苋实）。

| 形态特征 | 一年生草本，全株无毛。茎平卧或斜倚，伏地铺散，多分枝，圆柱形，长 10 ~ 15 cm，淡绿色或带暗红色。叶互生，有时近对生，叶片扁平，肥厚，倒卵形，似马齿状，先端圆钝或平截，有时微凹，基部楔形，全缘；叶柄短粗。花无梗，直径 4 ~ 5 mm，常 3 ~ 5 花簇生于枝端，午时盛开；苞片 2 ~ 6，叶状，膜质，近轮生；萼片 2，对生，绿色，盔形，左右压扁，长约 4 mm，先端急尖，背部具龙骨状突起，基部合生；花瓣 5，稀 4，黄色，倒卵形，长 3 ~ 5 mm，先端微凹，基部合生；雄蕊通常 8，或更多，长约 12 mm，花药黄色；子房无毛，花柱比雄蕊稍长，柱头 4 ~ 6 裂，线形。蒴果

卵球形，长约 5 mm，盖裂；种子细小，偏斜球形，黑褐色，有光泽，直径不及 1 mm，具小疣状突起。花期 5 ~ 8 月，果期 6 ~ 9 月。

| **生境分布** | 生于海拔 1 300 m 以下的菜园、农田、路旁。湖南各地均有分布。

| **资源情况** | 野生资源丰富。药材来源于野生。

| **采收加工** | 马齿苋：8 ~ 9 月割取全草，洗净泥土，拣去杂质，再用开水稍煮或蒸，取出，晒干或炕干，亦可鲜用。

马齿苋子：夏、秋季果实成熟时割取地上部分，打下种子，除去杂质，干燥。

| **药材性状** | 马齿苋：本品多卷曲成团。茎圆柱形，长 10 ~ 15 cm，直径 1 ~ 3 mm，表面黄棕色至棕褐色，有明显扭曲的纵沟纹。叶易破碎或脱落，完整叶片倒卵形，绿褐色，长 1 ~ 2.5 cm，宽 0.5 ~ 1.5 cm，先端平截或微缺，全缘。花少见，黄色，生于枝端。蒴果卵球形，长约 5 mm，帽状盖裂，内含多数黑色细小种子。气微，味微酸而带黏性。以株小、质嫩、整齐、叶多、青绿色、无杂质者为佳。

马齿苋子：本品偏斜球形，长约 0.94 mm，宽 0.83 mm，厚约 0.42 mm。表面多为黑色，少数为红棕色，于立体显微镜下可见密集的细小疣状突起，一端有 1 凹陷，凹陷旁有 1 白色种脐。质坚硬，难破碎。气微，味微酸。

| **功能主治** | 马齿苋：酸，寒。归肝、大肠经。清热解毒，凉血止痢，除湿通淋。用于热毒泻痢，热淋，尿闭，赤白带下，崩漏，痔血，疮疡痈疖，丹毒，瘰疬，湿癣，白秃疮。

马齿苋子：甘，寒。归肝、大肠经。清肝，化湿，明目。用于青盲白翳，泪囊炎。

| **用法用量** | 马齿苋：内服煎汤，10 ~ 15 g，鲜品 30 ~ 60 g；或绞汁。外用适量，捣敷；或烧灰，研末调敷；或煎汤洗。

马齿苋子：内服煎汤，9 ~ 15 g。外用适量，煎汤熏洗。

马齿苋科 Portulacaceae 土人参属 Talinum

土人参

Talinum paniculatum (Jacq.) Gaertn.

| 药 材 名 | 土人参（药用部位：根。别名：参草、土高丽参、假人参）、土人参叶（药用部位：叶）。

| 形态特征 | 一年生或多年生草本，全株无毛，高 30 ~ 100 cm。主根粗壮，圆锥形，有少数分枝，皮黑褐色，断面乳白色。茎直立，肉质，基部近木质，多少分枝，圆柱形，有时具槽。叶互生或近对生，具短柄或近无柄，叶片稍肉质，倒卵形或倒卵状长椭圆形，先端急尖，有时微凹，具短尖头，基部狭楔形，全缘。圆锥花序顶生或腋生，常二叉分枝；总苞片绿色或近红色，圆形，先端圆钝；苞片 2，膜质，披针形，先端急尖；花梗长 5 ~ 10 mm；萼片卵形，紫红色，早落；花瓣粉红色或淡紫红色，长椭圆形、倒卵形或椭圆形，先端圆钝，

稀微凹；雄蕊（10 ～）15 ～ 20；柱头 3 裂，稍开展；子房卵球形。蒴果近球形，3 瓣裂，坚纸质；种子多数，扁圆形，黑褐色或黑色，有光泽。花期 6 ～ 8 月，果期 9 ～ 11 月。

| **生境分布** | 生于阴湿处。湖南各地均有分布。

| **资源情况** | 野生资源丰富。药材来源于野生。

| **采收加工** | 土人参：8 ～ 9 月采挖，洗净，除去细根，晒干或刮去表皮，蒸熟，晒干。
土人参叶：夏、秋季采收，洗净，鲜用或晒干。

| **药材性状** | 土人参：本品圆锥形或长纺锤形，有少数分枝，长 7 ～ 15 cm，直径 0.7 ～ 1.7 cm。先端具木质茎残基。表面灰黑色，有纵皱纹及点状突起的须根痕。除去栓皮并蒸煮后，表面呈灰黄色，半透明状，有点状须根痕及纵皱纹，隐约可见内部有纵行的维管束。质坚硬，难折断。未加工者折断面平坦，已加工者折断面呈角质状，中央常有大腔。气微，味淡，微有黏滑感。

土人参叶：本品多皱缩、破碎，墨绿色至黑棕色。完整者展平后呈倒卵形或倒卵状披针形，长 5 ～ 10 cm，宽 2.5 ～ 4.5 cm，全缘，表面光滑。鲜品肉质，翠绿色。气微，味淡。

| **功能主治** | 土人参：甘、淡，平。归脾、肺、肾经。补气润肺，止咳，调经。用于气虚劳倦，食少，泄泻，肺痨咯血，眩晕，潮热，盗汗，自汗，月经不调，带下，产妇乳汁不足。

土人参叶：甘，平。通乳汁，消肿毒。用于乳汁不足，痈肿疔毒。

| **用法用量** | 土人参：内服煎汤，30 ～ 60 g。外用适量，捣敷。

土人参叶：内服煎汤，15 ～ 30 g。外用适量，捣敷。

落葵科 Basellaceae 落葵薯属 Anredera

落葵薯 *Anredera cordifolia* (Tenore) Steenis

| 药 材 名 |

藤三七（药用部位：珠芽）。

| 形态特征 |

缠绕藤本，长可达数米。根茎粗壮。叶具短柄，叶片卵形至近圆形，长 2 ~ 6 cm，宽 1.5 ~ 5.5 cm，先端急尖，基部圆形或心形，稍肉质，腋生小块茎（珠芽）。总状花序具多花，花序轴纤细，下垂，长 7 ~ 25 cm；苞片狭，长不超过花梗，宿存；花梗长 2 ~ 3 mm，花托先端杯状，花常由此脱落；下面 1 对小苞片宿存，宽三角形，急尖，透明，上面 1 对小苞片淡绿色，比花被短，宽椭圆形至近圆形；花直径约 5 mm；花被片白色，渐变黑，开花时张开，卵形、长圆形至椭圆形，先端钝圆，长约 3 mm，宽约 2 mm；雄蕊白色，花丝先端在芽中反折，开花时伸出花外；花柱白色，分裂成 3 柱头臂，每臂具 1 棍棒状或宽椭圆形柱头。果实、种子未见。花期 6 ~ 10 月。

| 生境分布 |

分布于 1 200 m 以下的路边、石上。栽培于潮湿、光照充足的环境。湖南各地均有分布。

| **资源情况** | 野生资源较丰富。栽培资源丰富。药材来源于野生和栽培。

| **采收加工** | 在珠芽形成后采摘，除去杂质，鲜用或晒干。

| **药材性状** | 本品呈瘤状，少数呈圆柱形，直径 0.5 ~ 3 cm。表面灰棕色，具突起。断面灰黄色或灰白色，略呈粉性。质坚实而脆，易碎裂。

| **功能主治** | 微苦，温。补肾强腰，散瘀消肿。用于腰膝酸痛，病后体弱，跌打损伤，骨折。

| **用法用量** | 内服煎汤，30 ~ 60 g；或炖肉。外用适量，捣敷。

落葵科 Basellaceae 落葵属 Basella

落葵

Basella alba L.

| 药 材 名 | 落葵（药用部位：全草或叶）、落葵子（药用部位：果实。别名：落葵实）、落葵花（药用部位：花）。

| 形态特征 | 一年生缠绕草本。茎长可达数米，无毛，肉质，绿色或略带紫红色。叶片卵形或近圆形，长 3 ~ 9 cm，宽 2 ~ 8 cm，先端渐尖，基部微心形或圆形，下延成柄，全缘，背面叶脉微凸起；叶柄长 1 ~ 3 cm，上有凹槽。穗状花序腋生，长 3 ~ 15（~ 20）cm；苞片极小，早落；小苞片 2，萼状，长圆形，宿存；花被片淡红色或淡紫色，卵状长圆形，全缘，先端钝圆，下部白色，连合成筒；雄蕊着生于花被筒口，花丝短，基部扁宽，白色，花药淡黄色；柱头椭圆形。果实球形，直径 5 ~ 6 mm，红色至深红色或黑色，多汁液，外包宿存小苞片及花被。花期 5 ~ 9 月，果期 7 ~ 10 月。

| **生境分布** | 生于海拔 2 000 m 以下的地区。栽培于田间、菜园、庭院、公园等。湖南各地均有分布。

| **资源情况** | 野生资源较少。栽培资源丰富。药材来源于栽培。

| **采收加工** | 落葵：夏、秋季采收，洗净，除去杂质，鲜用或晒干。
落葵子：果实成熟后采收，晒干。
落葵花：春、夏季花开时采摘，鲜用。

| **药材性状** | 落葵：本品茎肉质，圆柱形，直径 3 ~ 8 mm，稍弯曲，有分枝，绿色或淡紫色；质脆，易断，折断面鲜绿色。叶微皱缩，展平后呈宽卵形、心形或长椭圆形，长 3 ~ 9 cm，宽 2 ~ 8 cm，全缘，先端急尖，基部近心形或圆形；叶柄长 1 ~ 3 cm。气微，味甜，有黏性。

| **功能主治** | 落葵：甘、酸，寒。滑肠通便，清热利湿，凉血解毒，活血。用于大便秘结，小便短涩，痢疾，热毒疮疡，跌打损伤。
落葵子：润泽肌肤。
落葵花：辛、苦，寒。凉血解毒。用于痘疹，乳头破裂。

| **用法用量** | 落葵：内服煎汤，10 ~ 15 g，鲜品 30 ~ 60 g。外用适量，鲜品捣敷；或捣汁涂。
落葵子：外用适量，研末调敷，作面脂。
落葵花：外用适量，鲜品捣汁涂。

石竹科 Caryophyllaceae 无心菜属 Arenaria

无心菜 *Arenaria serpyllifolia* L.

| 药 材 名 | 小无心菜（药用部位：全草。别名：鹅不食草、鸡肠子草、鹅肠子草）。

| 形态特征 | 一年生或二年生草本，高 10 ~ 30 cm。主根细长，支根较多而纤细。茎丛生，直立或铺散，密生白色短柔毛，节间长 0.5 ~ 2.5 cm。叶片卵形，长 4 ~ 12 mm，宽 3 ~ 7 mm，基部狭，无柄，边缘具缘毛，先端急尖，两面近无毛或疏生柔毛，下面具 3 脉，茎下部叶较大，茎上部叶较小。聚伞花序具多数花；苞片草质，卵形，长 3 ~ 7 mm，通常密生柔毛；花梗长约 1 cm，纤细，密生柔毛或腺毛；萼片 5，披针形，长 3 ~ 4 mm，边缘膜质，先端尖，外面被柔毛，具显著 3 脉；花瓣 5，白色，倒卵形，长为萼片的 1/3 ~ 1/2，先端钝圆；雄

蕊 10，短于萼片；子房卵圆形，无毛，花柱 3，线形。蒴果卵圆形，与宿存萼等长，先端 6 裂；种子小，肾形，表面粗糙，淡褐色。花期 6 ～ 8 月，果期 8 ～ 9 月。

| **生境分布** | 生于海拔 550 ～ 2 100 m 的沙质或石质荒地、田野、园圃、山坡草地。湖南各地均有分布。

| **资源情况** | 野生资源丰富。药材来源于野生。

| **采收加工** | 初夏采集，晒干或鲜用。

| **药材性状** | 本品长 10 ～ 30 cm。茎纤细，簇生，密被白色短柔毛。叶对生，完整叶卵形，无柄，长 4 ～ 12 mm，宽 2 ～ 3 mm，两面有稀疏茸毛。茎顶疏生白色小花；花瓣 5。气微，味淡。

| **功能主治** | 苦、辛，凉。归肝、肺经。清热，明目，止咳。用于肝热目赤，翳膜遮睛，肺痨咳嗽，咽喉肿痛，牙龈炎。

| **用法用量** | 内服煎汤，15 ～ 30 g；或浸酒。外用适量，捣敷或塞鼻孔。

石竹科 Caryophyllaceae 卷耳属 Cerastium

簇生卷耳

Cerastium fontanum Baumg. subsp. *triviale* (Link) Jalas

| 药 材 名 | 小白绵参（药用部位：全草）。

| 形态特征 | 多年生或一年生、二年生草本，高 15 ~ 30 cm。茎单生或丛生，近直立，被白色短柔毛和腺毛。基生叶叶片近匙形或倒卵状披针形，基部渐狭，呈柄状，两面被短柔毛；茎生叶近无柄，叶片卵形、狭卵状长圆形或披针形，长 1 ~ 3（ ~ 4）cm，宽 3 ~ 10（ ~ 12）mm，先端急尖或钝尖，两面均被短柔毛，边缘具缘毛。聚伞花序顶生；苞片草质；花梗细，长 5 ~ 25 mm，密被长腺毛，花后弯垂；萼片 5，长圆状披针形，长 5.5 ~ 6.5 mm，外面密被长腺毛，边缘中部以上膜质；花瓣 5，白色，倒卵状长圆形，与萼片等长或微短于萼片，先端 2 浅裂，基部渐狭，无毛；雄蕊短于花瓣，花丝扁线形，无毛；

花柱5，短线形。蒴果圆柱形，长8～10 mm，长为宿存萼的2倍，先端10齿裂；种子褐色，具瘤状突起。花期5～6月，果期6～7月。

| **生境分布** | 生于海拔1 400 m以下的路边、田边、山坡、林缘杂草间。湖南各地均有分布。

| **资源情况** | 野生资源丰富。药材来源于野生。

| **采收加工** | 夏季采集，鲜用或晒干。

| **功能主治** | 苦，微寒。清热，解毒，消肿。用于感冒发热，小儿高热惊风，痢疾，乳痈初起，疔疮肿毒。

| **用法用量** | 内服煎汤，15～30 g。外用适量，鲜品捣敷。

▌石竹科▐ Caryophyllaceae ▌卷耳属▐ Cerastium

球序卷耳

Cerastium glomeratum Thuill.

| 药 材 名 | 婆婆指甲菜（药用部位：全草。别名：山马齿苋、天青地白、铺地黄）。

| 形态特征 | 一年生草本，高 10 ～ 20 cm。茎单生或丛生，密被长柔毛，上部混生腺毛。茎下部叶叶片匙形，先端钝，基部渐狭成柄状；上部茎生叶叶片倒卵状椭圆形，长 1.5 ～ 2.5 cm，宽 5 ～ 10 mm，先端急尖，基部渐狭成短柄状，两面皆被长柔毛，边缘具缘毛，中脉明显。聚伞花序呈簇生状或头状；花序轴密被腺柔毛；苞片草质，卵状椭圆形，密被柔毛；花梗细，长 1 ～ 3 mm，密被柔毛；萼片 5，披针形，长约 4 mm，先端尖，外面密被长腺毛，边缘狭膜质；花瓣 5，白色，线状长圆形，与萼片近等长或较萼片稍长，先端 2 浅裂，基部被疏柔毛；雄蕊明显短于萼；花柱 5。蒴果长圆柱形，比宿存萼长 1/2 或

1 倍，先端 10 齿裂；种子褐色，扁三角形，具疣状突起。花期 3 ~ 4 月，果期 5 ~ 6 月。

| 生境分布 | 生于海拔 2 100 m 以下的田野路边、山坡草地。湖南各地均有分布。

| 资源情况 | 野生资源丰富。药材来源于野生。

| 采收加工 | 春、夏季采集，晒干或鲜用。

| 药材性状 | 本品长 10 ~ 20 cm，密生茸毛。茎纤细，下部红褐色，上部绿色。叶对生，完整叶椭圆形或卵形，长 1 ~ 2 cm，宽 5 ~ 10 mm，主脉凸出。茎先端有二叉式聚伞花序；花小，白色。用手触摸有粗糙感。气微，味淡。

| 功能主治 | 甘、微苦，凉。归肺、胃、肝经。清热，利湿，凉血解毒。用于感冒发热，湿热泄泻，肠风下血，乳痈，疔疮，高血压。

| 用法用量 | 内服煎汤，15 ~ 30 g。外用适量，捣敷；或煎汤熏洗。

石竹科 Caryophyllaceae 卷耳属 *Cerastium*

鄂西卷耳

Cerastium wilsonii Takeda

| 药 材 名 | 鄂西卷耳（药用部位：全草或叶。别名：大鹅耳肠）。

| 形态特征 | 多年生草本，高 25 ~ 35 cm。根细长。茎上升，近无毛。基生叶匙形，基部渐狭成长柄状；茎生叶卵状椭圆形，无柄，长 1.5 ~ 2.5 cm，宽 8 ~ 12 mm，先端急尖，沿中脉和基部被长毛。聚伞花序顶生，具多数花，花序梗细长，具腺柔毛；苞片草质，小形，被柔毛；花梗细，具腺柔毛，长短不等，长可达 3 cm；萼片 5，披针形或宽披针形，长约 6 mm，先端急尖，边缘膜质，外面被短柔毛；花瓣 5，白色，狭倒卵形，长为萼片的 2 倍，2 裂至中部，裂片披针形，先端尖，无毛；雄蕊稍长于萼片，无毛；花柱 5，线形。蒴果圆柱形，宿存萼 12，裂齿 10，直伸；种子近三角状球形，直径约 1 mm，稍扁，

褐色，具疣状突起。花期 4 ~ 5 月，果期 6 ~ 7 月。

| **生境分布** | 生于海拔 1 000 ~ 2 000 m 的山坡或林缘。分布于湖南张家界（桑植）等。

| **资源情况** | 野生资源稀少。药材来源于野生。

| **功能主治** | 清热泻火。用于火疮。

石竹科 Caryophyllaceae 狗筋蔓属 Cucubalus

狗筋蔓 *Cucubalus baccifer* L.

药材名

狗筋蔓（药用部位：带根全草。别名：大鸡肠草、鹅儿肠、抽筋草）。

形态特征

多年生草本，全株被逆向短绵毛。根簇生，长纺锤形，白色，断面黄色，稍肉质；根颈粗壮，多头。茎铺散，俯仰，长 50 ~ 150 cm，多分枝。叶片卵形、卵状披针形或长椭圆形，基部渐狭成柄状，先端急尖，边缘具短缘毛，两面沿脉被毛。圆锥花序疏松；花梗细，具 1 对叶状苞片；花萼宽钟形，长 9 ~ 11 mm，草质，后期膨大，呈半圆球形；雌蕊柄和雄蕊柄长约 1.5 mm，无毛；花瓣白色，倒披针形，爪狭长，瓣片叉状，浅 2 裂；副花冠片不明显，微呈乳头状；雄蕊不外露，花丝无毛；花柱细长，不外露。蒴果圆球形，呈浆果状，直径 6 ~ 8 mm，成熟时呈薄壳质，黑色，具光泽，不规则开裂；种子圆肾形，肥厚，长约 1.5 mm，黑色，平滑，有光泽。花期 6 ~ 8 月，果期 7 ~ 9（~ 10）月。

生境分布

生于海拔 900 ~ 1 890 m 的林缘、灌丛或草地。分布于湖南邵阳（新邵）、湘西州（古丈）、张家界（慈利、桑植）等。

| 资源情况 | 野生资源稀少。药材来源于野生。

| 采收加工 | 秋末冬初采挖，洗净泥沙，晒干。

| 药材性状 | 本品根细长，呈圆柱形，稍扭曲，常数条着生于较短的根茎上，长 10 ~ 30 cm，直径 3 ~ 6 mm；表面黄白色，有纵皱纹；质硬而脆，易折断，断面黄白色。茎多分枝；表面黄绿色至黄棕色，节部膨大，有黄色毛；断面中央有白色髓。叶对生，完整者呈卵状披针形或长圆形，长 2 ~ 4 cm，宽 7 ~ 15 mm，全缘，中脉有毛。茎枝先端有单生或 2 ~ 3 聚生的小花，花瓣 5，白色。气微，味甘、微苦。

| 功能主治 | 甘、苦，温。归肝、膀胱经。活血定痛，接骨生肌。用于跌打损伤，骨折，风湿关节痛，月经不调，瘰疬，痈疽。

| 用法用量 | 内服煎汤，9 ~ 15 g。外用适量，鲜品捣敷。

| 附　　注 | 本种的拉丁学名在 FOC 中被修订为 *Silene baccifera* (Linnaeus) Roth。

石竹科 Caryophyllaceae 石竹属 Dianthus

香石竹
Dianthus caryophyllus L.

药材名

麝香石竹（药用部位：地上部分）、麝香石竹花（药用部位：花）。

形态特征

多年生草本，高 40 ~ 70 cm，全株无毛，粉绿色。茎丛生，直立，基部木质化，上部稀疏分枝。叶片线状披针形，长 4 ~ 14 cm，宽 2 ~ 4 mm，先端长渐尖，基部略呈短鞘状，中脉明显，上面下凹，下面稍凸起。花常单生于枝端，有时 2 或 3，有香气，粉红色、紫红色或白色；花梗短于花萼；苞片 4（~ 6），宽卵形，先端短凸尖，长为花萼的 1/4；花萼圆筒形，长 2.5 ~ 3 cm，萼齿披针形，边缘膜质；瓣片倒卵形，顶缘具不整齐齿；雄蕊长达喉部；花柱伸出花外。蒴果卵球形，稍短于宿存萼。花期 5 ~ 8 月，果期 8 ~ 9 月。

生境分布

多栽培于庭院、公园。湖南各地均有分布。

资源情况

栽培资源丰富。药材来源于栽培。

| 功能主治 |　　**麝香石竹：**清热利尿，破血，通便。

　　　　　　　麝香石竹花：解痉，镇静。

石竹科 Caryophyllaceae 石竹属 Dianthus

石竹 *Dianthus chinensis* L.

| 药 材 名 | 瞿麦（药用部位：地上部分。别名：石竹子花、十样景花、洛阳花）。

| 形态特征 | 多年生草本，高 30 ～ 50 cm，全株无毛，带粉绿色。茎由根颈生出，疏丛生，直立，上部分枝。叶片线状披针形，长 3 ～ 5 cm，宽 2 ～ 4 mm，先端渐尖，基部稍狭，全缘或有细小齿，中脉较明显。花单生枝端或数花集成聚伞花序；花梗长 1 ～ 3 cm；苞片 4，卵形，先端长渐尖，长达花萼的一半以上，边缘膜质，有缘毛；花萼圆筒形，长 15 ～ 25 mm，直径 4 ～ 5 mm，有纵条纹，萼齿披针形，长约 5 mm，直伸，先端尖，有缘毛；花瓣长 16 ～ 18 mm，瓣片倒卵状三角形，长 13 ～ 15 mm，紫红色、粉红色、鲜红色或白色，顶缘具不整齐齿裂，喉部有斑纹，疏生髯毛；雄蕊露出喉部外，花药蓝

色；子房长圆形，花柱线形。蒴果圆筒形，包于宿存萼内，先端4裂；种子黑色，扁圆形。花期5～6月，果期7～9月。

| 生境分布 | 栽培于海拔1 000 m以下的山坡草丛中。湖南各地均有分布。

| 资源情况 | 栽培资源丰富。药材来源于栽培。

| 采收加工 | 夏、秋季花果期采割，除去杂质，干燥。

| 药材性状 | 本品茎圆柱形，上部有分枝，长30～50 cm；表面淡绿色或黄绿色，光滑无毛，节明显，略膨大，断面中空。叶对生，多皱缩，展平后叶片呈条形至条状披针形。枝端具花及果实，花萼筒状，长1.4～1.8 cm；苞片4，宽卵形，长约为萼筒的1/2；花瓣棕紫色或棕黄色，卷曲，先端浅齿裂。蒴果圆筒形，与宿萼等长；种子细小，多数。无臭，味淡。

| 功能主治 | 苦，寒。归心、小肠经。利尿通淋，活血通经。用于热淋，血淋，石淋，小便不通，淋沥涩痛，经闭瘀阻。

| 用法用量 | 内服煎汤，9～15 g。

石竹科 Caryophyllaceae 石竹属 Dianthus

长萼瞿麦
Dianthus longicalyx Miq.

| 药 材 名 | 长筒瞿麦（药用部位：全草。别名：野瞿麦草）。

| 形态特征 | 多年生草本，高 40 ~ 80 cm。茎直立，基部分枝，无毛。基生叶数片，花期干枯；茎生叶叶片线状披针形或披针形，长 4 ~ 10 cm，宽 2 ~ 5（~ 10）mm，先端渐尖，基部稍狭，边缘有微细锯齿。疏聚伞花序，具 2 至多花；苞片 3 ~ 4 对，草质，卵形，先端短凸尖，边缘宽膜质，被短糙毛，长为花萼的 1/5；花萼长管状，长 3 ~ 4 cm，绿色，有条纹，无毛，萼齿披针形，长 5 ~ 6 mm，先端锐尖；花瓣倒卵形或楔状长圆形，粉红色，具长爪，瓣片深裂成丝状；雄蕊伸达喉部；花柱线形，长约 2 cm。蒴果狭圆筒形，先端 4 裂，略短于宿存萼。花期 6 ~ 8 月，果期 8 ~ 9 月。

| **生境分布** | 生于海拔 900 ~ 1 950 m 的山坡草地、林下、固定沙丘。分布于湖南邵阳（新宁、邵东）、株洲等。

| **资源情况** | 野生资源稀少。药材来源于野生。

| **功能主治** | 清热利尿。

石竹科 Caryophyllaceae 石竹属 Dianthus

瞿麦

Dianthus superbus L.

| 药 材 名 | 瞿麦（药用部位：地上部分。别名：石竹子花、十样景花、洛阳花）。

| 形态特征 | 多年生草本，高 50 ~ 60 cm，有时更高。茎丛生，直立，绿色，无毛，上部分枝。叶片线状披针形，长 5 ~ 10 cm，宽 3 ~ 5 mm，先端锐尖，中脉特显，基部合生成鞘状，绿色，有时带粉绿色。花 1 或 2 生于枝端，有时顶下腋生；苞片 2 ~ 3 对，倒卵形，长 6 ~ 10 mm，约为花萼的 1/4，宽 4 ~ 5 mm，先端长尖；花萼圆筒形，长 2.5 ~ 3 cm，直径 3 ~ 6 mm，常染紫红色晕，萼齿披针形，长 4 ~ 5 mm；花瓣长 4 ~ 5 cm，爪长 1.5 ~ 3 cm，包于萼筒内，瓣片宽倒卵形，边缘裂至中部或中部以上，通常为淡红色或带紫色，稀白色，喉部具丝毛状鳞片；雄蕊和花柱微外露。蒴果圆筒形，与宿

存萼等长或较宿存萼稍长，先端 4 裂；种子扁卵圆形，长约 2 mm，黑色，有光泽。花期 6 ~ 9 月，果期 8 ~ 10 月。

| 生境分布 | 生于海拔 400 ~ 2 200 m 的丘陵、山地疏林下、林缘、草甸、沟谷溪边。栽培于公园、田野。湖南各地均有分布。

| 资源情况 | 野生资源一般。栽培资源丰富。药材来源于野生和栽培。

| 采收加工 | 夏、秋季花果期采割，除去杂质，干燥。

| 药材性状 | 本品茎圆柱形，上部有分枝，长 30 ~ 60 cm；表面淡绿色或黄绿色，光滑无毛，节明显，略膨大，断面中空。叶对生，多皱缩，展平后叶片呈条形至条状披针形。枝端具花及果实，花萼筒状，长 2.5 ~ 3 cm；苞片 4 ~ 6，宽卵形，长约为萼筒的 1/4；花瓣棕紫色或棕黄色，卷曲，先端深裂，呈丝状。蒴果圆筒形，与宿萼等长；种子细小，多数。气微，味淡。

| 功能主治 | 苦，寒。归心、小肠经。利尿通淋，活血通经。用于热淋，血淋，石淋，经闭瘀阻。

| 用法用量 | 内服煎汤，9 ~ 15 g。

石竹科 Caryophyllaceae 荷莲豆草属 Drymaria

荷莲豆草 *Drymaria diandra* Bl. Bijdr.

| 药 材 名 | 荷莲豆草（药用部位：全草）。

| 形态特征 | 一年生草本，长 60 ~ 90 cm。根纤细。茎葡匐，丛生，纤细，无毛，基部分枝，节常生不定根。叶片卵状心形，长 1 ~ 1.5 cm，宽 1 ~ 1.5 cm，先端凸尖，具 3 ~ 5 基出脉；叶柄短；托叶数片，小型，白色，刚毛状。聚伞花序顶生；苞片针状披针形，边缘膜质；花梗细弱，短于花萼，被白色腺毛；萼片披针状卵形，长 2 ~ 3.5 mm，草质，边缘膜质，具 3 脉，被腺柔毛；花瓣白色，倒卵状楔形，长约 2.5 mm，稍短于萼片，先端 2 深裂；雄蕊稍短于萼片，花丝基部渐宽，花药黄色，圆形，2 室；子房卵圆形；花柱 3，基部合生。蒴果卵形，长 2.5 mm，宽 1.3 mm，3 瓣裂；种子近圆形，长 1.5 mm，

宽 1.3 mm，表面具小疣。花期 4 ～ 10 月，果期 6 ～ 12 月。

| **生境分布** | 生于海拔 200 ～ 1 740 m 的山谷、杂木林缘。分布于湖南永州（江华）、怀化（通道）等。

| **资源情况** | 野生资源稀少。药材来源于野生。

| **采收加工** | 夏、秋季采收，洗净，鲜用或晒干。

| **药材性状** | 本品长 60 ～ 90 cm。茎光滑，纤细，下部有分枝。叶对生，完整者卵圆形至近圆形，长 1 ～ 1.5 cm，宽 1 ～ 1.2 cm，叶脉 3 ～ 5，膜质；具短叶柄。顶生或腋生绿色小花。气微，味微涩。

| **功能主治** | 苦，凉。归肝、胃、膀胱经。清热利湿，活血解毒。用于黄疸，水肿，疟疾，惊风，风湿脚气，疮痈疖毒，疳积，目翳胬肉。

| **用法用量** | 内服煎汤，6 ～ 9 g，鲜品 15 ～ 30 g；或浸酒；或绞汁。外用适量，鲜品捣敷。

| **附　注** | 本种的拉丁学名在 FOC 中被修订为 *Drymaria cordata* (Linnaeus) Willdenow ex Schultes。

▓石竹科▓ Caryophyllaceae ▓剪秋罗属▓ Lychnis

剪春罗
Lychnis coronata Thunb.

| 药 材 名 | 剪夏罗（药用部位：全草或根及根茎）。

| 形 态 特 征 | 多年生草本，高 50 ～ 90 cm，全株近无毛。根簇生，细圆柱形，黄白色，稍肉质。茎单生，稀疏丛生，直立。叶片椭圆状倒披针形或卵状倒披针形，长 8 ～ 15 cm，宽 2 ～ 5 cm，基部楔形，先端渐尖，两面近无毛，边缘具缘毛。二歧聚伞花序通常具数花；花直径 4 ～ 5 cm，花梗极短，被稀疏短柔毛；苞片披针形，草质，具缘毛；花萼筒状，长 30 ～ 35 mm，直径 3.5 ～ 5 mm，纵脉明显，无毛，萼齿披针形，长 8 ～ 10 mm，先端渐尖，边缘具缘毛；雌雄蕊柄长 10 ～ 15 mm；花瓣橙红色，爪不露出花萼，狭楔形，无缘毛，瓣片倒卵形，长（15 ～）20 ～ 25 mm，先端具不整齐缺刻状齿；副花冠片椭圆状；雄蕊不外露，花丝无毛。蒴果长椭圆形，长约 20 mm。花期 6 ～ 7

月，果期 8 ~ 9 月。

| **生境分布** | 生于海拔 1 000 m 以下的疏林或灌丛草地。分布于湖南长沙（长沙）、郴州（临武）等。

| **资源情况** | 野生资源稀少。药材来源于野生。

| **采收加工** | 春季采收，鲜用或晒干。

| **药材性状** | 本品长 50 ~ 80 cm。根条状。根茎竹节状，表面黄色，内面白色。茎略有棱，节稍膨大，光滑。单叶对生，完整叶片卵状椭圆形，长 6 ~ 10 cm，宽 2 ~ 4 cm，先端渐尖，基部圆钝至阔楔形，边缘具浅细锯齿。花 1 ~ 5 朵成聚伞花序；花萼长筒形，具 10 脉，先端 5 裂，裂片尖卵形，花瓣 5，暗红色，先端有不规则浅裂，下部渐狭成爪。蒴果具宿萼，先端 5 齿裂；种子多数。

| **功能主治** | 甘、微苦，寒。归肺、肝经。清热除湿，泻火解毒。用于感冒发热，缠腰火丹，风湿痹痛，泄泻。

| **用法用量** | 内服煎汤，根及根茎 9 ~ 15 g，全草 15 ~ 30 g。外用适量，鲜花或叶捣敷；根及根茎研末调涂。

石竹科 Caryophyllaceae 剪秋罗属 Lychnis

剪秋罗
Lychnis fulgens Fisch.

药材名

大花剪秋罗（药用部位：带根全草。别名：
山红花、剪秋罗、小尖叶参）。

形态特征

多年生草本，高 50 ~ 80 cm，全株被柔毛。
根簇生，纺锤形，稍肉质。茎直立，不分枝
或上部分枝。叶片卵状长圆形或卵状披针
形，基部圆形，稀宽楔形，不呈柄状，先
端渐尖，两面和边缘均被粗毛。二歧聚伞花
序具少数花，稀具多数花，紧缩成伞房状；
花直径 3.5 ~ 5 cm，花梗长 3 ~ 12 mm；苞
片卵状披针形，草质，密被长柔毛和缘毛；
花萼筒状棒形，被白色稀疏长柔毛，沿脉较
密，萼齿三角状，先端急尖；雌蕊柄和雄蕊
柄长约 5 mm；花瓣深红色，具缘毛，瓣
片倒卵形，2 深裂达瓣片的 1/2，裂片椭圆
状条形，有时先端具不明显的细齿；副花冠
片长椭圆形，暗红色，呈流苏状；雄蕊微
外露，花丝无毛。蒴果长椭圆状卵形，长
12 ~ 14 mm；种子肾形，长约 1.2 mm，肥
厚，黑褐色，具乳突。花期 6 ~ 7 月，果期
8 ~ 9 月。

| **生境分布** | 生于海拔 2 000 m 以下的低山疏林、灌丛、草甸阴湿地。分布于湖南邵阳（新邵）、岳阳（临湘）、益阳（安化）、郴州（北湖、苏仙）等。

| **资源情况** | 野生资源较少。药材来源于野生。

| **采收加工** | 每年 8 月连根拔出，抖去泥土，晒干。

| **功能主治** | 甘，寒。清热利尿，健脾，安神。用于小便不利，疳积，盗汗，头痛，失眠。

| **用法用量** | 内服煎汤，10 ~ 30 g。

| **附　　注** | 本种的拉丁学名已修订为 *Silene fulgens* (Fisch.) E. H. L. Krause。

石竹科 Caryophyllaceae 剪秋罗属 Lychnis

剪红纱花

Lychnis senno Sieb. et Zucc.

| 药 材 名 | 剪红纱花（药用部位：带根全草。别名：甜胆草、甜龙胆）。

| 形态特征 | 多年生草本，高 50 ~ 100 cm，全株被粗毛。根簇生，细圆柱形，黄白色，稍肉质。茎单生，直立，不分枝或上部分枝。叶片椭圆状披针形，长（4 ~ ）8 ~ 12 cm，基部楔形，先端渐尖，两面被柔毛，边缘具缘毛。二歧聚伞花序具多数花；花直径 3.5 ~ 5 cm，花梗长 5 ~ 15 mm，比花萼短；苞片卵状披针形或披针形，被柔毛；花萼筒状，后期上部微膨大，沿脉被稀疏长柔毛，萼齿三角形，先端急尖或渐尖，边缘具短缘毛；雌蕊柄和雄蕊柄无毛；花瓣深红色，爪不露或微露出花萼，狭楔形，无毛，瓣片三角状倒卵形，具较多不规则深裂，裂片具缺刻状钝齿；雄蕊与花萼近等长，花丝无毛，花

药暗紫色。蒴果椭圆状卵形，微长于宿存萼；种子肾形，长约 1 mm，红褐色，具小瘤。花期 7 ~ 8 月，果期 8 ~ 9 月。

| **生境分布** | 生于海拔 150 ~ 1 712 m 的疏林或灌丛草地。分布于湖南郴州（临武）等。

| **资源情况** | 野生资源稀少。药材来源于野生。

| **采收加工** | 每年 8 月连根拔出，抖去泥沙，晒干。

| **药材性状** | 本品长达 70 cm，密生柔毛。茎圆形，有纵沟纹。叶对生，完整叶片椭圆状披针形或卵状披针形，先端渐尖，基部楔形，两面被毛。花 1 ~ 3 朵成聚伞花序，疏生于茎端；花萼长棒形，具 10 脉，先端 5 裂，边缘膜质，暗紫色；花瓣 5，边缘具不整齐深裂，暗红色；雄蕊 10；子房圆柱形，花柱 5。蒴果椭圆状卵形，萼宿存。气微，味淡。

| **功能主治** | 甘、淡、寒。清热利尿，散瘀止痛。用于外感发热，热淋，泄泻，缠腰火丹，风湿痹痛，跌打损伤。

| **用法用量** | 内服煎汤，15 ~ 30 g；或浸酒。外用适量，研末调敷。

石竹科 Caryophyllaceae 鹅肠菜属 *Myosoton*

鹅肠菜 *Myosoton aquaticum* (L.) Moench

| 药 材 名 | 鹅肠草（药用部位：全草）。

| 形态特征 | 二年生或多年生草本，具须根。茎上升，多分枝，长 50 ~ 80 cm，上部被腺毛。叶片卵形或宽卵形，长 2.5 ~ 5.5 cm，宽 1 ~ 3 cm，先端急尖，基部稍心形，有时边缘具毛；下部叶叶柄长 5 ~ 15 mm，上部叶常无柄或具短柄，疏生柔毛。顶生二歧聚伞花序；苞片叶状，边缘具腺毛；花梗细，长 1 ~ 2 cm，花后伸长并向下弯，密被腺毛；萼片卵状披针形或长卵形，长 4 ~ 5 mm，果期长达 7 mm，先端较钝，边缘狭膜质，外面被腺柔毛，脉纹不明显；花瓣白色，2 深裂至基部，裂片线形或披针状线形，长 3 ~ 3.5 mm，宽约 1 mm；雄蕊 10，稍短于花瓣；子房长圆形，花柱短，线形。蒴果卵圆形，

稍长于宿存萼；种子近肾形，直径约 1 mm，稍扁，褐色，具小疣。花期 5 ~ 8 月，果期 6 ~ 9 月。

| 生境分布 | 生于海拔 350 ~ 2 100 m 的河流两旁冲积沙地的低湿处或灌丛、林缘和水沟旁。湖南各地均有分布。

| 资源情况 | 野生资源丰富。药材来源于野生。

| 采收加工 | 春季生长旺盛时采收，晒干或鲜用。

| 药材性状 | 本品长 20 ~ 60 cm。茎光滑，多分枝；表面略带紫红色，节部和嫩枝梢处更明显。叶对生，膜质，完整叶片宽卵形或卵状椭圆形，长 1.5 ~ 5.5 cm，宽 1 ~ 3 cm，先端锐尖，基部心形或圆形，全缘或呈浅波状；上部叶无柄或具极短柄，下部叶叶柄长 5 ~ 15 mm，疏生柔毛。花白色，生于枝端或叶腋。蒴果卵圆形；种子近圆形，褐色，密布明显的刺状突起。气微，味淡。

| 功能主治 | 甘、酸，平。归肝、胃经。清热解毒，散瘀消肿。用于肺热喘咳，痢疾，痈疽，痔疮，牙痛，月经不调，疳积。

| 用法用量 | 内服煎汤，15 ~ 30 g；或鲜品 60 g 捣汁。外用适量，鲜品捣敷；或煎汤熏洗。

| 附 注 | 本种的拉丁学名已修订为 *Stellaria aquatica* (L.) Scop.。

石竹科 Caryophyllaceae 孩儿参属 Pseudostellaria

孩儿参 *Pseudostellaria heterophylla* (Miq.) Pax

| 药 材 名 | 太子参（药用部位：块根。别名：孩儿参）。

| 形态特征 | 多年生草本，高 15 ~ 20 cm。块根长纺锤形，白色，稍带灰黄色。茎直立，单生，被短毛。茎下部叶常 1 ~ 2 对，叶片倒披针形，先端钝尖，基部渐狭，呈长柄状，上部叶 2 ~ 3 对，叶片宽卵形或菱状卵形，长 3 ~ 6 cm，宽 2 ~ 17（~ 20）mm，先端渐尖，基部渐狭，下面沿脉疏生柔毛。开花受精花 1 ~ 3，腋生或呈聚伞花序，花梗长 1 ~ 2 cm，有时长达 4 cm，被短柔毛，萼片 5，狭披针形，长约 5 mm，先端渐尖，外面及边缘疏生柔毛，花瓣 5，白色，长圆形或倒卵形，长 7 ~ 8 mm，先端 2 浅裂，雄蕊 10，短于花瓣，子房卵形，花柱 3，微长于雄蕊，柱头头状；闭花受精花具短梗；萼片疏生多

细胞毛。蒴果宽卵形，含少数种子，先端不裂或 3 瓣裂；种子褐色，扁圆形，长约 1.5 mm，具疣状突起。花期 4 ~ 7 月，果期 7 ~ 8 月。

| 生境分布 | 生于海拔 800 ~ 1 780 m 的山谷林下阴湿处。栽培于肥沃疏松、腐殖质丰富的土壤中。分布于湖南株洲（攸县）、张家界（永定）、怀化（溆浦）、衡阳（祁东）、邵阳（隆回）等。

| 资源情况 | 野生资源稀少。栽培资源较少。药材来源于栽培。

| 采收加工 | 夏季茎叶大部分枯萎时采挖，洗净，除去须根，置沸水中略烫后晒干，或直接晒干。

| 药材性状 | 本品呈细长纺锤形或细长条形，稍弯曲，长 3 ~ 10 cm，直径 0.2 ~ 0.6 cm。表面灰黄色至黄棕色，较光滑，微有纵皱纹，凹陷处有须根痕，先端有茎痕。质硬而脆，断面较平坦，周边淡黄棕色，中心淡黄白色，角质样。气微，味微甘。

| 功能主治 | 甘、微苦，平。归脾、肺经。益气健脾，生津润肺。用于脾虚体倦，食欲不振，病后虚弱，气阴不足，自汗口渴，肺燥干咳。

| 用法用量 | 内服煎汤，9 ~ 30 g。

石竹科 Caryophyllaceae 漆姑草属 Sagina

漆姑草 *Sagina japonica* (Sw.) Ohwi

| 药 材 名 | 漆姑草（药用部位：全草。别名：牙齿草、沙子草、蛇牙草）。

| 形态特征 | 一年生小草本，高 5 ~ 20 cm，上部被稀疏腺柔毛。茎丛生，稍铺散。叶片线形，长 5 ~ 20 mm，宽 0.8 ~ 1.5 mm，先端急尖，无毛。花小，单生于枝端；花梗细，长 1 ~ 2 cm，被稀疏短柔毛；萼片 5，卵状椭圆形，长约 2 mm，先端尖或钝，外面疏生短腺柔毛，边缘膜质；花瓣 5，狭卵形，稍短于萼片，白色，先端圆钝，全缘；雄蕊 5，短于花瓣；子房卵圆形，花柱 5，线形。蒴果卵圆形，微长于宿存萼，5 瓣裂；种子细，圆肾形，微扁，褐色，表面具尖瘤状突起。花期 3 ~ 5 月，果期 5 ~ 6 月。

| 生境分布 | 生于海拔 1 600 m 以下的田间、路旁、山坡草地、庭园湿地或墙沿。

湖南各地均有分布。

| **资源情况** | 野生资源丰富。药材来源于野生。

| **采收加工** | 4～5 月采收，洗净，晒干或鲜用。

| **药材性状** | 本品长 10～15 cm。茎基部分枝，上部疏生短细毛。叶对生，完整叶片圆柱状线形，长 5～20 mm，宽约 1 mm，先端尖，基部具由薄膜连成的短鞘。花小，白色，生于叶腋或茎顶。蒴果卵形，5 瓣裂，比萼片长约 1/3；种子多数，细小，褐色，圆肾形，密生瘤状突起。气微，味淡。

| **功能主治** | 苦、辛，凉。归肝、胃经。凉血解毒，杀虫止痒。用于漆疮，白秃疮，湿疹，丹毒，瘰疬，无名肿毒，毒蛇咬伤，鼻渊，龋齿，跌打损伤。

| **用法用量** | 内服煎汤，10～30 g；或研末；或绞汁。外用适量，捣敷；或绞汁涂。

石竹科 Caryophyllaceae 蝇子草属 Silene

女娄菜 *Silene aprica* Turcz. ex Fisch. et Mey.

| 药 材 名 |

女娄菜（药用部位：全草）、女娄菜根（药用部位：根）。

| 形 态 特 征 |

一年生或二年生草本，高 30 ～ 70 cm，全株密被灰色短柔毛。主根较粗壮，稍木质。茎单生或数个，直立，分枝或不分枝。基生叶叶片倒披针形或狭匙形，基部渐狭成长柄状，先端急尖，中脉明显；茎生叶叶片倒披针形、披针形或线状披针形，比基生叶稍小。圆锥花序为较大型，直立；苞片披针形；花萼卵状钟形，长 6 ～ 8 mm，近草质，密被短柔毛；雌蕊柄和雄蕊柄极短或近无，被短柔毛；花瓣白色或淡红色，倒披针形，长 7 ～ 9 mm，微露出花萼或与花萼近等长，爪具缘毛，瓣片倒卵形，2 裂；副花冠片舌状；雄蕊不外露，花丝基部具缘毛；花柱不外露，基部具短毛。蒴果卵形，长 8 ～ 9 mm，与宿存萼近等长或较宿存萼稍长；种子圆肾形，灰褐色。花期 5 ～ 7 月，果期 6 ～ 8 月。

| 生 境 分 布 |

生于平原、丘陵或山地。分布于湖南常德（临澧）、郴州（桂东）等。

| **资源情况** | 野生资源稀少。药材来源于野生。

| **采收加工** | **女娄菜：** 夏、秋季采集，除去泥沙，鲜用或晒干。
女娄菜根： 夏、秋季采挖，晒干。

| **药材性状** | **女娄菜：** 本品密被短柔毛，长 20 ~ 70 cm。根细长纺锤形，木质化。茎基部多分枝。叶对生，完整叶片线状披针形至披针形，长 4 ~ 7 cm，宽 4 ~ 8 mm，先端尖锐，基部渐窄；上部叶无柄。花粉红色，常 2 ~ 3 花生于分枝上。蒴果椭圆形；种子肾形，细小，黑褐色，边缘具瘤状小突起。气微，味淡。

| **功能主治** | **女娄菜：** 辛、苦，平。归肝、脾经。活血调经，下乳，健脾，利湿，解毒。用于月经不调，乳少，疳积，脾虚水肿，疔疮肿毒。
女娄菜根： 苦、甘，平。利尿，催乳。用于小便短赤，乳少。

| **用法用量** | **女娄菜：** 内服煎汤，9 ~ 15 g，大剂量可用至 30 g；或研末。外用适量，鲜品捣敷。
女娄菜根： 内服煎汤，9 ~ 15 g。

石竹科 Caryophyllaceae 蝇子草属 Silene

坚硬女娄菜 *Silene firma* Sieb. et Zucc.

| 药 材 名 |

硬叶女娄菜（药用部位：全草、种子。别名：大叶金石榴、女娄菜、剪金花）。

| 形态特征 |

一年生或二年生草本，高 50 ~ 100 cm，全株无毛，有时仅基部被短毛。茎单生或疏丛生，粗壮，直立，不分枝，稀分枝，有时下部暗紫色。叶片椭圆状披针形或卵状倒披针形，长 4 ~ 10（~ 16）cm，宽 8 ~ 25（~ 50）mm，基部渐狭成短柄状，先端急尖，仅边缘具缘毛。假轮伞状间断式总状花序；花梗长 5 ~ 18（~ 30）mm，直立，常无毛；苞片狭披针形；花萼卵状钟形，长 7 ~ 9 mm，无毛，果期微膨大，长 10 ~ 12 mm，脉绿色，萼齿狭三角形，先端长渐尖，边缘膜质，具缘毛；雌、雄蕊柄极短或近无；花瓣白色，不露出花萼，爪倒披针形，无毛和耳，瓣片倒卵形，2 裂；副花冠片小，具不明显齿；雄蕊内藏，花丝无毛；花柱不外露。蒴果长卵形，长 8 ~ 11 mm，比宿存萼短；种子圆肾形，长约 1 mm，灰褐色，具棘凸。花期 6 ~ 7 月，果期 7 ~ 8 月。

| 生境分布 | 生于海拔 300 ~ 1 800 m 的草坡、灌丛或林缘草地。分布于湖南邵阳（新宁、武冈）、永州（双牌）、怀化（洪江）、湘西州（保靖）、长沙（浏阳）等。 |

| 资源情况 | 野生资源稀少。药材来源于野生。 |

| 采收加工 | 8 ~ 9 月种子成熟时采收，晒干。 |

| 药材性状 | 本品全草长 50 ~ 100 cm。茎不分枝或 2 ~ 3 分枝，在节处或下部带暗紫色。叶对生，完整叶片椭圆状披针形或卵状倒披针形，长 3 ~ 10 cm 或更长，宽 8 ~ 25 mm 或更宽。总状花序对生于枝上部叶腋。花梗被短柔毛；花萼卵状钟形，外面有 10 脉纹；花瓣 5，白色，稍长于萼，先端 2 裂，基部渐狭成爪；雄蕊 10；花柱 3，子房长圆形。蒴果长卵形。种子多数，圆肾形，灰褐色，有尖瘤状突起。气微，味淡。 |

| 功能主治 | 甘、淡，凉。归小肠、肝经。清热解毒，利尿，调经。用于咽喉肿痛，聤耳出脓，小便不利。 |

| 用法用量 | 内服煎汤，6 ~ 12 g。 |

石竹科 Caryophyllaceae 蝇子草属 Silene

鹤草
Silene fortunei Vis.

| 药 材 名 | 蝇子草（药用部位：带根全草）。

| 形态特征 | 多年生草本，高 50 ~ 80（~ 100）cm。根粗壮，木质化。茎丛生，直立，多分枝，被短柔毛或近无毛，可分泌黏液。基生叶叶片倒披针形或披针形，长 3 ~ 8 cm，宽 7 ~ 12（~ 15）mm，基部渐狭，中脉明显。聚伞状圆锥花序，小聚伞花序对生，具 1 ~ 3 花，有黏汁，花梗细，长 3 ~ 12（~ 15）mm；苞片线形，被微柔毛；花萼长筒状，无毛，基部截形，果期上部微膨大，呈筒状棒形，长 25 ~ 30 mm，纵脉紫色，萼齿三角状卵形，长 1.5 ~ 2 mm，先端圆钝，边缘膜质，具短缘毛；雌蕊柄和雄蕊柄无毛，果期长 10 ~ 15（~ 17）mm；花瓣淡红色，爪微露出花萼，倒披针形；雄蕊微外露，花丝无毛；

花柱微外露。蒴果长圆形，长 12 ~ 15 mm，直径约 4 mm，比宿存萼短或与宿存萼近等长；种子圆肾形，微侧扁，深褐色，长约 1 mm。花期 6 ~ 8 月，果期 7 ~ 9 月。

| **生境分布** | 生于平原、低山草坡或灌丛草地。分布于湖南湘西州（古丈、凤凰）等。

| **资源情况** | 野生资源稀少。药材来源于野生。

| **采收加工** | 夏、秋季采收，洗净，鲜用或晒干。

| **药材性状** | 本品长 50 ~ 80 cm。根圆锥形或圆柱形，平直或扭曲，长 10 ~ 20 cm，宽 1 ~ 2 cm；表面浅黄色，具纵纹，纵纹上布有稍凸起的横纹；质坚硬，折断面坚实、致密，较平坦。茎基部稍带木质，具粗糙短毛，中部以上多分枝，有柔毛或近无毛。叶对生；完整叶片披针形或倒披针形，长 2 ~ 3.5 cm，宽 2 ~ 6 mm，先端尖锐，基部狭窄成短柄。聚伞花序顶生，花粉红色或白色。蒴果棍棒状；种子赤黄色，有瘤状突起。气微，味先微甘，后涩。

| **功能主治** | 辛、涩，凉。归大肠、膀胱经。清热利湿，活血解毒。用于痢疾，肠炎，热淋，带下，咽喉肿痛，劳伤发热，跌打损伤，毒蛇咬伤。

| **用法用量** | 内服煎汤，15 ~ 30 g；或捣汁。外用适量，鲜品捣敷。

石竹科 Caryophyllaceae 蝇子草属 Silene

石生蝇子草

Silene tatarinowii Regel

| 药 材 名 | 石生蝇子草（药用部位：全草）。

| 形态特征 | 多年生草本，全株被短柔毛。根圆柱形或纺锤形，黄白色。茎上升或俯仰，长 30 ~ 80 cm，分枝稀疏，有时基部节上生不定根。叶片披针形或卵状披针形，稀卵形，基部宽楔形或渐狭成柄状，先端长渐尖，两面被稀疏短柔毛，边缘具短缘毛。二歧聚伞花序疏松，大型；花梗细，长 8 ~ 30（~ 50）mm，被短柔毛；苞片披针形，草质；花萼筒状棒形；雌蕊柄和雄蕊柄无毛，长约 4 mm；花瓣白色，倒披针形，爪不露或微露出花萼，无毛，无耳，瓣片倒卵形，长约 7 mm，2 浅裂达瓣片的 1/4，两侧中部具 1 线形小裂片或细齿；副花冠片椭圆状，全缘；雄蕊明显外露，花丝无毛；花柱明显外露。

蒴果卵形或狭卵形；种子肾形，红褐色至灰褐色，脊圆钝。花期 7 ~ 8 月，果期 8 ~ 10 月。

| **生境分布** | 生于海拔 800 ~ 1 200 m 的灌丛中、疏林下多石山坡或岩石缝中。分布于湖南长沙（长沙）、岳阳（汨罗）等。

| **资源情况** | 野生资源稀少。药材来源于野生。

| **功能主治** | 清热，通淋，止痛。

石竹科 Caryophyllaceae 繁缕属 Stellaria

雀舌草
Stellaria uliginosa Murr.

| 药 材 名 | 天蓬草（药用部位：全草。别名：文集草、鹅儿肠）。

| 形态特征 | 二年生草本，高15～25（～35）cm，全株无毛。须根细。茎丛生，稍铺散，上升，多分枝。叶无柄，叶片披针形至长圆状披针形，长5～20 mm，宽2～4 mm，先端渐尖，基部楔形，半抱茎，边缘软骨质，呈微波状，两面微显粉绿色。聚伞花序通常具3～5花，顶生或单生叶腋；花梗细，长5～20 mm，无毛，果时稍下弯，基部有时具2披针形苞片；萼片5，披针形，长2～4 mm，宽1 mm，先端渐尖，边缘膜质，中脉明显，无毛；花瓣5，白色，短于萼片或与萼片近等长，2深裂几达基部，裂片条形，钝头；雄蕊常为5，有时6～7，微短于花瓣；子房卵形，花柱3（有时为2），短线形。

蒴果卵圆形，与宿存萼等长或较宿存萼稍长，6 齿裂，含多数种子；种子肾形，微扁，褐色，具皱纹状突起。花期 5 ~ 6 月，果期 7 ~ 8 月。

| 生境分布 | 生于海拔 200 ~ 1 900 m 的溪畔、农田附近的湿地上。湖南各地均有分布。

| 资源情况 | 野生资源丰富。药材来源于野生。

| 采收加工 | 春季至秋初采收，洗净，鲜用或晒干。

| 药材性状 | 本品长 15 ~ 25 cm，污绿色。叶对生，完整叶片长圆形或卵状披针形，长 5 ~ 20 mm，宽 2 ~ 3 mm，先端渐尖，全缘或浅波状。聚伞花序顶生或腋生；萼片 5，披针形，先端尖，光滑；花瓣 5，白色，2 深裂；雄蕊 5；花柱 2 ~ 3。蒴果较宿萼长，熟时 6 瓣裂。气微，味淡。

| 功能主治 | 辛，平。归肺、脾经。祛风除湿，活血消肿，解毒止血。用于伤风感冒，泄泻，痢疾，风湿关节痛，跌打损伤，骨折，痈疮肿毒，痔漏，毒蛇咬伤，吐血，衄血，外伤出血。

| 用法用量 | 内服煎汤，30 ~ 60 g。外用适量，捣敷；或研末调敷。

| 附　　注 | 本种的拉丁学名在 FOC 中被修订为 *Stellaria alsine* Grimm。

石竹科 Caryophyllaceae 繁缕属 Stellaria

中国繁缕 *Stellaria chinensis* Regel

| 药 材 名 | 中国繁缕（药用部位：全草。别名：鸦雀子窝）。

| 形态特征 | 多年生草本，高 30 ~ 100 cm。茎细弱，铺散或上升，具四棱，无毛。叶片卵形至卵状披针形，长 3 ~ 4 cm，宽 1 ~ 1.6 cm，先端渐尖，基部宽楔形或近圆形，全缘，两面无毛，有时带粉绿色，下面中脉明显凸起；叶柄短或近无，被长柔毛。聚伞花序疏散，具细长花序梗；苞片膜质；花梗细，长约 1 cm 或更长；萼片 5，披针形，长 3 ~ 4 mm，先端渐尖，边缘膜质；花瓣 5，白色，2 深裂，与萼片近等长；雄蕊 10，稍短于花瓣；花柱 3。蒴果卵萼形，比宿存萼稍长或与宿存萼等长，6 齿裂；种子卵圆形，稍扁，褐色，具乳头状突起。花期 5 ~ 6 月，果期 7 ~ 8 月。

| 生境分布 | 生于海拔 160 ～ 1 600 m 的灌丛、冷杉林下、石缝或湿地。湖南各地均有分布。

| 资源情况 | 野生资源较丰富。药材来源于野生。

| 采收加工 | 春、夏、秋季采集，去尽泥土，鲜用或晒干。

| 药材性状 | 本品长 50 ～ 100 cm。根须状。茎细弱，有纵棱。叶对生，完整叶片卵形至卵状披针形，长 3 ～ 4 cm，宽 1 ～ 1.6 cm。聚伞花序生于叶腋，有细长总花梗；萼片 5，披针形；花瓣 5，白色；先端 2 裂；雄蕊 10；花柱 3，丝形；子房卵形。蒴果卵形；种子卵形，褐色，表面有乳头状突起。气微，味淡。

| 功能主治 | 苦、辛，平。清热解毒，活血止痛。用于乳痈，肠痈，疖肿，跌打损伤，产后瘀痛，风湿关节痛，牙痛。

| 用法用量 | 内服煎汤，15 ～ 30 g。外用适量，捣敷。

石竹科 Caryophyllaceae 繁缕属 Stellaria

繁缕 *Stellaria media* (L.) Cyr.

药材名

繁缕（药用部位：全草。别名：鹅肠草、五爪龙）。

形态特征

一年生或二年生草本，高 10 ~ 30 cm。茎俯仰或上升，基部多少分枝，常带淡紫红色，被 1（~ 2）列毛。叶片宽卵形或卵形，长 1.5 ~ 2.5 cm，宽 1 ~ 1.5 cm，先端渐尖或急尖，基部渐狭或近心形，全缘；基生叶具长柄，上部叶常无柄或具短柄。疏聚伞花序顶生；花梗细弱，具 1 列短毛，花后伸长，下垂，长 7 ~ 14 mm；萼片 5，卵状披针形，长约 4 mm，先端稍钝或近圆形，边缘宽膜质，外面被短腺毛；花瓣白色，长椭圆形，比萼片短，2 深裂达基部，裂片近线形；雄蕊 3 ~ 5，短于花瓣；花柱 3，线形。蒴果卵形，稍长于宿存萼，先端 6 裂，具多数种子；种子卵圆形至近圆形，稍扁，红褐色，直径 1 ~ 1.2 mm，表面具半球形瘤状突起，脊较显著。花期 6 ~ 7 月，果期 7 ~ 8 月。

生境分布

生于田间、路边或溪旁草地。湖南各地均有分布。

| **资源情况** | 野生资源丰富。药材来源于野生。

| **采收加工** | 春、夏、秋季采集，除尽泥土，晒干。

| **药材性状** | 本品多扭缠成团。茎呈细圆柱形，直径约 2 mm，多分枝，有纵棱，表面黄绿色，一侧有 1 行灰白色短柔毛，节处有灰黄色细须根，质较韧。叶小，对生，无柄，展平后完整叶片呈卵形或卵圆形，先端锐尖，灰绿色，质脆易碎。枝先端或叶腋有数花或 1 小花，淡棕色，花梗纤细；萼片 5，花瓣 5。有时可见卵圆形小蒴果，内含数粒圆形小种子，种子黑褐色，表面有疣状小突点。气微，味淡。

| **功能主治** | 微苦、甘、酸，凉。归肝、大肠经。清热解毒，凉血消痈，活血止痛，下乳。用于痢疾，肠痈，肺痈，乳痈，疔疮肿毒，痔疮肿痛，出血，跌打损伤，产后瘀滞腹痛，乳汁不下。

| **用法用量** | 内服煎汤，15 ～ 30 g，鲜品 30 ～ 60 g；或捣汁。外用适量，捣敷；或烧灰，研末调敷。

石竹科 Caryophyllaceae 繁缕属 Stellaria

鸡肠繁缕

Stellaria neglecta Weihe ex Bluff et Fingerh.

| **药 材 名** | 鸡肚肠草（药用部位：全草）。

| **形态特征** | 一年生或二年生草本，高 30 ~ 80 cm，淡绿色，被柔毛。根纤细。茎丛生，被 1 列柔毛。叶具短柄或无柄，叶片卵形或狭卵形，长（1.5 ~ ）2 ~ 3 cm，宽 5 ~ 13 mm，先端急尖，基部楔形，稍抱茎，边缘基部和两叶基间茎上被长柔毛。二歧聚伞花序顶生；苞片披针形，草质，被腺柔毛；花梗细，长 1 ~ 1.5 cm，密被 1 列柔毛，花后下垂；萼片 5，卵状椭圆形至披针形，长 3 ~ 4（ ~ 5）mm，边缘膜质，先端急尖，内折，外面密被多细胞腺柔毛；花瓣 5，白色，与萼片近等长，稀稍短于萼片，2 深裂；雄蕊（6 ~ ）8 ~ 10，微长于花瓣；花柱 3。蒴果卵形，长于宿存萼，6 齿裂，裂齿反卷；种

子多数，近扁圆形，直径约 1.5 mm，褐色，表面疏具圆锥状突起。花期 4 ~ 6 月，果期 6 ~ 8 月。

| 生境分布 | 生于海拔 900 ~ 1 200 m 的田间、路边、溪边草地。分布于湖南怀化（会同、芷江、洪江、通道）、娄底（新化）、株洲（石峰）等。

| 资源情况 | 野生资源稀少。药材来源于野生。

| 采收加工 | 夏、秋季采集，洗净，鲜用或晒干。

| 药材性状 | 本品长 15 ~ 20 cm。茎细，暗绿色，被 1 列柔毛。叶对生，完整叶片卵形或卵状披针形；上部叶无柄。聚伞花序顶生或腋生。花白色。蒴果卵形或椭圆形。气微，味淡。

| 功能主治 | 微苦，凉。归胃、心、肝经。清热解毒，通淋，化瘀。用于痈疮肿毒，癣疹，乳痈，痔疮，痢疾，牙痛，热淋，产后腹痛。

| 用法用量 | 内服煎汤，15 ~ 30 g；鲜品捣汁。外用适量，捣敷；或煎汤熏洗。

| 附　　注 | 本种的拉丁学名在 FOC 中被修订为 *Stellaria neglecta* Weihe。

石竹科 Caryophyllaceae 繁缕属 Stellaria

峨眉繁缕
Stellaria omeiensis C. Y. Wu et Y. W. Tsui ex P. Ke

| 药 材 名 |

峨眉繁缕（药用部位：全草）。

| 形态特征 |

一年生草本，高 20 ~ 30 cm。根纤细。茎单生，具 4 棱，上部分枝，被疏长柔毛。叶片卵形、圆卵形或卵状披针形，长 1.5 ~ 2.5（~ 4.5）cm，宽 8 ~ 12（~ 15）mm，先端渐尖，基部圆形，无柄，边缘基部具缘毛，上面近无毛，下面被疏毛，中脉明显凸起，沿中脉毛较密。聚伞花序顶生，疏散，具多数花；苞片卵形，膜质；花梗长 1 ~ 2 cm，近无毛；萼片 5，披针形，长 2 ~ 2.5 mm，先端渐尖，边缘膜质，中脉明显；花瓣 5，白色，先端 2 深裂，短于萼片；雄蕊 10，短于花瓣；花柱 3。蒴果长圆状卵形，长为宿存萼的 1.5 倍，6 齿裂；种子扁圆形，褐紫色，具不明显小疣。花期 4 ~ 7 月，果期 6 ~ 8 月。

| 生境分布 |

生于海拔 1 400 ~ 1 518 m 的山地阴处草丛。分布于湖南湘西州（永顺、龙山）、张家界（永定）、邵阳（邵阳）等。

| **资源情况** | 野生资源稀少。药材来源于野生。

| **采收加工** | 春、夏、秋季采集，除尽泥土，鲜用或晒干。

| **功能主治** | 清热解毒。

石竹科 Caryophyllaceae 繁缕属 Stellaria

沼生繁缕 *Stellaria palustris* Ehrh.

| 药 材 名 | 沼泽繁缕（药用部位：全草）。

| 形态特征 | 多年生草本，高（10 ~）20 ~ 35 cm。全株无毛，灰绿色，沿茎棱、叶缘和中脉背面粗糙，均具小乳突。根纤细。茎丛生，直立，下部分枝，具4棱。叶片线状披针形至线形，长2 ~ 4.5 cm，宽2 ~ 4 mm，先端尖，基部稍狭，边缘具短缘毛，无柄，带粉绿色，两面无毛，中脉明显。二歧聚伞花序，花序梗长7 ~ 10 cm；苞片披针形至狭卵状披针形，长（3 ~ ）5 ~ 6（~ 7）mm，边缘白色，膜质；萼片卵状披针形，长（4 ~ ）5 ~ 7 mm，先端渐尖，边缘膜质，下面3脉明显；花瓣白色，长4 ~ 7 mm，2深裂达近基部，与萼片等长或稍长，裂片近线形，基部稍狭，先端钝尖；雄蕊10，稍短于萼片；子房卵形，具多数胚珠，花柱3，丝状，长3 mm。蒴果卵状

长圆形，比宿存萼稍长或近等长，具多数种子；种子细小，近圆形，稍扁，暗棕色或黑褐色，表面具明显的皱纹状突起。花期 6 ~ 7 月，果期 7 ~ 8 月。

| **生境分布** | 生于海拔 1 000 ~ 1 800 m 的山坡草地或山谷疏林地，喜湿润。分布于湖南湘西州（保靖）等。

| **资源情况** | 野生资源稀少。药材来源于野生。

| **功能主治** | 消肿解毒，止痛。

石竹科 Caryophyllaceae 繁缕属 Stellaria

箐姑草
Stellaria vestita Kurz

| 药 材 名 | 抽筋草（药用部位：全草）。

| 形 态 特 征 | 多年生草本，高 30 ~ 60（~ 90）cm，全株被星状毛。茎疏丛生，铺散或俯仰，下部分枝，上部密被星状毛。叶片卵形或椭圆形，长 1 ~ 3.5 cm，宽 8 ~ 20 mm，先端急尖，稀渐尖，基部圆形，稀急狭成短柄状，全缘，两面均被星状毛，下面中脉明显。聚伞花序疏散，具长花序梗，密被星状毛；苞片草质，卵状披针形，边缘膜质；花梗细，长短不等，长 10 ~ 30 mm，密被星状毛；萼片 5，披针形，长 4 ~ 6 mm，先端急尖，边缘膜质，外面被星状柔毛，显灰绿色，具 3 脉；花瓣 5，2 深裂近基部，短于萼片或与萼片近等长；裂片线形；雄蕊 10，较花瓣短或与花瓣近等长；花柱 3，稀为 4。

蒴果卵圆形，长 4 ~ 5 mm，6 齿裂；种子多数，肾形，细扁，长约 1.5 mm，脊具疣状突起。花期 4 ~ 6 月，果期 6 ~ 8 月。

| **生境分布** | 生于海拔 600 ~ 2 100 m 的石滩、石隙、草坡或林下。湖南各地均有分布。

| **资源情况** | 野生资源丰富。药材来源于野生。

| **采收加工** | 夏、秋季采集全草，鲜用或晒干。

| **药材性状** | 本品长 60 ~ 90 cm。茎圆柱形，脆而易断，中具一缕似筋维管束，故名"抽筋草"，上部密生短柔毛，稀分枝。叶对生，完整叶片卵状椭圆形或狭卵形，长 2 ~ 3.5 cm，宽 8 ~ 12 mm，两面有星状毛；近无柄。聚伞花序，生于叶腋或两分枝间，全部密生星状绒毛；萼片 5，披针形；花瓣 5，比萼片稍短，先端 2 深裂；雄蕊 10；花柱 3 ~ 4。蒴果，与宿萼几等长；种子多数，黑色，表面有瘤状突起。气微，味淡。

| **功能主治** | 辛，凉；有小毒。归肝、脾经。平肝，舒筋活血，利湿，解毒。用于中风不语，口眼歪斜，肢体麻木，风湿痹痛，跌打损伤，黄疸性肝炎，带下，疮疖。

| **用法用量** | 内服煎汤，6 ~ 15 g；或浸酒。外用适量，捣敷。

石竹科 Caryophyllaceae 繁缕属 Stellaria

巫山繁缕 *Stellaria wushanensis* Williams

| **药 材 名** | 巫山繁缕（药用部位：全草）。

| **形态特征** | 一年生草本，高 10 ~ 20 cm。茎疏丛生，基部近匍匐，上部直立，多分枝，无毛。叶片卵状心形至卵形，长 2 ~ 3.5 cm，宽 1.5 ~ 2 cm，先端尖或急尖，基部近心形或急狭成长柄状，常左右不对称；叶柄长 1 ~ 2 cm。聚伞花序具 1 ~ 3 花，顶生或腋生；苞片草质；花梗长 2 ~ 6 cm，长为花萼的 4 倍，无毛或被疏柔毛；萼片 5，披针形，长 5.5 ~ 6 mm，具 1 脉，先端急尖，边缘膜质；花瓣 5，倒心形，长约 8 mm，先端 2 裂深达花瓣的 1/3；雄蕊 10，有时 7 ~ 9，短于花瓣；花柱 3，线形，有时为 2 或 4；中下部的腋生花为雌花，常无雄蕊，有时缺花瓣和雄蕊，而只有 2 花柱。蒴果卵圆形，与宿存萼

等长，具 3 ~ 5 种子；种子圆肾形，褐色，具尖瘤状突起。花期 4 ~ 6 月，果期 6 ~ 7 月。

| 生境分布 | 生于山地或丘陵。湖南各地均有分布。

| 资源情况 | 野生资源丰富。药材来源于野生。

| 功能主治 | 用于疳积。

石竹科 Caryophyllaceae 麦蓝菜属 *Vaccaria*

麦蓝菜 *Vaccaria segetalis* (Neck.) Garcke

| 药 材 名 | 王不留行（药用部位：种子）。

| 形态特征 | 一年生或二年生草本，高 30 ~ 70 cm，全株无毛，微被白粉，呈灰
绿色。根为主根系。茎单生，直立，上部分枝。叶片卵状披针形或
披针形，长 3 ~ 9 cm，宽 1.5 ~ 4 cm，基部圆形或近心形，微抱茎，
先端急尖，具 3 基出脉。伞房花序稀疏；花梗细，长 1 ~ 4 cm；苞
片披针形，着生于花梗中上部；花萼卵状圆锥形，长 10 ~ 15 mm，
宽 5 ~ 9 mm，后期微膨大，呈球形，棱绿色，棱间绿白色，近膜质，
萼齿小，三角形，先端急尖，边缘膜质；雌雄蕊柄极短；花瓣淡红色，
爪狭楔形，淡绿色，瓣片狭倒卵形，斜展或平展，微凹缺，有时具
不明显的缺刻；雄蕊内藏；花柱线形，微外露。蒴果宽卵形或近圆

球形，长 8 ～ 10 mm；种子近圆球形，直径约 2 mm，红褐色至黑色。花期 5 ～ 7 月，果期 6 ～ 8 月。

| 生境分布 | 生于草坡、撂荒地或麦田中，为麦田中常见杂草。湖南各地均有分布。

| 资源情况 | 野生资源丰富。药材来源于野生。

| 采收加工 | 夏季果实成熟而果皮尚未开裂时采割植株，晒干，打下种子，除去杂质，再晒干。

| 药材性状 | 本品呈球形，直径约 2 mm。表面多为黑色，少数为红棕色，略有光泽，有细密颗粒状突起，一侧有 1 凹陷的纵沟。质硬。胚乳白色，胚弯曲成环，子叶 2。气微，味微涩、苦。

| 功能主治 | 苦，平。归肝、胃经。活血通经，下乳消肿，利尿通淋。用于经闭，痛经，乳汁不下，乳痈，淋证。

| 用法用量 | 内服煎汤，5 ～ 10 g。

藜科 Chenopodiaceae 甜菜属 Beta

甜菜 *Beta vulgaris* L.

| 药 材 名 | 莙荙菜（药用部位：茎、叶）、莙荙子（药用部位：种子）、恭菜根（药用部位：根）。

| 形态特征 | 二年生草本，根圆锥状至纺锤状，多汁。茎直立，多少有分枝，具条棱及色条。基生叶矩圆形，长 20 ~ 30 cm，宽 10 ~ 15 cm，具长叶柄，上面皱缩不平，略有光泽，下面有凸出的粗壮叶脉，全缘或略呈波状，先端钝，基部楔形、截形或略呈心形，叶柄粗壮，下面凸，上面平或具槽；茎生叶互生，较小，卵形或披针状矩圆形，先端渐尖，基部渐狭入短柄。花 2 ~ 3 朵团集，果时花被基底部彼此合生；花被裂片条形或狭矩圆形，果时变为革质并向内拱曲。胞果下部陷在硬化的花被内，上部稍肉质；种子双凸透镜形，直径

2 ~ 3 mm，红褐色，有光泽，胚环形，苍白色，胚乳粉状，白色。花期 5 ~ 6 月，果期 7 月。

| 生境分布 | 栽培于农田、公园。分布于湖南邵阳（武冈）、怀化（靖州）、岳阳（华容）、郴州（汝城）等。

| 资源情况 | 栽培资源较少。药材来源于栽培。

| 采收加工 | **莙荙菜：**夏、秋季均可采收，鲜用或晒干。
莙荙子：夏季果实成熟时收集种子，晒干。
莙菜根：秋季采挖，洗净泥土，鲜用或晒干。

| 功能主治 | **莙荙菜：**甘、苦，寒。归肺、肾、大肠经。清热解毒，化瘀止血。用于时行热病，痔疮，麻疹透发不畅，吐血，热毒下痢，闭经，淋浊，痈肿，跌打损伤，蛇虫咬伤。
莙荙子：甘、苦，寒。清热解毒，凉血止血。用于小儿发热，痔瘘下血。
莙菜根：甘、平。宽胸下气。用于胸膈胀闷。

| 用法用量 | **莙荙菜：**内服煎汤，15 ~ 30 g，鲜品 60 ~ 120 g；或捣汁。外用适量，捣敷。
莙荙子：内服煎汤，6 ~ 9 g；或研末。外用适量，醋浸涂擦。
莙菜根：内服煎汤，15 ~ 30 g。

藜科 Chenopodiaceae 甜菜属 Beta

厚皮菜 *Beta vulgaris* L. var. *cicla* L.

| 药 材 名 | 莙荙菜（药用部位：茎、叶）、莙荙子（药用部位：种子）。

| 形态特征 | 一年生或二年生草木，光滑无毛。茎高 30 ～ 100 cm，至开花时始抽出。叶互生，有长柄；基生叶卵形或矩圆状卵形，长可达 30 ～ 40 cm，先端钝，基部楔尖或心形，边缘波浪形，茎生叶菱形、卵形、倒卵形或矩圆形，较小，最先端的变为线形的苞片；叶片肉质光滑，淡绿色或深绿色，亦有紫红色者。花小，两性，绿色，无柄，单生或 2 ～ 3 朵聚生，为 1 长而柔弱、开展的圆锥花序；苞片狭，短尖；花被 5 裂，裂片矩圆形，先端钝，结果时基部变厚；雄蕊 5，位于子房的周围；子房半下位，花柱 2 ～ 3。果通常聚生，由 2 花或多花的基部合生而成，且形成 1 极不规则的干燥体（常被误认为

种子）；种子均含于由花盘及花被所形成的硬壳内，横生，圆形或肾形。花期5 ~ 6 月，果期 7 月。

| **生境分布** | 栽培于农田、屋旁。分布于湖南。

| **资源情况** | 栽培资源较丰富。药材来源于栽培。

| **采收加工** | **莙荙菜：**夏、秋季均可采收，鲜用或晒干。
莙荙子：夏季果实成熟时收集种子，晒干。

| **功能主治** | **莙荙菜：**甘、苦，寒。归肺、肾、大肠经。清热解毒，化瘀止血。用于时行热病，痔疮，麻疹透发不畅，吐血，热毒下痢，闭经，淋浊，痈肿，跌打损伤，蛇虫咬伤。
莙荙子：甘、苦，寒。清热解毒，凉血止血。用于小儿发热，痔瘘下血。

| **用法用量** | **莙荙菜：**内服煎汤，15 ~ 30 g，鲜品 60 ~ 120 g；或捣汁。外用适量，捣敷。
莙荙子：内服煎汤，6 ~ 9 g；或研末。外用适量，醋浸涂擦。

藜科 Chenopodiaceae 藜属 Chenopodium

尖头叶藜
Chenopodium acuminatum Willd.

| 药 材 名 |

尖头叶藜（药用部位：全草）。

| 形态特征 |

一年生草本，高 20 ~ 80 cm。茎直立，具条棱及绿色色条，有时色条带紫红色，多分枝；枝斜升，较细瘦。叶片宽卵形至卵形，茎上部的叶片有时呈卵状披针形，长 2 ~ 4 cm，宽 1 ~ 3 cm，先端急尖或短渐尖，有 1 短尖头，基部宽楔形、圆形或近截形，上面无粉，浅绿色，下面多少有粉，灰白色，全缘并具半透明的环边；叶柄长 1.5 ~ 2.5 cm。花两性，团伞花序于枝上部排列成紧密或有间断的穗状花序或穗状圆锥花序，花序轴（或仅在花间）具圆柱状毛束；花被扁球形，5 深裂，裂片宽卵形，边缘膜质，并有红色或黄色粉粒，果时背面大多增厚并彼此合成五角星形；雄蕊 5，花药长约 0.5 mm。胞果顶基扁，圆形或卵形；种子横生，直径约 1 mm，黑色，有光泽，表面略具点纹。花期 6 ~ 7 月，果期 8 ~ 9 月。

| 生境分布 |

生于低海拔的荒地、河岸及田间。分布于湖南湘西州（泸溪）等。

| **资源情况** | 野生资源稀少。药材来源于野生。

| **功能主治** | 用于风寒头痛，四肢胀痛。

藜科 Chenopodiaceae 藜属 Chenopodium

藜

Chenopodium album L.

| 药 材 名 | 藜（药用部位：全草）、藜实（药用部位：果实或种子）。

| 形态特征 | 一年生草本，高 30 ~ 150 cm。茎直立，粗壮，具条棱及绿色或紫红色色条，多分枝；枝条斜升或开展。叶片菱状卵形至宽披针形，长 3 ~ 6 cm，宽 2.5 ~ 5 cm，先端急尖或微钝，基部楔形至宽楔形，上面通常无粉，有时嫩叶的上面有紫红色粉，下面多少有粉，边缘具不整齐锯齿；叶柄与叶片近等长，或为叶片长度的 1/2。花两性，花簇于枝上部排列成或大或小的穗状圆锥花序或圆锥状花序；花被裂片 5，宽卵形至椭圆形，背面具纵隆脊，有粉，先端微凹，边缘膜质；雄蕊 5，花药伸出花被，柱头 2。果皮与种子贴生；种子横生，双凸透镜状，直径 1.2 ~ 1.5 mm，边缘钝，黑色，有光泽，表面具浅沟纹，胚环形。花果期 5 ~ 10 月。

| 生境分布 | 生于路旁、荒地及田间。分布于湖南。

| 资源情况 | 野生资源丰富。药材来源于野生。

| 采收加工 | 藜：春、夏季采收，除去杂质，鲜用或晒干。

藜实：秋季果实成熟时割取全草，打下果实或收集种子，除去杂质，晒干或鲜用。

| 药材性状 | 藜：本品黄绿色。茎具条棱。叶片皱缩、破碎，完整者展平后呈菱状卵形至宽披针形，叶上表面黄绿色，下表面灰黄绿色，被粉，边缘具不整齐锯齿；叶柄长约 3 cm。圆锥花序腋生或顶生。

藜实：本品胞果五角状扁球形，直径 1 ~ 1.5 mm，花被紧包果实，黄绿色，先端 5 裂。裂片宽卵形至椭圆形，稍反卷，背面有 5 棱线，呈放射状；无翅；内有果实 1，果皮膜状，贴生于种子。种子半球形，黑色，有光泽，表面具浅沟纹。

| 功能主治 | 藜：甘，平；有小毒。清热祛湿，解毒消肿，杀虫止痒。用于发热，咳嗽，痢疾，腹泻，腹痛，疝气，龋齿，湿疹，疥癣，白癜风，疮疡肿痛，毒虫咬伤。

藜实：苦、微甘，寒；有小毒。清热祛湿，杀虫止痒。用于小便不利，水肿，湿疹，头疮，耳聋。

| 用法用量 | 藜：内服煎汤，15 ~ 30 g。外用适量，煎汤漱口或熏洗；或捣涂。

藜实：内服煎汤，10 ~ 15 g。外用适量，煎汤洗；或烧灰调敷。

藜科 Chenopodiaceae 藜属 Chenopodium

土荆芥

Chenopodium ambrosioides L.

| 药 材 名 |

土荆芥（药用部位：带果穗全草。别名：虎骨香、虱子草）。

| 形态特征 |

一年生或多年生草本，高 50 ～ 80 cm，有强烈香味。茎直立，多分枝，有色条及钝条棱；枝通常细瘦，有短柔毛，兼有具节的长柔毛，有时近无毛。叶片矩圆状披针形至披针形，先端急尖或渐尖，边缘具不整齐的稀疏大锯齿，基部渐狭，具短柄，上面平滑无毛，下面有散生油点并沿叶脉稍有毛，下部叶长达 15 cm，宽达 5 cm，上部叶逐渐狭小而近全缘。花两性及雌性，通常 3 ～ 5 个团集，生于上部叶腋；花被裂片 5，较少为 3，绿色，果时通常闭合；雄蕊 5，花药长 0.5 mm；花柱不明显，柱头通常为 3，较少为 4，丝形，伸出花被外。胞果扁球形，完全包于花被内；种子横生或斜生，黑色或暗红色，平滑，有光泽，边缘钝，直径约 0.7 mm。花期和果期都很长。

| 生境分布 |

生于村旁、路边、河岸等。湖南各地均有分布。

| **资源情况** | 野生资源丰富。药材来源于野生。 |

| **采收加工** | 8月下旬至9月下旬采收，摊放于通风处，或捆束后悬挂阴干，避免日晒及雨淋。 |

| **药材性状** | 本品黄绿色，茎上有柔毛。叶皱缩、破碎，叶缘常具不整齐的稀疏钝锯齿，上表面光滑，下表面散生油点；叶脉有毛。花着生于叶腋。胞果扁球形，外被1呈囊状而具腺毛的较薄宿萼；种子黑色或暗红色，平滑，直径约0.7 mm。具强烈而特殊的香气。味辣而微苦。 |

| **功能主治** | 辛、苦，微温；有大毒。归脾经。祛风除湿，杀虫止痒，活血消肿。用于钩虫病，蛔虫病，蛲虫病，湿疹，疥癣，风湿痹痛，经闭，痛经，口舌生疮，咽喉肿痛，跌打损伤，蛇虫咬伤。 |

| **用法用量** | 内服煎汤，3～9 g，鲜品15～24 g，或入丸、散剂；或提取土荆芥油，成人常用量为0.8～1.2 ml，极量为1.5 ml，儿童常用量为每岁0.05 ml。外用适量，煎汤洗；或捣敷。 |

| **附　注** | 本种的拉丁学名在FOC中被修订为 *Dysphania ambrosioides* (Linnaeus) Mosyakin et Clemants。 |

藜科 Chenopodiaceae 藜属 Chenopodium

灰绿藜 *Chenopodium glaucum* L.

| 药 材 名 |　藜（药用部位：全草）。

| 形 态 特 征 |　一年生草本，高 20 ～ 40 cm。茎平卧或外倾，具条棱及绿色或紫红色色条。叶片矩圆状卵形至披针形，长 2 ～ 4 cm，宽 6 ～ 20 mm，肥厚，先端急尖或钝，基部渐狭，边缘具缺刻状牙齿，上面无粉，平滑，下面有粉，呈灰白色，稍带紫红色，中脉明显，黄绿色；叶柄长 5 ～ 10 mm。花两性或兼雌性，通常数花聚成团伞花序，再于分枝上排列成间断而短于叶的穗状或圆锥状花序；花被裂片 3 ～ 4，浅绿色，稍肥厚，通常无粉，狭矩圆形或倒卵状披针形，长不及 1 mm，先端通常钝；雄蕊 1 ～ 2，花丝不伸出花被，花药球形；柱头 2，极短。胞果先端露出于花被外，果皮膜质，黄白色；种子扁

球形，直径 0.75 mm，横生、斜生或直立，暗褐色或红褐色，边缘钝，表面有细纹。花果期 5 ~ 10 月。

| **生境分布** | 生于农田、菜园、村旁、水边等轻度盐碱化土壤中。湖南各地均有分布。

| **资源情况** | 野生资源较丰富。药材来源于野生。

| **采收加工** | 春、夏季采收，去杂质，鲜用或晒干。

| **药材性状** | 本品灰黄绿色。叶多皱缩或破碎，完整者展平后呈矩圆状卵形至披针形，边缘具波状牙齿，上面平滑，下面有粉，呈灰白色。小花在枝上排列成断续的穗状或圆锥状花序。

| **功能主治** | 甘，平；有小毒。清热祛湿，解毒消肿，杀虫止痒。用于发热，咳嗽，痢疾，腹泻，腹痛，疝气，龋齿，湿疹，疥癣，白癜风，疮疡肿痛，毒虫咬伤。

| **用法用量** | 内服煎汤，15 ~ 30 g。外用适量，煎汤漱口或熏洗；或捣涂。

| **附　　注** | 本种的拉丁学名已修订为 *Oxybasis glauca* (L.) S. Fuentes, Uotila et Borsch。

藜科 Chenopodiaceae 藜属 Chenopodium

细穗藜 *Chenopodium gracilispicum* Kung

药材名

细穗藜（药用部位：全草）。

形态特征

一年生草本，高 40 ~ 70 cm，稍有粉。茎直立，圆柱形，具条棱及绿色色条，上部有稀疏的细瘦分枝。叶片菱状卵形至卵形，长 3 ~ 5 cm，宽 2 ~ 4 cm，先端急尖或短渐尖，基部宽楔形，上面鲜绿色而近无粉，下面灰绿色，全缘或近基部的两侧各具 1 钝浅裂片，无半透明环边；叶柄细瘦，长 0.5 ~ 2 cm。花两性，通常 2 ~ 3 个团集，间断排列于长 2 ~ 15 mm 的细枝上而成穗状花序，生于叶腋并在茎的上部集成狭圆锥状花序；花被 5 深裂，裂片狭倒卵形或条形，仅基部合生，背面中心稍肉质并具纵龙骨状突起，先端钝，边缘膜质；雄蕊 5，着生于花被基部。胞果顶基扁，双凸透镜状，果皮与种子贴生；种子横生，与胞果同形，直径 1.1 ~ 1.5 mm，黑色，有光泽，表面具明显的洼点。花期 7 月，果期 8 月。

生境分布

生于山坡草地、林缘、河边等。分布于湖南邵阳（邵阳）、常德（澧县）、郴州（桂阳）、永州（道县）、怀化（新晃、麻阳）等。

| **资源情况** |　野生资源稀少。药材来源于野生。

| **功能主治** |　用于皮肤过敏。

藜科 Chenopodiaceae 藜属 Chenopodium

小藜 *Chenopodium serotinum* L.

药材名

灰藋（药用部位：全草）、灰藋子（药用部位：种子）。

形态特征

一年生草本，高 20 ～ 50 cm。茎直立，具条棱及绿色色条。叶片卵状矩圆形，长 2.5 ～ 5 cm，宽 1 ～ 3.5 cm，通常 3 浅裂；中裂片两边近平行，先端钝或急尖，并具短尖头，边缘具深波状锯齿，侧裂片位于中部以下，通常具 2 浅裂齿。花两性，数个团集，排列于上部的枝上而形成较开展的顶生圆锥状花序；花被近球形，5 深裂，裂片宽卵形，不开展，背面具微纵隆脊并有粉；雄蕊 5，开花时外伸；柱头 2，丝形。胞果包在花被内，果皮与种子贴生；种子双凸透镜状，黑色，有光泽，直径约 1 mm，边缘微钝，表面具六角形细洼，胚环形。4 ～ 5 月开始开花。

生境分布

生于田间、荒地、路旁、垃圾堆等。湖南各地均有分布。

| 资源情况 | 野生资源丰富。药材来源于野生。

| 采收加工 | **灰藋**：3 ~ 4 月采收，洗净，去杂质，鲜用或晒干。

灰藋子：6 ~ 7 月果实成熟时割取全草，打下种子，除去杂质，晒干。

| 药材性状 | **灰藋**：本品灰黄色。叶多皱缩、破碎，完整叶通常具 3 浅裂，裂片具波状锯齿。花序穗状腋生或顶生。胞果包在花被内，果皮膜质，有明显的蜂窝状网纹，果皮与种子贴生。

灰藋子：本品边缘有棱，直径约 12 mm，黑色，有光泽，表面具六角形细洼。

| 功能主治 | **灰藋**：苦、甘，平。疏风清热，解毒祛湿，杀虫。用于风热感冒，腹泻，痢疾，荨麻疹，疮疡肿毒，疥癣，湿疹，齿䘌疳疮，白癜风，虫咬伤。

灰藋子：甘，平。杀虫。用于蛔虫病，绦虫病，蛲虫病。

| 用法用量 | **灰藋**：内服煎汤，9 ~ 15 g。外用适量，煎汤洗；或捣敷；或烧灰调敷。

灰藋子：内服煎汤，9 ~ 15 g。

| 附　　注 | 本种的拉丁学名在 FOC 中被修订为 *Chenopodium ficifolium* Smith。

藜科 Chenopodiaceae 地肤属 Kochia

地肤
Kochia scoparia (L.) Schrad.

| **药 材 名** | 地肤子（药用部位：果实）、地肤苗（药用部位：茎、叶）。 |

| **形态特征** | 一年生草本，高 50 ～ 100 cm。根略呈纺锤形。茎直立，圆柱状，淡绿色或带紫红色，有数条棱，稍有短柔毛或下部几无毛。叶为平面叶，披针形或条状披针形，长 2 ～ 5 cm，宽 3 ～ 7 mm，无毛或稍有毛，先端短渐尖，基部渐狭成短柄，通常有明显的主脉 3，边缘疏生锈色绢状缘毛；茎上部叶较小，无柄，具 1 脉。花两性或雌性，通常 1 ～ 3 花生于上部叶腋，组成疏穗状圆锥花序；花被近球形，淡绿色，花被裂片近三角形，无毛或先端稍有毛，翅端附属物三角形至倒卵形，边缘微波状或具缺刻；花丝丝状，花药淡黄色；柱头 2，丝状，紫褐色。胞果扁球形，果皮膜质，与种子离生；种子卵形，黑褐色，长 1.5 ～ 2 mm，稍有光泽，胚环形，胚乳块状。花期 6 ～ 9 |

月，果期 7 ～ 10 月。

| 生境分布 | 生于海拔 400 ～ 1 100 m 的田边、路旁、荒地等。湖南各地均有分布。

| 资源情况 | 野生资源丰富。药材来源于野生。

| 采收加工 | **地肤子：**秋季果实成熟时采收植株，晒干，打下果实，除去杂质。
地肤苗：春、夏季采收，洗净，鲜用或晒干。

| 药材性状 | **地肤子：**本品呈扁球状，直径 1 ～ 3 mm，外被宿存花被，表面灰绿色或浅棕色，周围具膜质小翅 5，背面中心有微凸起的点状果柄痕及放射状脉纹 5 ～ 10，剥离花被可见半透明膜质果皮。种子扁卵形，长 1.5 ～ 2 mm，黑色。气微，味微苦。

地肤苗：本品分枝较多，黄绿色，具条纹，被白色柔毛。叶互生，多脱落，展平后呈狭长披针形，长 2 ～ 5 cm，宽 0.4 ～ 0.6 cm，先端渐尖，基部渐狭成短柄，全缘，被短柔毛，边缘有长柔毛，通常具 3 纵脉。花多 1 ～ 3，腋生；花被片 5，黄绿色；雄蕊 5，伸出于花被外。质柔软。气微，味淡。

| 功能主治 | **地肤子：**辛、苦，寒。归肾、膀胱经。清热利湿，祛风止痒。用于小便涩痛，阴痒带下，风疹，湿疹，皮肤瘙痒。

地肤苗：苦，寒。归肝、脾、大肠经。清热解毒，利尿通淋。用于赤白痢，泄泻，小便淋沥，目赤涩痛，雀盲，皮肤赤肿，恶疮疥癣。

| 用法用量 | **地肤子：**内服煎汤，9 ～ 15 g。外用适量，煎汤熏洗。
地肤苗：内服煎汤，30 ～ 90 g。外用适量，煎汤洗；或捣汁涂。

藜科 Chenopodiaceae 菠菜属 Spinacia

菠菜 *Spinacia oleracea* L.

药材名

菠菜（药用部位：带根全草。别名：甜茶、拉筋菜）、菠菜子（药用部位：种子。别名：菠薐菜子）。

形态特征

植物高可达 1 m，无粉。根圆锥状，多为红色，较少为白色。茎直立，中空，脆弱多汁，不分枝或有少数分枝。叶戟形至卵形，鲜绿色，柔嫩多汁，稍有光泽，全缘或有少数牙齿状裂片。雄花集成球形团伞花序，再于枝和茎的上部排列成间断的穗状圆锥花序，花被片通常 4，花丝丝形，扁平，花药不具附属物；雌花团集于叶腋，小苞片两侧稍扁，先端残留 2 小齿，背面通常具 1 棘状附属物，子房球形，柱头 4 或 5，外伸。胞果卵形或近圆形，直径约 2.5 mm，两侧扁；果皮褐色。

生境分布

栽培于农田、屋旁等，喜光照充足、温暖湿润的环境。湖南各地均有栽培。

资源情况

栽培资源丰富。药材来源于栽培。

| 采收加工 | **菠菜**：冬、春季采收，除去泥土、杂质，洗净，鲜用。

菠菜子：6～7月种子成熟时割取地上部分，打下种子，除去杂质，晒干或鲜用。

| 功能主治 | **菠菜**：甘，平。归肝、胃、大肠、小肠经。养血，止血，平肝，润燥。用于衄血，便血，头痛，目眩，目赤，夜盲症，消渴引饮，便秘，痔疮。

菠菜子：清肝明目，止咳平喘。用于目赤肿痛，咳喘。

| 用法用量 | **菠菜**：内服适量，煮食；或捣汁。

菠菜子：内服煎汤，9～15 g；或研末。

苋科 Amaranthaceae 牛膝属 Achyranthes

土牛膝 *Achyranthes aspera* L.

| 药 材 名 | 土牛膝（药用部位：根及根茎）、倒扣草（药用部位：全草）。

| 形态特征 | 多年生草本，高 20 ～ 120 cm。根细长，直径 3 ～ 5 mm，土黄色；茎四棱形，有柔毛，节部稍膨大，分枝对生。叶片纸质，宽卵状倒卵形或椭圆状矩圆形，长 1.5 ～ 7 cm，宽 0.4 ～ 4 cm，先端圆钝，具突尖，基部楔形或圆形，全缘或波状缘；叶柄长 5 ～ 15 mm。穗状花序顶生，直立，长 10 ～ 30 cm；总花梗具棱角，粗壮，坚硬，密生白色伏贴或开展柔毛；花长 3 ～ 4 mm，疏生；苞片披针形，长 3 ～ 4 mm，先端长渐尖，小苞片刺状，基部两侧各有 1 薄膜质翅，长 1.5 ～ 2 mm，全缘，全部贴生在刺部，但易于分离；花被片披针形，长 3.5 ～ 5 mm，长渐尖，花后变硬且锐尖，具 1 脉；雄蕊长

2.5 ~ 3.5 mm；退化雄蕊先端截状或细圆齿状，有具分枝流苏状长缘毛。胞果卵形，长 2.5 ~ 3 mm；种子卵形，不扁压，长约 2 mm，棕色。花期 6 ~ 8 月，果期 10 月。

| 生境分布 | 生于海拔 800 m 以下的山坡疏林、村庄附近空旷地。湖南各地均有分布。

| 资源情况 | 野生资源丰富。药材来源于野生。

| 采收加工 | 土牛膝：全年均可采挖，除去茎叶，洗净，鲜用或晒干。
倒扣草：夏、秋季采收，洗净，鲜用或晒干。

| 药材性状 | 土牛膝：本品根茎短圆柱形，灰棕色，周围着生众多细长的圆柱状根，长 6 ~ 10 cm，直径 2 ~ 5 mm，略弯曲。表面灰棕色，有细浅的纵皱纹。质坚硬，易折断，断面纤维性，淡灰青色至灰白色。味淡，无臭。

倒扣草： 本品根圆柱形，微弯曲，长 20 ～ 30 cm，直径 3 ～ 5 mm，表面灰黄色，具细顺纹及侧根痕；质柔韧，不易折断，断面纤维性，小点状维管束排成数个轮环。茎四棱形，嫩枝略呈方柱形，有分枝，长 40 ～ 90 cm，直径 3 ～ 8 mm，表面褐绿色，嫩枝被柔毛，节膨大，呈牛膝状；质脆，易折断，断面黄绿色。叶对生，有柄；叶片多皱缩，完整者呈长圆状倒卵形、倒卵形或椭圆形，长 1.5 ～ 7 cm，宽 0.4 ～ 4 cm，两面均被粗毛。穗状花序细长，花反折如倒钩。胞果卵形。以根粗、带花者为佳。

| **功能主治** | **土牛膝：** 甘、微苦、微酸，寒。归肝、肾经。活血祛瘀，泻火解毒，利尿通淋。用于闭经，跌打损伤，风湿关节痛，痢疾，白喉，咽喉肿痛，疮痈，淋证，水肿。

倒扣草： 苦、酸，微寒。归肝、肺、膀胱经。活血化瘀，利尿通淋，清热解表。用于经闭，痛经，月经不调，跌打损伤，风湿关节痛，淋证，水肿，湿热带下，外感发热，疟疾，痢疾，咽痛，疔疮痈肿。

| **用法用量** | **土牛膝：** 内服煎汤，9 ～ 15 g，鲜品 30 ～ 60 g。外用适量，捣敷；或捣汁滴耳；或研末吹喉。

倒扣草： 内服煎汤，10 ～ 15 g。外用适量，捣敷；或研末吹喉。

苋科 Amaranthaceae 牛膝属 Achyranthes

银毛土牛膝
Achyranthes aspera L. var. *argentea* (Thwaites) Hook. f.

药材名

土牛膝（药用部位：根及根茎）。

形态特征

多年生草本，高 20 ～ 120 cm。根细长，直径 3 ～ 5 mm，土黄色。茎四棱形，有柔毛，节部稍膨大，分枝对生。叶片纸质，宽卵状倒卵形或椭圆状矩圆形，长 1.5 ～ 7 cm，宽 0.4 ～ 4 cm，先端圆钝，具突尖，基部楔形或圆形，全缘或波状缘，叶片下面有银色绢毛；叶柄长 5 ～ 15 mm，密生柔毛或近无毛。穗状花序顶生，直立，长 10 ～ 30 cm，花期后反折；总花梗具棱角，粗壮，坚硬，密生白色贴伏或开展柔毛；花长 3 ～ 4 mm，疏生；苞片披针形，长 3 ～ 4 mm，先端长渐尖，小苞片刺状，长 2.5 ～ 4.5 mm，坚硬，光亮，常带紫色，基部两侧各有 1 薄膜质翅，长 1.5 ～ 2 mm，全缘，全部贴生在刺部，但易于分离；花被片披针形，长 3.5 ～ 5 mm，长渐尖，花后变硬且锐尖，具 1 脉；雄蕊长 2.5 ～ 3.5 mm；退化雄蕊先端截状或细圆齿状，有具分枝流苏状长缘毛。胞果卵形，长 2.5 ～ 3 mm；种子卵形，不扁压，长约 2 mm，棕色。花期 6 ～ 8 月，果期 10 月。

| **生境分布** | 生于山坡、路旁。分布于湖南永州（冷水滩）等。 |

| **功能主治** | 苦、酸，平。活血散瘀，祛湿利尿，清热解毒。用于淋病，尿血，经闭，癥瘕，风湿关节痛，脚气，水肿，痢疾，疟疾，白喉，痈肿，跌打损伤。 |

苋科 Amaranthaceae 牛膝属 Achyranthes

牛膝
Achyranthes bidentata Blume.

| 药 材 名 | 牛膝（药用部位：根）、牛膝茎叶（药用部位：茎、叶）。

| 形态特征 | 多年生草本，高 70 ~ 120 cm。根圆柱形，直径 5 ~ 10 mm，土黄色。茎有棱角或呈四方形，绿色或带紫色，有贴生或开展的白色柔毛，或近无毛，分枝对生。叶片椭圆形或椭圆状披针形，少数为倒披针形，长 4.5 ~ 12 cm，宽 2 ~ 7.5 cm，先端尾尖，尖长 5 ~ 10 mm，基部楔形或宽楔形，两面有贴生或开展的柔毛；叶柄长 5 ~ 30 mm，有柔毛。穗状花序顶生及腋生，长 3 ~ 5 cm，花期后反折；总花梗长 1 ~ 2 cm，有白色柔毛；花多数，密生，长 5 mm；苞片宽卵形，长 2 ~ 3 mm，先端长渐尖，小苞片刺状，长 2.5 ~ 3 mm，先端弯曲，基部两侧各有 1 卵形膜质小裂片，裂片长约 1 mm；花被片披针形，

长 3 ~ 5 mm，光亮，先端急尖，有 1 中脉；雄蕊长 2 ~ 2.5 mm。胞果矩圆形，长 2 ~ 2.5 mm，黄褐色，光滑；种子矩圆形，长 1 mm，黄褐色。花期 7 ~ 9 月，果期 9 ~ 10 月。

| 生境分布 | 生于海拔 1 400 m 以下的村旁旷地、路边或山坡疏林下。湖南各地均有分布。

| 资源情况 | 野生资源较丰富。药材来源于野生。

| 采收加工 | **牛膝**：冬季茎叶枯萎时采挖，除去须根和泥沙，捆成小把，晒至皱缩，将先端切齐，晒干。
牛膝茎叶：春、夏、秋季采收，洗净，鲜用。

| 药材性状 | **牛膝**：本品呈细长圆柱形，挺直或稍弯曲，长 15 ~ 70 cm，直径 0.4 ~ 1 cm。表面灰黄色或淡棕色，有微扭曲的细纵皱纹、排列稀疏的侧根痕和横长皮孔样的突起。质硬脆，易折断，受潮后变软，断面平坦，淡棕色，略呈角质样而油润，中心维管束木质部较大，黄白色，其外周散有多数黄白色点状维管束，断续排列成 2 ~ 4 轮。气微，味微甜而稍苦、涩。
牛膝茎叶：本品茎具 4 棱，有分枝，表面棕绿色，疏被柔毛，茎节略膨大，呈牛膝状。叶对生，多皱缩，展平后叶片呈卵形、椭圆形或椭圆状披针形，枯绿色，长 5 ~ 10 cm，宽 2 ~ 7 cm，先端锐尖，基部楔形或广楔形，全缘，两面被柔毛。气微，味微涩。

| 功能主治 | **牛膝**：苦、甘、酸，平。归肝、肾经。逐瘀通经，补肝肾，强筋骨，利尿通淋，引血下行。用于经闭，痛经，腰膝酸痛，筋骨无力，淋证，水肿，头痛，眩晕，牙痛，口疮，吐血，衄血。
牛膝茎叶：苦、酸，平。归肝、膀胱经。祛寒湿，强筋骨，活血利尿。用于寒湿痿痹，腰膝疼痛，淋闭，久疟。

| 用法用量 | **牛膝**：内服煎汤，5 ~ 12 g。
牛膝茎叶：内服煎汤，3 ~ 9 g；或浸酒。外用适量，捣敷；或捣汁点眼。

苋科 Amaranthaceae 牛膝属 Achyranthes

柳叶牛膝
Achyranthes longifolia (Makino) Makino

| 药 材 名 | 土牛膝（药用部位：根及根茎）。

| 形态特征 | 多年生草本，高 70 ~ 120 cm。根圆柱形，直径 5 ~ 10 mm，土黄色。茎有棱角或四方形，绿色或带紫色，有白色贴生或开展柔毛，或近无毛，分枝对生。叶片披针形或宽披针形，长 10 ~ 20 cm，宽 2 ~ 5 cm，先端尾尖。穗状花序顶生及腋生，长 3 ~ 5 cm，花期后反折；总花梗长 1 ~ 2 cm，有白色柔毛；花多数，密生，长 5 mm；苞片宽卵形，长 2 ~ 3 mm，先端长渐尖，小苞片针状，长 3.5 mm，基部有 2 耳状薄片，仅有缘毛；花被片披针形，长 3 ~ 5 mm，光亮，先端急尖，有 1 中脉；退化雄蕊方形，先端有不明显牙齿。胞果矩圆形，长 2 ~ 2.5 mm，黄褐色，光滑；种子矩圆形，长 1 mm，黄褐色。花果期 9 ~ 11 月。

| **生境分布** | 生于海拔 1 000 m 以下的山坡、路旁、旷野。湖南各地均有分布。

| **资源情况** | 野生资源较丰富。药材来源于野生。

| **采收加工** | 全年均可采挖，洗净，鲜用或晒干。

| **药材性状** | 本品根茎短粗，长 2～6 cm，直径 5～10 mm。根 4～9，扭曲，长 10～20 cm，直径 0.4～1.2 cm，向下渐细。表面灰黄褐色，具细密的纵皱纹及去除须根后残留的痕迹。质硬而稍有弹性，易折断，断面皮部淡灰褐色，略光亮，可见多数点状散布的维管束。气微，味初微甜后涩。

| **功能主治** | 甘、微苦、微酸，寒。归肝、肾经。活血祛瘀，泻火解毒，利尿通淋。用于闭经，跌打损伤，风湿关节痛，痢疾，白喉，咽喉肿痛，疮痈，淋证，水肿。

| **用法用量** | 内服煎汤，9～15 g，鲜品 30～60 g。外用适量，捣敷；或捣汁滴耳；或研末吹喉。

红柳叶牛膝

Achyranthes longifolia (Makino) f. *rubra* Ho

| 药 材 名 | 红柳叶牛膝（药用部位：根）。

| 形态特征 | 多年生草本，高 70 ~ 120 cm。根圆柱形，直径 5 ~ 10 mm，淡红色至红色。茎有棱角或呈四方形，绿色或带紫色，有贴生或开展的白色柔毛，或近无毛，分枝对生。叶片披针形或宽披针形，长 10 ~ 20 cm，宽 2 ~ 5 cm，上面深绿色，下面紫红色至深紫色，先端尾尖。穗状花序顶生及腋生，长 3 ~ 5 cm，带紫红色，花期后反折；总花梗长 1 ~ 2 cm，有白色柔毛；花多数，密生，长 5 mm；苞片宽卵形，长 2 ~ 3 mm，先端长渐尖，小苞片针状，长 3.5 mm，基部有 2 耳状薄片，仅有缘毛；花被片披针形，长 3 ~ 5 mm，光亮，先端急尖，有 1 中脉；退化雄蕊方形，先端有不明显牙齿。胞果矩

圆形，长 2 ~ 2.5 mm，黄褐色，光滑；种子矩圆形，长 1 mm，黄褐色。花果期 9 ~ 11 月。

| **生境分布** | 生于海拔 1 000 m 以下的山坡、路边、旷野。分布于湖南怀化（芷江）、常德（桃源）、邵阳（武冈）等。

| **资源情况** | 野生资源一般。药材来源于野生。

| **功能主治** | 苦、酸，平。活血散瘀，祛湿利尿，清热解毒。用于淋证，尿血，风湿关节痛。

喜旱莲子草

Alternanthera philoxeroides (Mart.) griseb.

| 药 材 名 |

空心莲子草（药用部位：全草）。

| 形态特征 |

多年生草本。茎基部匍匐，上部上升，管状，具不明显 4 棱，长 55 ~ 120 cm，具分枝。叶片矩圆形、矩圆状倒卵形或倒卵状披针形，长 2.5 ~ 5 cm，宽 7 ~ 20 mm，先端急尖或圆钝，具短尖，基部渐狭，全缘，两面无毛或上面有贴生毛及缘毛，下面有颗粒状突起；叶柄长 3 ~ 10 mm，无毛或微有柔毛。花密生，成具总花梗的头状花序，单生在叶腋，球形，直径 8 ~ 15 mm；苞片及小苞片白色，先端渐尖，具 1 脉，苞片卵形，长 2 ~ 2.5 mm，小苞片披针形，长 2 mm；花被片矩圆形，长 5 ~ 6 mm，白色，光亮，无毛，先端急尖，背部侧扁；雄蕊花丝长 2.5 ~ 3 mm，基部连合成杯状，退化雄蕊矩圆状条形，与雄蕊约等长，先端裂成窄条；子房倒卵形，具短柄，背面侧扁，先端圆形。果实未见。花期 5 ~ 10 月。

| 生境分布 |

生于海拔 600 m 以下的丘陵、池塘、湖边、水沟边等。湖南各地均有分布。

| **资源情况** | 野生资源丰富。药材来源于野生。

| **采收加工** | 5 ～ 10 月采收，鲜用或晒干。

| **药材性状** | 本品长短不一。茎呈扁圆柱形，直径 1 ～ 4 mm，表面灰绿色，微带紫红色，有纵直条纹，下部粗茎节处簇生棕褐色须根，断面中空。叶对生，无柄，皱缩，展平后呈矩圆形、矩圆状倒卵形或倒卵状披针形，长 2.5 ～ 5 cm，宽 7 ～ 18 mm，先端尖，基部楔形，全缘。偶见叶腋处有头状花序，花白色。气微，味微苦、涩。

| **功能主治** | 苦，寒。归肺、心、膀胱经。清热利水，凉血解毒。用于咯血，尿血，感冒发热，麻疹，流行性乙型脑炎，淋浊，湿疹，痈肿疔疮，毒蛇咬伤。

| **用法用量** | 内服煎汤，30 ～ 60 g，鲜品加倍；或捣汁。外用适量，捣敷；或捣汁涂。

莲子草 *Alternanthera sessilis* (L.) DC.

| 药 材 名 |

莲子草（药用部位：全草）。

| 形态特征 |

一年生草本，高 10 ~ 45 cm。圆锥根粗。茎上升或匍匐，绿色或稍带紫色，有条纹及纵沟，沟内有柔毛，在节处有 1 行横生柔毛。叶片形状及大小有变化，条状披针形、矩圆形、倒卵形或卵状矩圆形，长 1 ~ 8 cm，宽 2 ~ 20 mm，先端急尖、圆形或圆钝，基部渐狭；叶柄长 1 ~ 4 mm。头状花序 1 ~ 4，腋生，无总花梗；花密生，花轴密生白色柔毛；苞片及小苞片白色，先端短渐尖，无毛，苞片卵状披针形，长约 1 mm，小苞片钻形，长 1 ~ 1.5 mm；花被片卵形，长 2 ~ 3 mm，白色，先端渐尖或急尖，无毛，具 1 脉；雄蕊 3，花丝长约 0.7 mm，基部连合成杯状，花药矩圆形，退化雄蕊三角状钻形；花柱极短，柱头短裂。胞果倒心形，长 2 ~ 2.5 mm，侧扁，翅状，深棕色，包在宿存花被片内；种子卵球形。花期 5 ~ 7 月，果期 7 ~ 9 月。

| 生境分布 |

生于海拔 600 m 以下的水沟边、田埂、村旁

草坡湿地。湖南各地均有分布。

| 资源情况 | 野生资源丰富。药材来源于野生。

| 采收加工 | 7 ~ 9 月采收，鲜用或晒干。

| 药材性状 | 本品长短不一。茎有明显的条纹及纵沟，沟内有柔毛，在节处有 1 行横生柔毛。叶缘有时具不明显锯齿。头状花序 1 ~ 4，腋生，无总花梗；花白色；雄蕊 3。胞果倒心形，长 2 ~ 2.5 mm，侧扁，翅状，深棕色，包在宿存花被片内；种子卵球形。

| 功能主治 | 甘，寒。凉血散瘀，清热解毒，除湿通淋。用于咯血，吐血，便血，牙龈肿痛，痢疾，泄泻，湿疹。

| 用法用量 | 内服煎汤，10 ~ 15 g；或捣汁服。外用适量，捣敷；或煎汤洗。

苋科 Amaranthaceae 苋属 Amaranthus

绿穗苋 *Amaranthus hybridus* L.

| 药 材 名 |

绿穗苋（药用部位：全草）。

| 形态特征 |

一年生草本，高 30 ～ 50 cm。茎直立，分枝，上部近弯曲，有开展柔毛。叶片卵形或菱状卵形，长 3 ～ 4.5 cm，宽 1.5 ～ 2.5 cm，先端急尖或微凹，具凸尖，基部楔形，边缘波状或有不明显锯齿，微粗糙，上面近无毛，下面疏生柔毛；叶柄长 1 ～ 2.5 cm，有柔毛。圆锥花序顶生，细长，上升且稍弯曲，有分枝，由穗状花序组成，中间花穗最长；苞片及小苞片钻状披针形，长 3.5 ～ 4 mm，中脉坚硬，绿色，向前伸出而成尖芒；花被片矩圆状披针形，长约 2 mm，先端锐尖，具凸尖，中脉绿色；雄蕊几与花被片等长或较花被片稍长；柱头 3。胞果卵形，长 2 mm，环状横裂，超出宿存花被片；种子近球形，直径约 1 mm，黑色。花期 7 ～ 8 月，果期 9 ～ 10 月。

| 生境分布 |

生于海拔 400 ～ 1 100 m 的田野或山坡。湖南各地均有分布。

| **资源情况** | 野生资源丰富。药材来源于野生。

| **采收加工** | 春、夏、秋季采收，洗净，晒干或鲜用。

| **功能主治** | 苦、辛，凉。清热解毒，利湿止痒。

| **用法用量** | 内服煎汤，9 ~ 30 g。外用适量，捣敷。

苋科 Amaranthaceae 苋属 Amaranthus

凹头苋 *Amaranthus lividus* L.

| 药 材 名 | 野苋菜（药用部位：全草）、野苋子（药用部位：种子）。

| 形态特征 | 一年生草本，高 10 ~ 30 cm，全体无毛。茎伏卧而上升，从基部分枝，淡绿色或紫红色。叶片卵形或菱状卵形，长 1.5 ~ 4.5 cm，宽 1 ~ 3 cm，先端凹缺，有 1 芒尖，或微小不显，基部宽楔形，全缘或稍呈波状；叶柄长 1 ~ 3.5 cm。花成腋生花簇，直至下部叶的腋部，生在茎端和枝端者成直立穗状花序或圆锥花序；苞片及小苞片矩圆形，长不及 1 mm；花被片矩圆形或披针形，长 1.2 ~ 1.5 mm，淡绿色，先端急尖，边缘内曲，背部有 1 隆起中脉；雄蕊比花被片稍短；柱头 3 或 2，果实成熟时脱落。胞果扁卵形，长 3 mm，不裂，微皱缩而近平滑，超出宿存花被片；种子环形，黑色至黑褐色，边缘具环状边。花期 7 ~ 8 月，果期 8 ~ 9 月。

| 生境分布 | 生于海拔 1 600 m 以下的田野、路边。湖南各地均有分布。

| 资源情况 | 野生资源丰富。药材来源于野生。

| 采收加工 | 春、夏、秋季采收，洗净，晒干或鲜用。

| 药材性状 | **野苋菜**：本品茎长 10 ~ 30 cm，基部分枝，淡绿色至暗紫色。叶片皱缩，展平后呈卵形或菱状卵形，长 1.5 ~ 4.5 cm，宽 1 ~ 3 cm，先端凹缺，有 1 芒尖，或不显，基部阔楔形，叶柄与叶片近等长。穗状花序。胞果扁卵形，不裂，近平滑。气微，味淡。

野苋子：本品环形，直径 0.8 ~ 1.5 mm。表面红黑色至黑褐色，边缘具环状边。气微，味淡。

| 功能主治 | **野苋菜**：甘、微寒。归大肠、小肠经。清热解毒，利尿。用于肠炎，痢疾，咽炎，乳腺炎，痔疮肿痛出血，毒蛇咬伤。

野苋子：甘，凉。归肝、膀胱经。清肝明目，利尿。用于肝热目赤，翳障，小便不利。

| 用法用量 | **野苋菜**：内服煎汤，9 ~ 30 g；或捣汁。外用适量，捣敷。

野苋子：内服煎汤，6 ~ 12 g。

| 附　　注 | 本种的拉丁学名在 FOC 中被修订为 *Amaranthus blitum* Linnaeus。

苋科 Amaranthaceae 苋属 Amaranthus

繁穗苋 *Amaranthus paniculatus* L.

药材名

老粘谷（药用部位：全草。别名：红粘谷）、老粘谷子（药用部位：种子。别名：红粘谷子）。

形态特征

一年生草本，高 1 ~ 2 m。茎直立，单一或分枝，具钝棱角，几无毛。叶片卵状长圆形或卵状披针形，长 4 ~ 13 cm，宽 2 ~ 5.5 cm，先端锐尖或圆钝，具小芒尖，基部楔形。花单性或杂性，圆锥花序腋生和顶生，由多数穗状花序组成，直立，花后期下垂；苞片和小苞片钻形，绿色或紫色，背部中肋凸出，先端具长芒；花被片 5，膜质，绿色或紫色，先端有短芒，花被片和胞果等长；雄蕊比花被片稍长；雌花苞片为花被片长的 1.5 倍，花被片先端圆钝。胞果椭圆形，盖裂，先端有 3 齿，与宿存花被等长；种子棕褐色。花期 6 ~ 7 月，果期 9 ~ 10 月。

生境分布

生于海拔 2 100 m 以下的地区。分布于湖南张家界（武陵源）、永州（蓝山）等。

| 资源情况 | 野生资源稀少。药材来源于野生。

| 采收加工 | **老粘谷**：春、夏季花未开前采收，洗净，鲜用。

老粘谷子：夏、秋季种子成熟时采收，晒干，搓出种子，干燥。

| 功能主治 | **老粘谷**：甘，凉。清热解毒，利湿。用于痢疾，黄疸。

老粘谷子：甘、苦，微寒。归肝、大肠经。清热解毒，活血消肿。用于痢疾，胁痛，跌打损伤，痈疮肿毒。

| 用法用量 | **老粘谷**：内服煎汤，30 ~ 60 g。

老粘谷子：内服煎汤，9 ~ 15 g。外用适量，研末调敷。

| 附 注 | 本种的拉丁学名在 FOC 中被修订为 *Amaranthus cruentus* L.。

苋科 Amaranthaceae 苋属 Amaranthus

反枝苋 *Amaranthus retroflexus* L.

| 药 材 名 | 野苋菜（药用部位：全草）、野苋子（药用部位：种子）。

| 形态特征 | 一年生草本，高 20 ~ 80 cm，有时高 1 m 余。茎直立，密生短柔毛。叶片菱状卵形或椭圆状卵形，长 5 ~ 12 cm，宽 2 ~ 5 cm，先端锐尖或尖凹，有小凸尖，基部楔形，全缘或波状缘，两面及边缘有柔毛，下面毛较密；叶柄长 1.5 ~ 5.5 cm，有柔毛。圆锥花序顶生及腋生，直立，直径 2 ~ 4 cm，由多数穗状花序组成，顶生花穗较侧生者长；苞片及小苞片钻形，长 4 ~ 6 mm，背面有 1 龙骨状突起，伸出先端成白色尖芒；花被片矩圆形或矩圆状倒卵形，长 2 ~ 2.5 mm，薄膜质，有 1 淡绿色细中脉，先端急尖或尖凹，具凸尖；雄蕊比花被片稍长；柱头 3，有时 2。胞果扁卵形，长约 1.5 mm，

环状横裂，薄膜质，包裹在宿存花被片内；种子近球形，棕色或黑色，边缘钝。
花期 7 ~ 8 月，果期 8 ~ 9 月。

| 生境分布 | 生于低海拔的田园内、农田旁、房前屋后的草地上，有时生在瓦房上。湖南有广泛分布。

| 资源情况 | 野生资源较丰富。药材来源于野生。

| 采收加工 | **野苋菜**：春、夏、秋季采收，洗净，鲜用。
野苋子：秋季采收果实，晒干，搓出种子，干燥。

| 药材性状 | **野苋菜**：本品茎长 20 ~ 80 cm，稍具钝棱，被短柔毛。叶片皱缩，展平后呈菱状卵形或椭圆形，长 5 ~ 12 cm，宽 2 ~ 5 cm，先端微凸，具小凸尖，两面和边缘有柔毛；叶柄长 1.5 ~ 5.5 cm。圆锥花序。胞果扁卵形，盖裂。气微，味淡。
野苋子：本品近球形，直径 0.8 ~ 1.5 mm。表面棕色或黑色，边缘钝，略有光泽。气微，味淡。

| 功能主治 | **野苋菜**：甘、微寒。归大肠、小肠经。清热解毒，利尿。用于痢疾，腹泻，疔疮肿毒，毒蛇咬伤，小便不利，水肿。
野苋子：甘，凉。归肝、膀胱经。清肝明目，利尿。用于肝热目赤，翳障，小便不利。

| 用法用量 | **野苋菜**：内服煎汤 9 ~ 30 g；捣汁。外用适量，捣敷。
野苋子：内服煎汤，6 ~ 12 g。

苋科 Amaranthaceae 苋属 Amaranthus

刺苋

Amaranthus spinosus L.

|药 材 名|

簕苋菜（药用部位：全草）。

|形态特征|

一年生草本，高 30 ~ 100 cm。茎直立，无毛或稍有柔毛。叶片菱状卵形或卵状披针形，长 3 ~ 12 cm，宽 1 ~ 5.5 cm，先端圆钝，具微凸头，基部楔形，全缘，无毛或幼时沿叶脉稍有柔毛；叶柄长 1 ~ 8 cm，无毛，在其旁有 2 刺，刺长 5 ~ 10 mm。圆锥花序腋生及顶生，长 3 ~ 25 cm，下部顶生花穗常全部为雄花；苞片在腋生花簇及顶生花穗的基部者变成尖锐直刺，长 5 ~ 15 mm，在顶生花穗的上部者狭披针形，具凸尖，中脉绿色，小苞片狭披针形，花被片绿色，具凸尖，中脉绿色或带紫色，在雄花上者呈矩圆形，长 2 ~ 2.5 mm，在雌花上者呈矩圆状匙形，长 1.5 mm；雄蕊花丝与花被片等长或较花被片短；柱头 3，有时 2。胞果矩圆形，长 1 ~ 1.2 mm，在中部以下不规则横裂，包裹在宿存花被片内；种子近球形，直径约 1 mm。花果期 7 ~ 11 月。

|生境分布|

生于海拔 300 ~ 800 m 的旷地或园圃的杂草

中。湖南各地均有分布。

| **资源情况** | 野生资源丰富。药材来源于野生。

| **采收加工** | 春、夏、秋季采收，洗净，鲜用或晒干。

| **药材性状** | 本品主根长圆锥形，有的具分枝，稍木质。茎圆柱形，多分枝，棕红色或棕绿色。叶互生，叶片皱缩，展平后呈卵形或菱状卵形，长 4 ~ 10 cm，宽 1 ~ 3 cm，先端有细刺，全缘或微波状；叶柄与叶片等长或较叶片稍短，叶腋有坚刺 1 对。雄花集成顶生圆锥花序，雌花簇生于叶腋。胞果近卵形，盖裂。气微，味淡。

| **功能主治** | 甘，微寒。凉血止血，清利湿热，解毒消痈。用于胃出血，便血，痔血，胆囊炎，胆石症，痢疾，湿热泄泻，带下，小便涩痛，咽喉肿痛，湿疹，痈肿，牙龈糜烂，蛇咬伤。

| **用法用量** | 内服煎汤，9 ~ 15 g，鲜品 30 ~ 60 g。外用适量，捣敷；或煎汤熏洗。

苋科 Amaranthaceae 苋属 Amaranthus

苋

Amaranthus tricolor L.

| 药 材 名 |

苋（药用部位：茎、叶）、苋实（药用部位：种子）、苋根（药用部位：根）。

| 形态特征 |

一年生草本，高80 ~ 150 cm。茎粗壮，常分枝，幼时有毛或无毛。叶片卵形、菱状卵形或披针形，长4 ~ 10 cm，宽2 ~ 7 cm，绿色、红色、紫色、黄色，或绿色夹杂其他颜色，先端圆钝或尖凹，具凸尖，基部楔形，全缘或波状缘，无毛；叶柄长2 ~ 6 cm，绿色或红色。花簇腋生，或同时具顶生花簇，为下垂的穗状花序，花簇球形，直径5 ~ 15 mm，雄花和雌花混生；苞片及小苞片卵状披针形，长2.5 ~ 3 mm，透明，先端有1长芒尖，背面具1绿色或红色隆起中脉；花被片矩圆形，长3 ~ 4 mm，先端有1长芒尖，背面具1绿色或紫色隆起中脉；雄蕊比花被片长或短。胞果卵状矩圆形，长2 ~ 2.5 mm，环状横裂，包裹在宿存花被片内；种子近圆形或倒卵形，直径约1 mm。花期5 ~ 8月，果期7 ~ 9月。

| 生境分布 |

栽培于田间、菜地，有时亦为半野生。湖南

各地均有分布。

| 资源情况 | 栽培资源丰富。药材来源于栽培。

| 采收加工 | 苋：春、夏季采收，洗净，鲜用或晒干。

苋实：9 ~ 10 月采收地上部分，晒后搓出种子，扬净，晒干。

苋根：春、夏、秋季均可采挖，鲜用或晒干。

| 药材性状 | 苋：本品茎长 80 ~ 150 cm，绿色或红色，常分枝。叶互生，叶片皱缩，展平后呈菱状卵形至披针形，长 4 ~ 10 cm，宽 2 ~ 7 cm，先端钝或尖凹，具凸尖，绿色、红色、紫色、黄色，或绿色带有彩斑；叶柄长 2 ~ 6 cm。气微，味淡。

苋实：本品近圆形或倒卵形，黑褐色，平滑，有光泽。气微，味淡。

| 功能主治 | 苋：甘，微寒。归大肠、小肠经。清热解毒，通利二便。用于痢疾，二便不通，蛇虫咬伤，疮毒。

苋实：甘，寒。归肝、大肠、膀胱经。清肝明目，通利二便。用于青盲翳障，视物昏暗，白浊血尿，二便不利。

苋根：辛，微寒。清热解毒，散瘀止痛。用于痢疾，泄泻，痔疮，牙痛，漆疮，阴囊肿痛，跌打损伤，崩漏，带下。

| 用法用量 | 苋：内服煎汤，30 ~ 60 g；或煮粥。外用适量，捣敷；或煎汤熏洗。

苋实：内服煎汤，6 ~ 9 g；或研末。

苋根：内服煎汤，9 ~ 15 g，鲜品 15 ~ 30 g；或浸酒。外用捣敷；或煅存性，研末干撒或调敷；或煎汤熏洗。

苋科 Amaranthaceae 苋属 Amaranthus

皱果苋

Amaranthus viridis L.

| 药 材 名 |

白苋（药材部位：全草或根）。

| 形态特征 |

一年生草本，高 40 ~ 80 cm，全体无毛。茎直立，有不明显棱角，少分枝。叶片卵形、卵状矩圆形或卵状椭圆形，长 3 ~ 9 cm，宽 2.5 ~ 6 cm，先端尖凹或凹缺，少数圆钝，有 1 芒尖，基部宽楔形或近截形，全缘或微呈波状缘；叶柄长 3 ~ 6 cm。圆锥花序顶生，长 6 ~ 12 cm，宽 1.5 ~ 3 cm，有分枝，由穗状花序组成，圆柱形，细长，直立，顶生花穗比侧生者长；总花梗长 2 ~ 2.5 cm；苞片及小苞片披针形，长不及 1 mm，先端具凸尖；花被片矩圆形或宽倒披针形，长1.2 ~ 1.5 mm，内曲，先端急尖，背部有 1绿色隆起中脉；雄蕊比花被片短；柱头 3 或2。胞果扁球形，直径约 2 mm，绿色，不裂，极皱缩，超出花被片；种子近球形，直径约1 mm，黑色或黑褐色，具薄且锐的环状边缘。花期 6 ~ 8 月，果期 8 ~ 10 月。

| 生境分布 |

生于村寨附近的杂草地或田野。湖南有广泛分布。

| **资源情况** | 野生资源一般。药材来源于野生。 |

| **采收加工** | 春、夏、秋季采收，洗净，鲜用或晒干。 |

| **药材性状** | 本品主根圆锥形。全体紫红色或棕红色。茎长 40 ~ 80 cm，分枝较少。叶互生，叶片皱缩，展平后呈卵形至卵状矩圆形，长 3 ~ 9 cm，宽 2.5 ~ 6 cm，先端圆钝而微凹，具小芒尖，基部近楔形；叶柄长 3 ~ 6 cm。胞果扁球形，不裂，极皱缩，超出宿存花被片；种子细小，褐色或黑色，略有光泽。气微，味淡。 |

| **功能主治** | 甘、淡，寒。归大肠、小肠经。清热，利湿，解毒。用于痢疾，泄泻，小便赤涩，疮肿，蛇虫咬伤，牙疳。 |

| **用法用量** | 内服煎汤，15 ~ 30 g；或鲜品加倍，捣烂绞汁。外用适量，捣敷；或煅研外擦；或煎汤熏洗。 |

青葙 *Celosia argentea* L.

| 药 材 名 |

青葙子（药用部位：种子）。

| 形态特征 |

一年生草本，高 0.3 ~ 1 m，全体无毛。茎直立，具明显条纹。叶片矩圆披针形、披针形或披针状条形，少数为卵状矩圆形，长 5 ~ 8 cm，宽 1 ~ 3 cm，先端急尖或渐尖，具小芒尖，基部渐狭；叶柄长 2 ~ 15 mm，或无叶柄。花多数，密生，在茎端或枝端成单一、无分枝的塔状或圆柱状穗状花序，长 3 ~ 10 cm；苞片及小苞片披针形，长 3 ~ 4 mm，光亮，先端渐尖，延长成细芒，具 1 中脉，在背部隆起；花被片矩圆状披针形，长 6 ~ 10 mm，初呈白色，先端带红色，或全部呈粉红色，后呈白色，先端渐尖，具 1 中脉，中脉在背面凸起；花丝长 5 ~ 6 mm，分离部分长 2.5 ~ 3 mm，花药紫色；子房有短柄，花柱紫色，长 3 ~ 5 mm。胞果卵形，长 3 ~ 3.5 mm，包裹在宿存花被片内；种子凸透镜状肾形，直径约 1.5 mm。花期 5 ~ 8 月，果期 6 ~ 10 月。

| 生境分布 |

生于海拔 800 m 以下的田间、山坡、荒地及河边沙滩上。湖南各地均有分布。

| **资源情况** | 野生资源丰富。药材来源于野生。

| **采收加工** | 秋季果实成熟时采割植株或摘取果穗，晒干，收集种子，除去杂质。

| **药材性状** | 本品呈扁圆形，少数呈圆肾形，直径 1 ～ 1.5 mm。表面黑色或红黑色，光亮，中间微隆起，侧边微凹处有种脐。种皮薄而脆。气微，味淡。

| **功能主治** | 苦，微寒。归肝经。清肝泻火，明目退翳。用于肝热目赤，目生翳膜，视物昏花，眩晕。

| **用法用量** | 内服煎汤，9 ～ 15 g。

苋科 Amaranthaceae 青葙属 Celosia

鸡冠花
Celosia cristata L.

| 药 材 名 | 鸡冠花（药用部位：花序）、鸡冠子（药用部位：种子）。

| 形态特征 | 一年生草本，高 30 ~ 100 cm，全株无毛。茎直立，粗壮，有条棱，上部常扁平，绿色或带红色。叶互生，叶片长椭圆形至卵状披针形，长 5 ~ 13 cm，宽 2 ~ 6 cm，先端渐尖或尾尖，基部渐狭成柄，全缘。花多数，密生，组成鸡冠状、卷冠状或羽毛状的穗状花序，花序扁平肉质，一大花序下面有数个较小的分枝，分枝呈圆锥状矩圆形，表面羽毛状；花被片红色、紫色、黄色或杂色，因品种而异，花被片 5，椭圆形，长约 4 mm，干膜质，透明；雄蕊 5，花丝下部合生成杯状，无退化雄蕊；雌蕊 1，柱头 2 浅裂。胞果卵形，包在宿存花被内，盖裂；种子双凸透镜形，黑色，有光泽。花果期 7 ~ 9 月。

| 生境分布 | 栽培于庭院、路边等。湖南各地均有分布。

| 资源情况 | 栽培资源丰富。药材来源于栽培。

| 采收加工 | **鸡冠花**：8 ~ 9 月采收，采收时将花序连同一部分茎秆割下，捆成小把，晒干或晾干，剪去茎秆。

鸡冠子：7 ~ 10 月种子成熟时割取果序，晒干，收集种子，晒干。

| 药材性状 | **鸡冠花**：本品为穗状花序，多扁平而肥厚，呈鸡冠状，长 8 ~ 25 cm，宽 5 ~ 20 cm，上缘宽，具折皱，密生线状鳞片，下端渐窄，常残留扁平的茎。表面红色、紫红色或黄白色。中部以下密生多数小花，每花宿存的苞片和花被片均呈膜质。果实盖裂；种子扁圆肾形，黑色，有光泽。体轻，质柔韧。气微，味淡。

鸡冠子：本品呈扁圆形，直径约 1.5 mm。表面棕红色至黑色，有光泽。在放大镜下观察，可见细密纹理及凹点状种脐。种皮脆，易破裂。偶见胞果上残留有花柱，花柱长 2 ~ 3 mm。气微，味淡。

| 功能主治 | **鸡冠花**：甘、涩，凉。归肝、大肠经。收敛止血，止带，止痢。用于吐血，崩漏，便血，痔血，赤白带下，久痢不止。

鸡冠子：甘，凉。归肝、大肠经。凉血止血，清肝明目。用于便血，崩漏，赤白痢，目赤肿痛。

| 用法用量 | **鸡冠花**：内服煎汤，6 ~ 12 g；或入丸、散剂。外用煎汤熏洗；或研末调敷。

鸡冠子：内服煎汤，4.5 ~ 9 g；或入丸、散剂。

川牛膝
Cyathula officinalis Kuan

| **药 材 名** | 川牛膝（药用部位：根）。

| **形态特征** | 多年生草本，高 50 ~ 100 cm。根圆柱形，鲜时表面近白色，干后呈灰褐色或棕黄色，根条圆柱状，扭曲，味先甘而后略苦。茎直立。叶片椭圆形或窄椭圆形，少数呈倒卵形，长 3 ~ 12 cm，宽 1.5 ~ 5.5 cm，先端渐尖或尾尖，基部楔形或宽楔形，全缘，上面贴生长糙毛，下面毛较密；叶柄长 5 ~ 15 mm。花丛为 3 ~ 6 次二歧聚伞花序，多数在花序轴上交互对生，在枝先端呈穗状排列；苞片长 4 ~ 5 mm，先端刺芒状或钩状；不育花的花被片常为 4，变成具钩的坚硬芒刺；两性花长 3 ~ 5 mm，花被片披针形，先端具刺尖头，内侧 3 花被片较窄；雄蕊花丝基部密生节状束毛，退化雄蕊长方形，

长 0.3 ～ 0.4 mm，先端齿状浅裂；子房圆筒形或倒卵形，长 1.3 ～ 1.8 mm，花柱长约 1.5 mm。胞果椭圆形或倒卵形；种子椭圆形。花期 6 ～ 7 月，果期 8 ～ 9 月。

| 生境分布 | 栽培于海拔 1 000 m 以上的山区。分布于湖南常德（临澧）、张家界（桑植）、怀化（通道）、邵阳（隆回）等。

| 资源情况 | 栽培资源一般。药材来源于栽培。

| 采收加工 | 秋、冬季采挖，除去芦头、须根及泥沙，烘或晒至半干，堆放回润，再烘干或晒干。

| 药材性状 | 本品呈近圆柱形，微扭曲，向下略细或有少数分枝，长 30 ～ 60 cm，直径 0.5 ～ 3 cm。表面棕黄色或灰褐色，具纵皱纹、支根痕和多数横长的皮孔样突起。质韧，不易折断，断面浅黄色或棕黄色，维管束点状，排列成数轮同心环。气微，味甜。

| 功能主治 | 甘、微苦，平。归肝、肾经。逐瘀通经，通利关节，利尿通淋。用于经闭，癥瘕，胞衣不下，跌扑损伤，风湿痹痛，足痿筋挛，尿血，血淋。

| 用法用量 | 内服煎汤，5 ～ 10 g。

苋科 Amaranthaceae 千日红属 Gomphrena

千日红 *Gomphrena globosa* L.

| 药 材 名 |

千日红（药用部位：全草或花序）。

| 形态特征 |

一年生直立草本，高 20 ~ 60 cm。茎粗壮。叶纸质，长椭圆形或矩圆状倒卵形，长 3.5 ~ 13 cm，先端急尖或圆钝，具凸尖，基部渐狭，边缘波状，两面被白色长柔毛；叶柄长 1 ~ 1.5 cm，有灰色长柔毛。花序为顶生球状或头状矩圆形，单一或 2 ~ 3，直径 2 ~ 2.5 cm；总苞由 2 枚绿色对生叶状苞片组成，卵形或心形，长 1 ~ 1.5 cm，两面有灰色长柔毛；苞片卵形，长 3 ~ 5 mm，先端紫红色，小苞片三角状披针形，长 1 ~ 1.2 cm，内面凹陷，先端渐尖，背棱有细锯齿缘；花被片披针形，长 5 ~ 6 mm，不展开，先端渐尖，外面密生白色绵毛，花期后不变硬；雄蕊花丝连合成管状，先端 5 浅裂，花药生在裂片的内面，微伸出；花柱条形，比雄蕊管短，柱头 2，叉状分枝。胞果近球形，直径 2 ~ 2.5 mm；种子肾形，棕色。花期 6 ~ 7 月，果期 8 ~ 9 月。

| 生境分布 |

栽培于路边、公园、屋旁。湖南各地均有分布。

| **资源情况** | 栽培资源丰富。药材来源于栽培。

| **采收加工** | 夏、秋季采摘花序或拔取全株，鲜用或晒干。

| **药材性状** | 本品头状花序单生或 2 ~ 3 花序并生，球形或近长圆形，直径 2 ~ 2.5 cm，鲜时呈紫红色、淡红色或白色，干后呈棕色或棕红色；总苞 2，叶状；每花基部有卵形干膜质苞片 1，小苞片 2，紫红色，背棱有明显细锯齿；花被片 5，披针形，外面密被白色绵毛，干后花被片部分脱落。有时可见近圆形胞果，内含细小种子 1；种皮棕黑色，有光泽。气微，味淡。

| **功能主治** | 甘、微咸，平。归肺、肝经。止咳平喘，清肝明目，解毒。用于咳嗽，哮喘，百日咳，小儿夜啼，目赤肿痛，头晕，头痛，痢疾，疔疮。

| **用法用量** | 内服煎汤，全草 15 ~ 30 g，花序 3 ~ 9 g。外用适量，捣敷；或煎汤洗。

仙人掌科 Cactaceae 量天尺属 Hylocereus

量天尺 *Hylocereus undatus* (Haw.) Britt. et Rose

| **药 材 名** | 量天尺花（药用部位：花）、量天尺茎（药用部位：茎）。

| **形态特征** | 攀缘肉质灌木，长 3 ~ 15 m，具气根。分枝多数，延伸，具 3 角或棱，
长 0.2 ~ 0.5 m，宽 3 ~ 8（~ 12）cm，棱常呈翅状，边缘波状或
圆齿状，深绿色至淡蓝绿色，无毛，老枝边缘常呈胼胝状，淡褐色，
骨质；小窠沿棱排列，相距 3 ~ 5 cm，直径约 2 mm，每小窠具开
展的硬刺 1 ~ 3，刺锥形，长 2 ~ 5（~ 10）mm，灰褐色至黑色。
花漏斗状，于夜间开放；花托及花托筒密被淡绿色或黄绿色鳞片，
鳞片卵状披针形至披针形、线形至线状披针形，先端渐尖，有短尖
头，全缘，通常反曲；瓣状花被片白色，长圆状倒披针形，先端急尖，
具 1 芒尖，全缘或啮蚀状，开展；花丝黄白色，花药长 4.5 ~ 5 mm，

花柱黄白色，柱头 20 ～ 24，先端长渐尖。浆果红色，长球形，果脐小，果肉白色；种子倒卵形，黑色，种脐小。花期 7 ～ 12 月。

| **生境分布** | 栽培于海拔 50 ～ 300 m 的地区，攀缘于树干、岩石或墙上。湖南有广泛分布。

| **资源情况** | 栽培资源一般。药材来源于栽培。

| **采收加工** | **量天尺花**：5 ～ 8 月花开时采收，鲜用或置通风处晾干。
量天尺茎：全年均可采收，洗净，去皮、刺，鲜用。

| **药材性状** | **量天尺花**：本品纵向切开时呈不规则长条状，长 15 ～ 17 cm；萼片棕色至黄棕色，萼管下部细长，扭曲，外被皱缩的鳞片；花瓣数轮，棕色或黄棕色，狭长披针形，有纵脉；雄蕊多数。气微，味稍甜。

| **功能主治** | **量天尺花**：甘，微寒。归肺经。清热润肺，止咳化痰，解毒消肿。用于肺热咳嗽，肺痨，瘰疬，疖腮。
量天尺茎：甘、淡，凉。舒筋活络，解毒消肿。用于跌打损伤，疖腮，疮肿，烫火伤。

| **用法用量** | **量天尺花**：内服煎汤，9 ～ 15 g。外用适量，鲜品捣敷。
量天尺茎：外用适量，鲜品捣敷。

仙人掌科　Cactaceae　仙人掌属　Opuntia

单刺仙人掌

Opuntia monacantha (Willd.) Haw.

| 药 材 名 | 单刺仙人掌（药用部位：茎）。

| 形态特征 | 肉质灌木或小乔木，高 1.3 ～ 7 m。老株常具圆柱状主干，直径达 15 cm。分枝多数，开展，倒卵形、倒卵状长圆形或倒披针形，长 10 ～ 30 cm，先端圆形，全缘或略呈波状，基部渐狭至柄状，无毛，疏生小窠；小窠圆形，刺针状，在主干上每小窠可具 10 ～ 12 刺。叶钻形，长 2 ～ 4 mm，早落。花辐状；花托倒卵形，长 3 ～ 4 cm，先端截形，凹陷，基部渐狭，无毛，疏生小窠，小窠具短绵毛和倒刺刚毛，无刺或具少数刚毛状刺；萼状花被片深黄色，外面具红色中肋，卵圆形至倒卵形，瓣状花被片深黄色，倒卵形至长圆状倒卵形，先端圆形或截形，有时具小尖头，边缘近全缘；花药淡黄色；

柱头 6 ～ 10。浆果梨形或倒卵球形，先端凹陷，基部狭缩成柄状，无毛；种子多数，肾状椭圆形。花期 4 ～ 8 月。

| 生境分布 | 栽培于低海拔的村寨附近、屋旁、公园。分布于湖南常德（澧县、津市）等。

| 资源情况 | 栽培资源较少。药材来源于栽培。

| 采收加工 | 全年均可采收，洗净，去皮、刺，鲜用或烘干。

| 功能主治 | 苦，寒。归脾、肺经。清肺止咳，凉血解毒。用于肺热咳嗽，肺痨咯血，痢疾，痔血，乳痈，疟腮，痈疮肿毒，烫火伤，白秃疮，疥癣，蛇虫咬伤。

| 用法用量 | 内服煎汤，15 ～ 30 g；或捣汁。外用适量，鲜品捣敷；或干品研末调敷。

仙人掌科 Cactaceae 仙人掌属 Opuntia

仙人掌

Opuntia stricta (Haw.) Haw. var. *dillenii* (Ker-Gawl.) Benson

| 药 材 名 |

仙人掌（药用部位：根、茎。别名：霸王树）、仙掌子（药用部位：果实）、神仙掌花（药用部位：花）、玉芙蓉（药用部位：从肉质茎中流出的浆液的凝结物）。

| 形态特征 |

丛生肉质灌木，高（1 ~ ）1.5 ~ 3 m。上部分枝宽倒卵形、倒卵状椭圆形或近圆形，长 10 ~ 35（ ~ 40）cm，宽 7.5 ~ 20（ ~ 25）cm，厚达 1.2 ~ 2 cm，先端圆形，边缘通常呈不规则波状，基部楔形或渐狭；小窠疏生，每小窠具（1 ~ ）3 ~ 10（ ~ 20）刺，密生短绵毛和倒刺刚毛，刺黄色，有淡褐色横纹，钻形，多少开展并内弯，基部扁，坚硬；叶钻形，长 4 ~ 6 mm，早落。花辐状；花托倒卵形，先端截形并凹陷，基部渐狭，疏生凸出的小窠；萼状花被片宽倒卵形至狭倒卵形，先端急尖或圆形，具绿色中肋，瓣状花被片倒卵形或匙状倒卵形，先端圆形、截形或微凹，全缘或浅啮蚀状；花丝淡黄色；花药黄色；花柱长 11 ~ 18 mm；柱头 5。浆果倒卵球形，先端凹陷，基部多少狭缩成柄状；种子多数，扁圆形。花期 6 ~ 10（ ~ 12）月。

| **生境分布** | 栽培于海拔 25 ~ 800 m 的向阳、干燥的山坡、石上、路旁或村庄。湖南各地均有栽培。

| **资源情况** | 栽培资源丰富。药材来源于栽培。

| **采收加工** | 仙人掌：栽培 1 年后随用随采。

仙掌子：果实成熟时采收，洗净，鲜用。

神仙掌花：春、夏季花开时采收，置通风处晾干。

玉芙蓉：4 ~ 8 月，当仙人掌汁液充盈时，选择生长茂盛的仙人掌树，割破外皮，使其浆液外溢，待浆液凝结后收集，捏成团状，风干或晒干。

| **药材性状** | 玉芙蓉：本品呈圆形或不规则的圆形团块，质坚硬而微润泽，似生松香或桃胶，色黄白或乳白，偶带棕黄色，碎断后微透明，常有渣质夹杂，无特殊气味，火烤之则质地变柔，但不易熔化。以凝固完全、干燥、色泽黄亮、质地坚脆、无泥土掺杂者为佳。

| **功能主治** | 仙人掌：苦，寒。归胃、肺、大肠经。行气活血，凉血止血，解毒消肿。用于胃痛，癥瘕痞块，痢疾，喉痛，肺热咳嗽，肺痨咯血，吐血，痔血，疮疡疔疖，乳痈，疔腮，癣疾，蛇虫咬伤，烫伤，冻伤。

仙掌子：甘，凉。归胃经。益胃生津，除烦止渴。用于胃阴不足，烦热口渴。

神仙掌花：甘，凉。凉血止血。用于吐血。

玉芙蓉：甘，寒。清热凉血，养心安神。用于痔血，便血，疔肿，烫伤，怔忡，小儿急惊风。

| **用法用量** | 仙人掌：内服煎汤，10 ~ 30 g；或焙干研末，3 ~ 6 g。外用适量，鲜品捣敷。

仙掌子：内服煎汤，15 ~ 30 g；或生食。

神仙掌花：内服煎汤，3 ~ 9 g。

玉芙蓉：内服煎汤，3 ~ 9 g；或入丸、散剂。外用捣敷。

| **附 注** | 本种的拉丁学名在 FOC 中被修订为 *Opuntia dillenii* (Ker Gawl.) Haworth。

仙人掌科 Cactaceae 仙人指属 Schlumbergera

蟹爪兰
Schlumbergera truncata (Haw.) Moran

| 药材名 | 蟹爪兰（药用部位：地上部分）。

| 形态特征 | 肉质植物，常呈灌木状，多分枝。老茎木质化，稍呈圆柱状，幼枝及分枝扁平；茎节短，长圆形或倒卵形，长 3 ～ 6 cm，宽 1.5 ～ 2.5 cm，鲜绿色，嫩时或在冬季多少带紫色，先端截形，两侧各有 2 ～ 4 个粗而多少内弯的锯齿，两面具肥厚的中肋。无叶。花生于嫩茎节的先端，玫瑰红色，两侧对称，长 6 ～ 9 cm；花萼 1 轮，基部连合成短管状，先端有齿；花瓣数层，下部长管状，愈向内管愈长，上部分离，外折或背曲；雄蕊多数，2 轮，向上弯曲；花柱长于雄蕊，深红色，柱头 6 ～ 9 裂，子房梨形或广卵圆形。浆果红色，直径约 1 cm。花期 1 ～ 3 月。

| **生境分布** | 栽培于公园。分布于湖南常德（鼎城）、益阳（桃江）、怀化（鹤城、新晃）、郴州（桂阳）、永州（冷水滩）等。 |

| **资源情况** | 栽培资源较少。药材来源于栽培。 |

| **采收加工** | 全年均可采收，洗净，鲜用。 |

| **功能主治** | 苦，寒。解毒消肿。用于疮疡肿毒，腮腺炎。 |

| **用法用量** | 外用适量，捣敷。 |

木兰科 Magnoliaceae 八角属 Illicium

短柱八角
Illicium brevistylum A. C. Smith

| 药 材 名 | 短柱八角皮（药用部位：树皮）、短柱八角根（药用部位：根）、短柱八角果（药用部位：果实）。

| 形态特征 | 灌木或乔木，高可达 15 m。顶芽卵圆形，侧芽侧扁，芽鳞厚，有细缘毛。树皮有香气。叶 3 ~ 5 簇生或互生，薄革质，狭长圆状椭圆形或倒披针形，长 5 ~ 8（~ 14）cm，先端急尖或短尾状渐尖，尖头长 5 ~ 10 mm，基部渐狭，下延成狭翅，中脉在叶上面凹陷，在叶下面凸起，侧脉不明显；叶柄长 6 ~ 20 mm。花腋生或近顶生；花梗长 8 ~ 16 mm；花被片 9 ~ 11，淡红色，外面纸质，内面肉质，最大的花被片近圆形，长、宽均为 6 ~ 11 mm；雄蕊 1 或 2 轮，14 ~ 20，长 1.9 ~ 3.4 mm，花丝长 0.9 ~ 1.9 mm，药隔截形，

药室凸起，长 0.8 ~ 1.6 mm；心皮 12 ~ 13，长 2.3 ~ 3.4 mm，子房长 1.5 ~ 2.2 mm，花柱圆锥状钻形，长 0.8 ~ 1.2 mm。蓇葖果 11 ~ 13，长 13 ~ 17（~ 29）mm，厚 3 ~ 4 mm，尖头长 1 ~ 3 mm；果柄长 16 ~ 35 mm；种子长 6 ~ 7 mm，厚 2.5 ~ 3 mm。花期 4 ~ 5 月和 10 月，果期 10 ~ 11 月和 4 ~ 5 月。

| 生境分布 | 生于海拔 700 ~ 1 200（~ 1 700）m 的森林、灌丛或岩石上。分布于湖南郴州（临武）等。

| 资源情况 | 野生资源稀少。药材来源于野生。

| 功能主治 | **短柱八角皮**：外用于风湿关节痛，跌打损伤。
短柱八角根：用于跌打损伤，内伤出血。
短柱八角果：祛风，散寒，止痛，止呕，健胃。

木兰科 Magnoliaceae 八角属 *Illicium*

地枫皮

Illicium difengpi K. I. B. et K. I. M. ex B. N. Chang

| 药 材 名 | 地枫皮（药用部位：树皮）。

| 形态特征 | 灌木，高 1 ～ 3 m，全株均具八角的芳香气味。根外皮暗红褐色，内皮红褐色。嫩枝褐色，较粗，直径 3 ～ 5 mm。树皮有纵向皱纹，质松脆易折断，折断面颗粒性，气芳香。叶常 3 ～ 5 片聚生或在枝的近先端簇生，革质或厚革质，倒披针形或长椭圆形，长（7 ～）10 ～ 14 cm，先端短尖或近圆形，基部楔形，边缘稍外卷，两面密布褐色细小油点，中脉在叶上面凹下；叶柄较粗壮，长 13 ～ 25 mm。花紫红色或红色，腋生或近顶生，单花或 2 ～ 4 花簇生；花梗长 12 ～ 25 mm；花被片（11 ～）15 ～ 17（～ 20），最大 1 花被片宽椭圆形或近圆形，肉质；雄蕊 20 ～ 23，稀 14 ～

17；心皮常为 13，长 4.5 ～ 5.5 mm，花柱长 2.5 ～ 3.5 mm，子房长 2 ～ 2.5 mm。果柄长 1 ～ 4 cm；聚合果直径 2.5 ～ 3 cm，蓇葖果 9 ～ 11，先端常有向内弯曲的尖头；种子长 6 ～ 7 mm，宽 4.5 mm。花期 4 ～ 5 月，果期 8 ～ 10 月。

| **生境分布** | 生于海拔 200 ～ 500 m 的石灰岩石山山顶、有土的石缝中或石山疏林下。分布于湖南邵阳（绥宁）等。

| **资源情况** | 野生资源稀少。药材来源于野生。

| **采收加工** | 春、秋季剥取，晒干或低温干燥。

| **药材性状** | 本品呈卷筒状或槽状，长 5 ～ 15 cm，直径 1 ～ 4 cm，厚 0.2 ～ 0.3 cm。外表面灰棕色至深棕色，有的可见灰白色地衣斑，粗皮易剥离或脱落，脱落处棕红色；内表面棕色或棕红色，具明显的细纵皱纹。质松脆，易折断，断面颗粒状。气微香，味微涩。

| **功能主治** | 微辛、涩，温；有小毒。归膀胱、肾经。祛风除湿，行气止痛。用于风湿痹痛，劳伤腰痛。

| **用法用量** | 内服煎汤，6 ～ 9 g。外用适量，研末酒调敷。

木兰科 Magnoliaceae 八角属 *Illicium*

红花八角

Illicium dunnianum Tutch

| 药 材 名 |

樟木钻（药用部位：根）。

| 形态特征 |

灌木，通常高 1 ~ 2 m，稀高达 10 m。幼枝纤细。叶密集，生于近枝顶处，3 ~ 8 叶簇生，或假轮生，薄革质，狭披针形或狭倒披针形，长 5 ~ 12 cm，宽 0.8 ~ 1.2（~ 2.7）cm，先端急尾状渐尖或渐尖，基部渐狭，下延至叶柄成明显狭翅，中脉在叶上面稍凹下，在叶下面凸起。花单生于叶腋或 2 ~ 3 花簇生于枝梢叶腋；花梗纤细，直径 0.5 ~ 1 mm，长 10 ~ 35 mm；花被片 12 ~ 20，粉红色至红色、紫红色，最大的花被片椭圆形至近圆形，长 6 ~ 11 mm，雄蕊（19 ~ ）24（~ 31），极少数为 11，长 1.7 ~ 3.3 mm；心皮 8 ~ 13，长 2.5 ~ 3.5 mm，子房长 1.2 ~ 1.5 mm，花柱长 1.4 ~ 2 mm。果柄纤细，长 20 ~ 55 mm；果实较小，直径 1.5 ~ 3 cm，蓇葖果通常为 7 ~ 8，少数为 13，长 9 ~ 15 mm，厚 2 ~ 3 mm，有明显钻形尖头，长 3 ~ 5 mm，略弯曲；种子较小，长 4 ~ 5 mm，宽 2.5 ~ 3.3 mm，厚 1.7 ~ 2.2 mm。花期 3 ~ 7 月或 10 ~ 11 月，果期 7 ~ 10 月。

| **生境分布** | 生于海拔 400 ~ 1 000 m 的河流沿岸、山谷水旁、山地林中、湿润山坡或岩石缝中。分布于湖南怀化（鹤城、中方、辰溪）、湘西州（花垣、古丈、保靖）等。 |

| **资源情况** | 野生资源一般。药材来源于野生。 |

| **采收加工** | 全年均可采挖，洗净，切片，晒干。 |

| **功能主治** | 苦、辛，温；有毒。祛风止痛，散瘀消肿。用于风湿关节痛，跌打损伤，骨折。 |

| **用法用量** | 外用适量，研末酒调敷；或浸酒搽。 |

木兰科 Magnoliaceae 八角属 Illicium

红茴香
Illicium henryi Diels

| 药 材 名 | 红茴香根（药用部位：根）。

| 形态特征 | 灌木或乔木，高 3 ~ 8 m，有时高可达 12 m。树皮灰褐色至灰白色。芽近卵形。叶互生或 2 ~ 5 叶簇生，革质，倒披针形、长披针形或倒卵状椭圆形，长 6 ~ 18 cm，宽 1.2 ~ 5（~ 6）cm，先端长渐尖，基部楔形，中脉在叶上面凹下，在下面凸起，侧脉不明显；叶柄长 7 ~ 20 mm，直径 1 ~ 2 mm，上部有不明显的狭翅。花粉红色至深红色，暗红色，腋生或近顶生，单生或 2 ~ 3 花簇生；花梗细长，长 15 ~ 50 mm；花被片 10 ~ 15，最大的花被片长圆状椭圆形或宽椭圆形，长 7 ~ 10 mm，宽 4 ~ 8.5 mm；雄蕊 11 ~ 14，长 2.2 ~ 3.5 mm，花丝长 1.2 ~ 2.3 mm，药室明显凸起；心皮通常 7 ~ 9，

有时可达 12，长 3 ~ 5 mm，花柱钻形，长 2 ~ 3.3 mm。果柄长 15 ~ 55 mm；
蓇葖果 7 ~ 9，长 12 ~ 20 mm，宽 5 ~ 8 mm，厚 3 ~ 4 mm，先端呈钻形，细
尖，尖头长 3 ~ 5 mm；种子长 6.5 ~ 7.5 mm，宽 5 ~ 5.5 mm，厚 2.5 ~ 3 mm。
花期 4 ~ 6 月，果期 8 ~ 10 月。

| **生境分布** | 生于海拔 300 ~ 2 100 m 的山地、丘陵、盆地的密林、疏林、灌丛或峡谷的悬崖峭壁上。分布于湖南常德（桃源）、张家界（武陵源、桑植）、永州（双牌）、郴州（桂东）等。

| **资源情况** | 野生资源一般。药材来源于野生。

| **采收加工** | 全年均可采挖，晒干。

| **药材性状** | 本品圆柱形，常不规则弯曲，直径 2 ~ 3 cm。表面粗糙，棕褐色，具明显的横向裂纹和因干缩所致的纵皱纹，少数栓皮剥落而露出棕色皮部。质坚硬，不易折断。断面淡棕色，外圈红棕色，木质部占根的大部分，并可见同心环（年轮）。气香，味辛、涩。

| **功能主治** | 辛，温；有大毒。活血止痛，祛风除湿。用于跌打损伤，风寒湿痹，腰腿痛。

| **用法用量** | 内服煎汤，3 ~ 6 g；或研末，0.6 ~ 0.9 g。外用适量，研末调敷。

木兰科 Magnoliaceae 八角属 Illicium

假地枫皮

Illicium jiadifengpi B. N. Chang

药材名

假地枫皮（药用部位：树皮）。

形态特征

乔木，高 8 ～ 20 m。树皮褐黑色，剥下后呈板块状。芽卵形，芽鳞卵形或披针形，有短缘毛。叶常 3 ～ 5 片聚生于小枝近先端，狭椭圆形或长椭圆形，长 7 ～ 16 cm，宽 2 ～ 4.5 cm，先端尾尖或渐尖，基部渐狭，下延至叶柄形成狭翅，边缘外卷，中脉在叶面明显凸起，侧脉 5 ～ 8，斜展，在两面平坦或稍凸起；叶柄长 1.5 ～ 3.5 cm，上面具狭沟。花白色或带浅黄色，腋生或近顶生；花梗长 20 ～ 30 mm；花被片 34 ～ 55，薄纸质或近膜质，狭舌形；雄蕊 28 ～ 32，长 2.7 ～ 3 mm，花丝长 2 mm，花药长 1 mm，药室凸起；心皮 12 ～ 14，在花期长 3.5 ～ 4 mm，子房长 1.5 ～ 2 mm，花柱长 1.5 ～ 2 mm。果柄长 15 ～ 30 mm；果实直径 3 ～ 4 cm，蓇葖果 12 ～ 14，长 15 ～ 19 mm，宽 5 ～ 8 mm，厚 2 ～ 4 mm，先端有向上弯曲的尖头，长 3 ～ 5 mm；种子长 8 mm，宽 4 ～ 5 mm，厚 2 ～ 3 mm，浅黄色。花期 3 ～ 5 月，果期 8 ～ 10 月。

| **生境分布** | 生于海拔 1 000 ～ 1 950 m 的山顶、山腰的密林、疏林中，有时成片分布。分布于湖南郴州（宜章）等。

| **资源情况** | 野生资源较少。药材来源于野生。

| **功能主治** | 外用于风湿关节痛，跌打损伤。

木兰科 Magnoliaceae 八角属 Illicium

红毒茴

Illicium lanceolatum A. C. Smith

| 药 材 名 | 莽草（药用部位：叶）、莽草根（药用部位：根或根皮）。

| 形态特征 | 灌木或小乔木，高 3 ~ 10 m。枝条纤细。树皮浅灰色至灰褐色。叶互生或稀疏地簇生于小枝近先端，或假轮生，革质，披针形、倒披针形或倒卵状椭圆形，先端尾尖或渐尖，基部窄楔形，中脉在叶上面微凹陷，在叶下面稍隆起，网脉不明显；叶柄纤细，长 7 ~ 15 mm。花腋生或近顶生，单花或 2 ~ 3 花，红色或深红色；花梗纤细，直径 0.8 ~ 2 mm；花被片 10 ~ 15，肉质，最大的花被片椭圆形或长圆状倒卵形；雄蕊 6 ~ 11，花丝长 1.5 ~ 2.5 mm，花药分离，药隔不明显截形或稍微缺，药室凸起；心皮 10 ~ 14，子房长 1.5 ~ 2 mm，花柱钻形，纤细，骤然变狭。果柄长 6 cm，稀长 8 cm，纤细；

蓇葖果（9～）10～14，轮状排列，单个蓇葖果长 14～21 mm，先端有长 3～7 mm 且向后弯曲的钩状尖头；种子长 7～8 mm。花期 4～6 月，果期 8～10 月。

| 生境分布 | 生于海拔 300～1 500 m 的混交林、疏林、灌丛中。湖南有广泛分布。

| 资源情况 | 野生资源一般。药材来源于野生。

| 采收加工 | **莽草**：春、夏季采摘，鲜用或晒干。

莽草根：全年均可采挖。根，采挖后除净杂质，切片，晒干。根皮，将根切成小段，晒至半干，用小刀割开皮部，除去本质部。

| 药材性状 | **莽草**：本品多皱缩或破碎，完整者展平后为披针形、倒披针形或椭圆形，长 6～15 cm，宽 1.5～4.5 cm，基部窄楔形，边缘微反卷，两面均为绿色，下面颜色稍淡；叶柄长 7～15 mm。气香烈，味辛。

莽草根：本品根圆柱形，常不规则弯曲，直径 2～3 cm；表面粗糙，棕褐色，具明显的横裂纹和纵皱纹，部分根因栓皮剥落而露出红棕色皮部；质坚硬，不易折断，断面淡棕色，木质部占根的大部分，具年轮；气香，味辛、涩。根皮呈不规则块片，略卷曲，厚 1～2 mm；外表面棕褐色，具纵皱纹及少数横裂纹，内表面红棕色，光滑，有纵纹理；质坚脆，断面略整齐；气香，味辛、涩。根及根皮均以干燥、无杂质者为佳。

| 功能主治 | **莽草**：辛，温；有毒。祛风止痛，消肿散结，杀虫止痒。用于头风，皮肤麻痹，痈肿，乳痈，瘰疬，喉痹，疝瘕，癣疥，白秃疮，牙痛，狐臭。

莽草根：苦、辛，温；有毒。祛风除湿，散瘀止痛。用于风湿痹痛，关节、肌肉疼痛，腰肌劳损，跌打损伤，痈疽肿毒。

| 用法用量 | **莽草**：外用适量，捣敷；或研末调敷；或煎汤熏洗、含漱。

莽草根：内服煎汤，3～6 g；或研末，0.3～0.9 g。外用适量，捣敷；或浸酒搽。

木兰科 Magnoliaceae 八角属 Illicium

大八角
Illicium majus Hook. f. et Thoms.

| 药 材 名 | 大八角（药用部位：根或根皮）。

| 形态特征 | 乔木，高达 20 m。幼枝带棕色或带紫色，后变为灰色，具皮孔。叶 3 ~ 6 排成不整齐的假轮生状，近革质，长圆状披针形或倒披针形，先端渐尖，尖头长 8 ~ 20 mm，基部楔形，中脉在叶上面轻微凹陷，在下面凸起，侧脉每边 6 ~ 9；叶柄粗壮。花近顶生或腋生，单生或 2 ~ 4 花簇生；花梗长 18 ~ 45（~ 60）mm；花被片 15 ~ 21，外层花被片常具透明腺点，内层花被片肉质，最大的花被片椭圆形或倒卵状长圆形，最内层花被片 6 ~ 10，椭圆状长圆形；雄蕊 12 ~ 21，1 ~ 2 轮，花丝舌状或近棍棒状，常呈肉质，药隔截形或稍微缺，药室凸起；心皮 11 ~ 14，极少 9，子房扁卵状，花柱

纤细，钻形。蓇葖果 10 ~ 14，果径 4 ~ 4.5 cm，突然变狭成 1 明显钻形尖头；
种子长 6 ~ 10 mm。花期 4 ~ 6 月，果期 7 ~ 10 月。

| 生境分布 | 生于海拔 300 ~ 1 400 m 的混交林、密林、灌丛或有林的石坡、溪流沿岸。分
布于湖南永州（双牌）、怀化（中方）、湘西州（古丈、吉首、永顺、凤凰、
龙山）等。

| 资源情况 | 野生资源较少。药材来源于野生。

| 功能主治 | 止呕，行气止痛，生肌接骨。用于胃寒呕吐，膀胱疝，胸前胀痛；外用于风湿
关节痛，跌打损伤。

木兰科 Magnoliaceae 八角属 Illicium

小花八角
Illicium micranthum Dunn

| 药 材 名 | 树救主（药用部位：根皮）。

| 形态特征 | 灌木或小乔木，高可达 10 m，但通常较小；芽在枝梢 3 ~ 4 并生，近圆球形。叶不整齐地互生或近对生或 3 ~ 5 叶簇生在梢上，革质或薄革质，倒卵状椭圆形、狭长圆状椭圆形或披针形，长 4 ~ 11 cm，宽 1.3 ~ 4 cm，先端常尾状渐尖或渐尖，基部楔形，放大镜下两面有微小腺点；中脉在叶上面凹陷，下延至叶柄成宽沟；叶柄纤细，长 4 ~ 12 mm。花很小，芳香，在叶腋单生或几花在近先端成假轮生，幼花带绿白色，但花被片成红色，橘红色；花梗纤细，直径 0.8 ~ 1.5 mm，长 7 ~ 28 mm；花被片 14 ~ 17（~ 21），具不明显的透明腺点，最大的花被片椭圆形，长 5 ~ 8 mm，宽 3.5 ~ 8 mm；雄蕊 10 ~ 12，稀为 8，长 2.5 ~ 3.5 mm；心皮 7 ~ 8，长 2.3 ~ 3.2 mm，

子房长 1.3 ~ 1.7 mm，花柱长 1 ~ 1.5 mm。果柄长可达 28 ~ 35 mm；蓇葖果 6 ~ 8，直径 1.7 ~ 2.1 cm，单个长 9 ~ 14 mm，宽 3 ~ 7 mm，厚 2 ~ 3.5 mm，尖头短，长 0.5 ~ 3 mm；种子长 4.5 ~ 5 mm，宽 3 ~ 3.5 mm，厚 2 mm。花期 4 ~ 6 月，果期 7 ~ 9 月。

| 生境分布 |　生于海拔 500 ~ 1 800 m 的灌丛或混交林内、山涧、山谷疏林、密林中或峡谷溪边。分布于湖南湘西州（古丈）、怀化（芷江、洪江）、邵阳（洞口、城步、绥宁、新宁）、永州（道县）、衡阳（南岳）等。

| 资源情况 |　野生资源稀少。药材来源于野生。

| 功能主治 |　有毒。行气止痛，散瘀消肿。外用于风湿骨痛，跌打损伤。

木兰科 Magnoliaceae 八角属 Illicium

短梗八角
Illicium pachyphyllum A. C. Smith

| 药 材 名 | 短梗八角（药用部位：根、树皮。别名：毒八毒）。

| 形态特征 | 灌木，高 2 ~ 3 m。叶 4 ~ 7 假轮生或簇生，成革质，有香气，呈椭圆形或狭椭圆形，长 6 ~ 9 cm，宽 1.5 ~ 3.3 cm，先端渐尖或短尾状，基部渐窄，中脉在叶上面凹下，在下面凸起；叶柄长 3 ~ 12 mm。花芳香，腋生或近顶生，单生或 2 ~ 3 集生；花梗极短，长 3 ~ 5 mm；花被片 9 ~ 12，粉红色、紫红色或白色，最大的花被片倒卵形或长圆形，长 6 ~ 8.5 mm，宽 5 ~ 7 mm；雄蕊 13 ~ 17，长 2.2 ~ 2.6 mm，花丝肉质长 1.5 ~ 1.7 mm，药隔截形，药室长 0.8 ~ 0.9 mm；心皮 8 ~ 10，长 4 ~ 4.3 mm，花柱长 2.5 ~ 2.7 mm，子房长 1.5 ~ 1.7 mm。果柄长可达 9 mm；蓇葖果长 11 ~ 13 mm，宽 6 ~ 7 mm，厚 4 ~ 5 mm，先端具向内弯曲的尖头。

花期 12 月至翌年 3 月，果期翌年 9 ~ 10 月。

| **生境分布** | 生于山谷水旁或山地林下阴处。分布于湖南怀化（洪江、通道）、邵阳（武冈、
城步、绥宁）等。

| **资源情况** | 野生资源稀少。药材来源于野生。

| **功能主治** | 有毒。消肿止痛。用于风湿骨痛，跌打损伤。

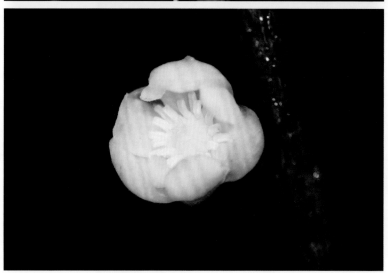

木兰科 Magnoliaceae 八角属 Illicium

八角
Illicium verum Hook. f.

| 药 材 名 |

八角茴香（药用部位：果实）。

| 形态特征 |

乔木，高 10 ~ 15 m。树冠塔形、椭圆形或圆锥形。叶革质，倒卵状椭圆形、倒披针形或椭圆形，长 5 ~ 15 cm，宽 2 ~ 5 cm，先端骤尖或短渐尖，基部渐狭或楔形，在阳光下可见密集的透明油点；叶柄长 8 ~ 20 mm。花粉红色至深红色；花梗长 15 ~ 40 mm；花被片 7 ~ 12，具不明显的半透明腺点；雄蕊 11 ~ 20，长 1.8 ~ 3.5 mm，花丝长 0.5 ~ 1.6 mm，药隔截形，药室稍凸起，长 1 ~ 1.5 mm；心皮通常 8，有时 7 或 9，花柱钻形。果柄长 20 ~ 56 mm；聚合果直径 3.5 ~ 4 cm，蓇葖果多为 8，呈八角形，长 14 ~ 20 mm，宽 7 ~ 12 mm，厚 3 ~ 6 mm，先端钝或钝尖；种子长 7 ~ 10 mm，宽 4 ~ 6 mm，厚 2.5 ~ 3 mm。正糙果 3 ~ 5 月开花，9 ~ 10 月果实成熟，春糙果 8 ~ 10 月开花，翌年 3 ~ 4 月果实成熟。

| 生境分布 |

栽培于村寨附近、路边。分布于湖南株洲（茶陵）、岳阳（华容）、永州（江永、江华）、衡阳（常宁）、怀化（靖州、通道）、张家界（慈利）等。

| 资源情况 | 栽培资源较少。药材来源于栽培。

| 采收加工 | 秋、冬季果实由绿变黄时采摘，置沸水中略烫后干燥或直接干燥。

| 药材性状 | 本品为聚合果，多由 8 蓇葖果组成，蓇葖果放射状排列于中轴上。蓇葖果外表面红棕色，有不规则皱纹，先端呈鸟喙状，上端多开裂，内表面淡棕色，平滑，有光泽；质硬而脆。果柄长 3 ~ 4 cm，连于果实基部中央，弯曲，常脱落。每蓇葖果含种子 1。种子扁卵圆形，长约 6 mm，红棕色或黄棕色，光亮，尖端有种脐；胚乳白色，富油性。气芳香，味辛、甜。

| 功能主治 | 辛，温。归肝、肾、脾、胃经。温阳散寒，理气止痛。用于寒疝腹痛，肾虚腰痛，胃寒呕吐，脘腹冷痛。

| 用法用量 | 内服煎汤，3 ~ 6 g；或入丸、散剂。外用适量，研末调敷。

黑老虎
Kadsura coccinea (Lem.) A. C. Smith

| 药 材 名 | 黑老虎（药用部位：根或藤茎。别名：钻骨风、红外消）。

| 形态特征 | 藤本，全株无毛。叶革质，长圆形至卵状披针形，长 7 ~ 18 cm，先端钝或短渐尖，基部宽楔形或近圆形，全缘，侧脉每边 6 ~ 7，网脉不明显；叶柄长 1 ~ 2.5 cm。花单生于叶腋，稀成对，雌雄异株；雄花花被片 10 ~ 16，红色，中轮最大 1 花被片椭圆形，长 2 ~ 2.5 cm，最内轮 3 花被片明显增厚，肉质，花托长圆锥形，长 7 ~ 10 mm，先端具分枝的钻状附属体 1 ~ 20，雄蕊群椭圆形或近球形，直径 6 ~ 7 mm，具雄蕊 14 ~ 48，花丝先端被 2 药室包围，花梗长 1 ~ 4 cm；雌花花被片与雄花相似，花柱短，钻状，先端无盾状柱头冠，心皮 50 ~ 80，长圆形，花梗长 5 ~ 10 mm。聚合果

近球形，红色或暗紫色，直径 6 ~ 10 cm 或更大；小浆果倒卵形，长达 4 cm，外果皮革质，不显露出种子；种子心形或卵状心形，长 1 ~ 1.5 cm。花期 4 ~ 7 月，果期 7 ~ 11 月。

| **生境分布** | 生于海拔 400 ~ 1 000 m 的山地疏林中，常缠绕于大树上。栽培于屋旁、田地，喜阳光充足、土壤肥沃的环境。湖南有广泛分布。

| **资源情况** | 野生资源丰富。栽培资源一般。药材来源于野生和栽培。

| **采收加工** | 全年均可采收，根洗净，切成小段，藤茎刮去栓皮，切段，晒干。

| **药材性状** | 本品根圆柱形，略扭曲，直径 1 ~ 4 cm。表面深棕色至灰黑色，有多数纵皱纹及横裂纹，弯曲处裂成横沟。质坚韧，不易折断，断面粗纤维性。栓皮深棕黑色，皮部宽厚，棕色，易剥离，嚼之有生番石榴味，渣滓很少。木质部浅棕色，质硬，密布导管小孔。气微香，味先微甘，后微辛。

| **功能主治** | 辛、微苦，温。行气止痛，散瘀通络。用于复合性胃和十二指肠溃疡，慢性胃炎，急性胃肠炎，风湿痹痛，跌打损伤，骨折，痛经，产后瘀血腹痛，疝气疼痛。

| **用法用量** | 内服煎汤，9 ~ 15 g；或研末，0.9 ~ 1.5 g；或浸酒。外用适量，研末撒；或捣敷；或煎汤洗。

木兰科 Magnoliaceae 南五味子属 *Kadsura*

异形南五味子 *Kadsura heteroclita* (Roxb.) Craib

| 药 材 名 | 地血香（药用部位：根、藤茎。别名：南蛇风）、地血香果（药用部位：果实）。

| 形态特征 | 常绿木质大藤本，无毛，有明显纵条纹，具点状椭圆形皮孔。叶卵状椭圆形至阔椭圆形，先端渐尖或急尖，基部阔楔形或近圆钝，全缘或上半部边缘有疏离的小锯齿，侧脉每边 7 ~ 11，网脉明显；叶柄长 0.6 ~ 2.5 cm。花单生于叶腋，雌雄异株；花被片 11 ~ 15，外轮和内轮花被片较小，椭圆形至倒卵形；雄花花托椭圆形，先端伸长，圆柱状，圆锥状凸出于雄蕊群外，雄蕊群椭圆形，花丝与药隔连成近宽扁四方形，药隔先端横长圆形，药室约与雄蕊等长，花丝极短，花梗具数枚小苞片；雌花雌蕊群近球形，子房长圆状倒卵圆

形，花柱先端具盾状柱头冠，花梗长 3 ～ 30 mm。聚合果近球形；成熟心皮倒卵圆形，干时呈革质而不显露出种子；种子通常 2 ～ 3，少有 4 ～ 5 者，长圆状肾形。花期 5 ～ 8 月，果期 8 ～ 12 月。

| 生境分布 | 生于海拔 400 ～ 900 m 的山谷、溪边、密林中。分布于湖南永州（双牌）、怀化（麻阳）、湘西州（永顺）、张家界（桑植）、益阳（安化）等。

| 资源情况 | 野生资源一般。药材来源于野生。

| 采收加工 | **地血香：**全年均可采收，切片，晒干。
地血香果：夏、秋季采收，除去果柄，晒干。

| 药材性状 | **地血香：**本品根呈圆柱形，分枝多且多弯曲，长短不一；表面深棕色或棕黑色，具多数直皱纹和稀疏的横向裂纹；质坚韧，不易折断，断面栓皮灰白色，间有脱离，皮部较薄，棕红色，粉性小，嚼之有轻微樟香气及黏腻感，渣多，皮部与木质部不易剥落，剥离后常有纤维粘于木质部，木质部灰棕色，针孔状导管粗；气微香，微苦。藤茎呈圆柱形，稍弯曲，直径 1.5 ～ 5 cm，老藤栓皮黄白色，柔软而富弹性，厚达 7 mm，其纵向陷沟和横裂隙将栓皮分割成条块，常附有苔衣和地衣，栓皮易块状剥落，剥落处呈暗红紫色；质坚硬，不易折断，横切面皮部窄，红褐色，纤维性强；木部宽，浅棕色，导

管孔洞状，排列成轮状，髓部小，黑褐色，呈空洞状；具特异香气，味淡而微涩。

| 功能主治 | **地血香：** 辛、苦，温。归脾、胃、肝经。祛风除湿，行气止痛，舒筋活络。用于风湿痹痛，胃痛，腹痛，痛经，产后腹痛，跌打损伤，慢性腰腿痛。

地血香果： 辛，微温。益肾宁心，祛痰止咳。用于肾虚腰痛，神经衰弱，支气管炎。

| 用法用量 | **地血香：** 内服煎汤，9 ~ 15 g；或研末，1.5 ~ 3 g；或浸酒。外用适量，研末调敷。

地血香果： 内服煎汤，6 ~ 9 g。

木兰科 Magnoliaceae 南五味子属 Kadsura

南五味子
Kadsura longipedunculata Finet et Gagnep.

| 药 材 名 | 红木香（药用部位：根或根皮）。

| 形态特征 | 藤本，各部无毛。叶长圆状披针形、倒卵状披针形或卵状长圆形，先端渐尖或尖，基部狭楔形或宽楔形，边有疏齿，侧脉每边 5 ~ 7，叶上具淡褐色透明腺点；叶柄长 0.6 ~ 2.5 cm。花单生于叶腋，雌雄异株；雄花花被片 8 ~ 17，椭圆形，花托椭圆形，先端伸长，圆柱状，不凸出雄蕊群外，雄蕊群球形，具雄蕊 30 ~ 70，药隔与花丝连成扁四方形，药隔先端横长圆形，药室几与雄蕊等长，花丝极短，花梗长 0.7 ~ 4.5 cm；雌花花被片与雄花相似，雌蕊群椭圆形或球形，具雌蕊 40 ~ 60，子房宽卵圆形，花柱具盾状心形柱头冠，胚珠 3 ~ 5 叠生于腹缝线上，花梗长 3 ~ 13 cm。聚合果球形；小

浆果倒卵圆形，外果皮薄革质，干时显露出种子；种子通常 2 ~ 3，稀 4 ~ 5，肾形或肾状椭圆形。花期 6 ~ 9 月，果期 9 ~ 12 月。

| **生境分布** | 生于海拔 1 000 m 以下的山坡、林中。栽培于土壤肥沃、土层深厚、排水良好的林缘地或熟荒地，以腐殖质土和砂壤土为好。湖南各地均有分布。

| **资源情况** | 野生资源丰富。栽培资源稀少。药材来源于野生和栽培。

| **采收加工** | 立冬前后采挖，去净残茎、细根及泥土，晒干，或剥取根皮，晒干。

| **药材性状** | 本品根圆柱形，常不规则弯曲，长 10 ~ 50 cm 或更长，直径 1 ~ 2.5 cm；表面灰棕色至棕紫色，略粗糙，有细纵皱纹及横裂沟，并有残断支根和支根痕；质坚硬，不易折断，断面粗纤维性，皮部与木部易分离，皮部宽厚，棕色，木部浅棕色，密布导管小孔；气微香而特异，味苦、辛。根皮为卷筒状或不规则的块片，厚 1 ~ 4 mm；外表面栓皮大都脱落而露出紫色内皮，内表面暗棕色至灰棕色；质坚而脆。

| **功能主治** | 辛、苦，温。归脾、胃、肝经。理气止痛，祛风通络，活血消肿。用于胃痛，腹痛，风湿痹痛，痛经，月经不调，产后腹痛，咽喉肿痛，痔疮，无名肿毒，跌打损伤。

| **用法用量** | 内服煎汤，9 ~ 15 g；或研末，1 ~ 1.5 g。外用适量，煎汤洗；或研末调敷。

木兰科 Magnoliaceae 鹅掌楸属 Liriodendron

鹅掌楸 *Liriodendron chinense* (Hemsl.) Sarg.

| 药 材 名 |

凹朴皮（药用部位：树皮）、鹅掌楸根（药用部位：根）。

| 形态特征 |

乔木，高达 40 m，胸径 1 m 以上。小枝灰色或灰褐色。叶马褂状，长 4 ~ 12（~ 18）cm，近基部每边具 1 侧裂片，先端具 2 浅裂，下面苍白色；叶柄长 4 ~ 8（~ 16）cm。花杯状；花被片 9，外轮 3，绿色；花萼片状，向外弯垂，内 2 轮花被片 6，直立，花瓣状倒卵形，长 3 ~ 4 cm，绿色，具黄色纵条纹；花药长 10 ~ 16 mm，花丝长 5 ~ 6 mm；花期雌蕊群超出花被之上，心皮黄绿色。聚合果长 7 ~ 9 cm，具翅的小坚果长约 6 mm，先端钝或钝尖，具种子 1 ~ 2。花期 5 月，果期 9 ~ 10 月。

| 生境分布 |

生于海拔 900 ~ 1 000 m 的山地林中。湖南各地均有分布。

| 资源情况 |

野生资源丰富。药材来源于野生。

| **采收加工** | **凹朴皮**：夏、秋季采收，晒干。
| | **鹅掌楸根**：秋季采挖，除净泥土，鲜用或晒干。

| **功能主治** | **凹朴皮**：辛，温。祛风除湿，散寒止咳。用于风湿痹痛，风寒咳嗽。
| | **鹅掌楸根**：辛，温。祛风湿，强筋骨。用于风湿关节痛，肌肉痿软。

| **用法用量** | **凹朴皮**：内服煎汤，9 ~ 15 g。
| | **鹅掌楸根**：内服煎汤，15 ~ 30 g；或浸酒。

木兰科 Magnoliaceae 木兰属 *Magnolia*

望春玉兰 *Magnolia biondii* Pamp.

| 药 材 名 |

辛夷（药用部位：花蕾）。

| 形态特征 |

落叶乔木，高可达 12 m。小枝灰绿色，无毛；顶芽密被淡黄色长柔毛。叶椭圆状或卵状披针形、狭倒卵形或卵形，长 10 ~ 18 cm，宽 3.5 ~ 6.5 cm，先端急尖或短渐尖，基部阔楔形或圆钝，初被平伏绵毛，后无毛，侧脉每边 10 ~ 15；叶柄长 1 ~ 2 cm，有托叶痕。花直径 6 ~ 8 cm，芳香；花梗先端膨大，具苞片脱落痕；花被片 9，外轮 3 花被片紫红色，近狭倒卵状条形，内 2 轮花被片近匙形，白色，外面基部常呈紫红色，内轮花被片较狭小；雄蕊长 8 ~ 10 mm，紫色；雌蕊群长 1.5 ~ 2 cm。聚合果圆柱形，长 8 ~ 14 cm，常因部分不育而扭曲；果柄长约 1 cm，残留长绢毛；蓇葖果浅褐色，近圆形，侧扁，具凸起瘤点；种子心形，外种皮鲜红色，内种皮深黑色，先端凹陷，具 "V" 形槽，中部凸起，腹部具深沟，末端短尖不明显。花期 3 月，果熟期 9 月。

| 生境分布 |

生于海拔 300 ~ 1 000 m 的林中。湖南各地均有分布。

| **资源情况** | 野生资源丰富。药材来源于野生。

| **采收加工** | 冬末春初花未开放时采收，除去枝梗，阴干。

| **药材性状** | 本品呈长卵形，似毛笔头，长 1.2 ~ 2.5 cm，直径 0.8 ~ 1.5 cm。基部常具短梗，长约 5 mm，梗上有类白色点状皮孔。苞片 2 ~ 3 层，每层 2 苞片，2 层苞片间有小鳞芽，苞片外表面密被灰白色或灰绿色茸毛，内表面类棕色，无毛。花被片 9，棕色，外轮花被片 3，条形，约为内 2 轮花被片长的 1/4，呈萼片状，内 2 轮花被片 6，每轮 3，轮状排列。雄蕊和雌蕊多数，螺旋状排列。体轻，质脆。气芳香，味辛而稍苦。

| **功能主治** | 辛，温。归肺、胃经。散风寒，通鼻窍。用于风寒头痛，鼻塞流涕，鼻鼽，鼻渊。

| **用法用量** | 内服煎汤，3 ~ 10 g。外用适量，研末搐鼻；或以其蒸馏水滴鼻。

| **附　　注** | 本种的拉丁学名在 FOC 中被修订为 *Yulania biondii* (Pamp.) D. L. Fu。

黄山玉兰
Yulania cylindrica (E. H. Wilson) D. L. Fu

| 药 材 名 | 木兰花（药用部位：花蕾）。

| 形态特征 | 落叶乔木，高达 10 m。树皮灰白色，平滑。嫩枝、叶柄、叶背被淡黄色平伏毛。老枝紫褐色，皮揉碎有辛辣香气。叶膜质，倒卵形、狭倒卵形或倒卵状长圆形，长 6 ~ 14 cm，宽 2 ~ 5（~ 6.5）cm，先端尖或圆形，很少短尾状钝尖，叶面绿色，无毛，下面灰绿色；叶柄长 0.5 ~ 2 cm，有狭沟；托叶痕长为叶柄长的 1/6 ~ 1/3。花先叶开放，直立；花蕾卵圆形，被淡灰黄色或银灰色长毛；花梗粗壮，长 1 ~ 1.5 cm，密被淡黄色长绢毛，花被片 9，外轮 3 膜质，萼片状，长 12 ~ 20 mm，宽约 4 mm，中内 2 轮花瓣状，白色，基部常红色，倒卵形，长 6.5 ~ 10 cm，宽 2.5 ~ 4.5 cm，基部具爪，内轮 3 直立；雄蕊长约 10 mm，药隔伸出花药成尖或钝尖头，花丝淡红

色；雌蕊群绿色，圆柱状卵圆形，长约 1.2 cm。聚合果圆柱形，长 5 ~ 7.5 cm，直径 1.8 ~ 2.5 cm，下垂，初绿色带紫红色，后变暗紫黑色，成熟蓇葖果排列紧贴，互相结合，不弯曲；去种皮的种子褐色，心形，高 7 ~ 10 mm，宽 9 ~ 11 mm，侧扁，先端具 "V" 形口，基部突尖，腹部具宽的凹沟。花期 5 ~ 6 月，果期 8 ~ 9 月。

| **生境分布** | 生于海拔 700 ~ 1 600 m 的山地林间。分布于湖南邵阳（新宁）等。

| **资源情况** | 野生资源稀少。药材来源于野生。

| **采收加工** | 春季未开放时采摘，晒干。

| **药材性状** | 本品花被片 9，外轮 3 较小，卵状披针形或三角形，长约为内轮的 1/4，内 2 轮卵形。雄蕊多数，黄白色，细长条状；雌蕊多数，分离。气清香，味辛、微辣。

| **功能主治** | 苦，寒。利尿消肿，润肺止咳。用于肺虚咳嗽，痰中带血，酒疸，重舌，痈肿。

玉兰

Magnolia denudata Desr.

| 药 材 名 |

辛夷（药用部位：花蕾）。

| 形态特征 |

落叶乔木，高达 25 m。枝广展而形成宽阔的树冠。叶纸质，倒卵形、宽倒卵形或倒卵状椭圆形，基部徒长枝叶椭圆形，先端宽圆、平截或稍凹，具短突尖，中部以下渐狭成楔形，叶上面深绿色，嫩时被柔毛，后仅中脉及侧脉留有柔毛，沿脉上被柔毛，侧脉每边 8 ~ 10，网脉明显；叶柄长 1 ~ 2.5 cm，上面具狭纵沟，托叶痕为叶柄长的 1/4 ~ 1/3。花蕾卵圆形，花先于叶开放，直立；花梗显著膨大，密被淡黄色长绢毛；花被片 9，白色，基部常带粉红色；花药侧向开裂；雌蕊群淡绿色，无毛，圆柱形；雌蕊狭卵形，具长 4 mm 的锥尖花柱。聚合果圆柱形；蓇葖果厚木质，具白色皮孔；种子心形，侧扁。花期 2 ~ 3 月，果期 8 ~ 9 月。

| 生境分布 |

生于海拔 1 000 m 以下的常绿阔叶树和落叶阔叶树混交林中。栽培于庭院、公园、路边。湖南各地均有分布。

| 资源情况 | 野生资源一般。栽培资源丰富。药材来源于栽培。

| 采收加工 | 冬末春初花未开放时采摘，阴干。

| 药材性状 | 本品长 1.5 ~ 3 cm，直径 1 ~ 1.5 cm。苞片外表面密被灰白色或灰绿色茸毛。花被片 9，内、外轮花被片同型。

| 功能主治 | 辛，温。归肺、胃经。散风寒，通鼻窍。用于风寒头痛，鼻塞流涕，鼻鼽，鼻渊。

| 用法用量 | 内服煎汤，3 ~ 10 g。外用适量，研末搐鼻；或以其蒸馏水滴鼻。

| 附　　注 | 本种的拉丁学名在 FOC 中被修订为 *Yulania denudata* (Desr.) D. L. Fu。

木兰科 Magnoliaceae 木兰属 *Magnolia*

荷花玉兰
Magnolia grandiflora L.

| 药 材 名 |

广玉兰（药用部位：花蕾、树皮。别名：洋玉兰、百花果）。

| 形态特征 |

常绿乔木，高可达 30 m。树皮淡褐色或灰色，薄鳞片状开裂。小枝粗壮，具横隔的髓心。叶厚革质，椭圆形、长圆状椭圆形或倒卵状椭圆形，长 10 ~ 20 cm，宽 4 ~ 7（~ 10）cm，先端钝或短钝尖，基部楔形，叶面深绿色，有光泽，侧脉每边 8 ~ 10；叶柄长 1.5 ~ 4 cm，无托叶痕，具深沟。花白色，芳香，直径 15 ~ 20 cm；花被片 9 ~ 12，厚肉质，倒卵形，长 6 ~ 10 cm，宽 5 ~ 7 cm；雄蕊长约 2 cm，花丝扁平，紫色，花药内向，药隔伸出而成短尖；雌蕊群椭圆形，密被长绒毛，心皮卵形，长 1 ~ 1.5 cm，花柱呈卷曲状。聚合果圆柱状长圆形或卵圆形，长 7 ~ 10 cm，直径 4 ~ 5 cm，密被褐色或淡灰黄色绒毛；蓇葖果背裂，背面圆，先端外侧具长喙；种子近卵圆形或卵形，长约 14 mm，直径约 6 mm，外种皮红色。花期 5 ~ 6 月，果期 9 ~ 10 月。

| 生境分布 | 栽培于低海拔的路边、公园、庭院，喜温暖、湿润的环境。湖南各地广泛栽培。

| 资源情况 | 栽培资源丰富。药材来源于栽培。

| 采收加工 | 花蕾，春季采收，白天暴晒，晚上"发汗"，至五成干时，堆放 1 ~ 2 天，再晒至全干。树皮，全年均可采收。

| 药材性状 | 本品花蕾圆锥形，长 3.5 ~ 7 cm，基部直径 1.5 ~ 3 cm，淡紫色或紫褐色。花被片 9 ~ 12，宽倒卵形，肉质较厚，内层呈荷瓣状。雄蕊多数，花丝宽，较长，花药黄棕色，条形；心皮多数，密生长绒毛。花梗长 0.5 ~ 2 cm，节明显。质硬，易折断。气香，味淡。

| 功能主治 | 辛，温。归肺、胃、肝经。祛风散寒，行气止痛。用于外感风寒，头痛鼻塞，脘腹胀痛，呕吐腹泻，高血压，偏头痛。

| 用法用量 | 内服煎汤，花蕾 3 ~ 10 g，树皮 6 ~ 12 g。外用适量，捣敷。

| 附 注 | 本种的中文名在 FOC 中被修订为荷花木兰。

木兰科 Magnoliaceae 木兰属 Magnolia

紫玉兰 *Magnolia liliflora* Desr.

|药材名|

辛夷（药用部位：花蕾）。

|形态特征|

落叶灌木，高达 3 m，常丛生。树皮灰褐色。小枝绿紫色或淡褐紫色。叶椭圆状倒卵形或倒卵形，长 8 ~ 18 cm，先端急尖或渐尖，基部渐狭，沿叶柄下延至托叶痕，上面深绿色，幼嫩时疏生短柔毛，下面灰绿色，沿脉有短柔毛，侧脉每边 8 ~ 10；叶柄长 8 ~ 20 mm，托叶痕约为叶柄长之半。花蕾卵圆形，被淡黄色绢毛；花与叶同时开放，花瓶形，直立于粗壮、被毛的花梗上，稍有香气；花被片 9 ~ 12，外轮 3 花被片萼片状，紫绿色，披针形，长 2 ~ 3.5 cm，常早落，内 2 轮花被片肉质，外面紫色或紫红色，内面带白色，花瓣状，椭圆状倒卵形；雄蕊紫红色，花药长约 7 mm，侧向开裂，药隔伸出而成短尖头；雌蕊群长约 1.5 cm，无毛。聚合果先为深紫褐色，后变为褐色；成熟蓇葖果近圆球形，先端具短喙。花期 3 ~ 4 月，果期 8 ~ 9 月。

|生境分布|

生于海拔 300 ~ 1 600 m 的山坡、林缘。栽培于庭院、公园。湖南各地均有分布。

| 资源情况 | 野生资源较少。栽培资源丰富。药材来源于栽培。

| 采收加工 | 冬末春初花未开放时采收，阴干。

| 功能主治 | 辛，温。归肺、胃经。散风寒，通鼻窍。用于风寒头痛，鼻塞流涕，鼻衄，鼻渊。

| 用法用量 | 内服煎汤，3～10 g。外用适量，研末搐鼻；或以其蒸馏水滴鼻。

| 附　注 | 本种的拉丁学名在 FOC 中被修订为 *Yulania liliiflora* (Desr.) D. L. Fu。

木兰科 Magnoliaceae 木兰属 Magnolia

厚朴
Magnolia officinalis Rehd. et wils.

| 药 材 名 | 厚朴（药用部位：干皮、根皮、枝皮）、厚朴花（药用部位：花蕾）、厚朴果（药用部位：果实）。

| 形态特征 | 落叶乔木，高达 20 m。树皮厚，褐色，不开裂。小枝粗壮，幼时有绢毛；顶芽大，狭卵状圆锥形，无毛。叶大，近革质，7 ~ 9 叶聚生于枝端；叶片长圆状倒卵形，长 22 ~ 45 cm，宽 10 ~ 24 cm，先端具短急尖或圆钝，基部楔形，全缘而微波状，上面绿色，无毛，下面灰绿色，被灰色柔毛，有白粉；叶柄粗壮，长 2.5 ~ 4 cm，托叶痕长为叶柄的 2/3。花白色；花梗短粗，被长柔毛，花被片下 1 cm 处具苞片脱落痕；花被片 9 ~ 12（~ 17），厚肉质，外轮 3 花被片淡绿色，长圆状倒卵形，盛开时常向外反卷，倒卵状匙形，

长 8 ~ 8.5 cm，基部具爪，花盛开时中、内轮花被片直立；雄蕊约 72，花药长 1.2 ~ 1.5 cm，内向开裂，花丝红色；雌蕊群椭圆状卵圆形。聚合果长圆状卵圆形；蓇葖果具长 3 ~ 4 mm 的喙；种子三角状倒卵形。花期 5 ~ 6 月，果期 8 ~ 10 月。

| **生境分布** | 生于海拔 500 ~ 1 500 m 的山地林间。栽培于山顶，喜光照充足、土壤肥沃的环境。湖南各地均有分布。

| **资源情况** | 野生资源较少。栽培资源丰富。药材来源于栽培。

| **采收加工** | **厚朴：**4 ~ 6 月剥取，根皮和枝皮直接阴干，干皮置沸水中微煮后，堆置阴湿处，"发汗"至内表面变紫褐色或棕褐色时，蒸软，取出，卷成筒状，干燥。

厚朴花：春季花未开放时采摘，稍蒸后，晒干或低温干燥。

厚朴果：9 ～ 10 月采摘，除去果柄，晒干。

| 药材性状 | **厚朴**：本品干皮呈卷筒状或双卷筒状，长 30 ～ 35 cm，厚 0.2 ～ 0.7 cm，习称"筒朴"，近根部的干皮一端展开如喇叭口，长 13 ～ 25 cm，厚 0.3 ～ 0.8 cm，习称"靴筒朴"；外表面灰棕色或灰褐色，粗糙，有时呈鳞片状，较易剥落，有明显椭圆形皮孔和纵皱纹，刮去粗皮者呈黄棕色，内表面紫棕色或深紫褐色，较平滑，具细密纵纹，划之显油痕；质坚硬，不易折断，断面颗粒性，外层灰棕色，内层紫褐色或棕色，有油性，有的可见多数小亮星；气香，味辛辣、微苦。根皮呈单筒状或不规则块片，有的弯曲似鸡肠，习称"鸡肠朴"；质硬，较易折断，断面纤维性。枝皮呈单筒状，长 10 ～ 20 cm，厚 0.1 ～ 0.2 cm；质脆，易折断，断面纤维性。

厚朴花：本品呈长圆锥形，长 4 ～ 7 cm，基部直径 1.5 ～ 2.5 cm，红棕色至棕褐色。花被片多为 12，肉质，外层花被片呈长方状倒卵形，内层花被片呈匙形。雄蕊多数，花药条形，淡黄棕色，花丝宽而短；心皮多数，分离，螺旋状排列于圆锥状的花托上。花梗长 0.5 ～ 2 cm，密被灰黄色绒毛，偶无毛。质脆，易破碎。气香，味淡。

厚朴果：聚合果长椭圆形，长 9 ～ 12 cm，直径 4.5 ～ 6 cm，先端钝圆，基部近圆形，棕色至棕褐色；蓇葖果多数，纵向、紧密排列，木质，先端有外弯尖头，内含种子 1 ～ 2；种子扁卵形或三角状倒卵形，长 9 ～ 11 mm，直径 6 ～ 9 mm，腹部具沟槽，外皮棕红色，内皮棕褐色，背部具纵皱纹。气弱，味微涩。

| 功能主治 | **厚朴**：苦、辛，温。归脾、胃、肺、大肠经。燥湿消痰，下气除满。用于湿滞伤中，脘痞吐泻，食积气滞，腹胀便秘，痰饮喘咳。

厚朴花：苦，微温。归脾、胃经。芳香化湿，理气宽中。用于脾胃湿阻气滞，胸脘痞闷胀满，纳谷不香。

厚朴果：甘，温。消食，理气，散结。用于消化不良，胸脘胀闷，鼠瘘。

| 用法用量 | **厚朴**：内服煎汤，3 ～ 10 g。

厚朴花：内服煎汤，3 ～ 9 g。

厚朴果：内服煎汤，2 ～ 5 g。

| 附　注 | 本种的拉丁学名在 FOC 中被修订为 *Houpoea officinalis* (Rehder et E. H. Wilson) N. H. Xia et C. Y. Wu。

木兰科 Magnoliaceae 木兰属 Magnolia

凹叶厚朴

Magnolia officinalis Rehd. et Wils. var. *biloba* Rehd. et Wils.

| 药 材 名 |

同厚朴。

| 形态特征 |

落叶乔木，高达 20 m。小枝粗壮，幼时有绢毛；顶芽大，狭卵状圆锥形，无毛。叶大，近革质，7 ~ 9 叶聚生于枝端；叶片长圆状倒卵形，长 22 ~ 45 cm，宽 10 ~ 24 cm，叶先端凹缺，成钝圆的 2 浅裂片，但幼苗之叶先端钝圆，并不凹缺；叶柄粗壮，长 2.5 ~ 4 cm，托叶痕长为叶柄的 2/3。花白色；花梗短粗，被长柔毛，花被片下 1 cm 处具苞片脱落痕，花被片 9 ~ 12 （ ~ 17），厚肉质，外轮 3 花被片淡绿色，长圆状倒卵形，长 8 ~ 10 cm，宽 4 ~ 5 cm，盛开时常向外反卷，内 2 轮花被片白色，倒卵状匙形，长 8 ~ 8.5 cm，宽 3 ~ 4.5 cm，基部具爪，最内轮花被片长 7 ~ 8.5 cm，花盛开时中、内轮花被片直立；雄蕊约 72，长 2 ~ 3 cm，花药长 1.2 ~ 1.5 cm，内向开裂，花丝长 4 ~ 12 mm；雌蕊群椭圆状卵圆形，长 2.5 ~ 3 cm。聚合果基部较窄；种子三角状倒卵形，长约 1 cm。花期 4 ~ 5 月，果期 10 月。

| **生境分布** | 生于海拔 500 ～ 1 600 m 的林中。栽培于山麓、村舍附近。湖南各地均有分布。

| **资源情况** | 野生资源稀少。栽培资源丰富。药材来源于栽培。

| **采收加工** | 同厚朴。

| **药材性状** | 同厚朴。

| **功能主治** | 同厚朴。

| **用法用量** | 同厚朴。

| **附　　注** | FOC 将本种合并到厚朴 *Houpoea officinalis* (Rehder et E. H. Wilson) N. H. Xia et C. Y. Wu 中。

| 木兰科 | Magnoliaceae | 木兰属 | *Magnolia*

天女木兰
Magnolia sieboldii K. Koch

| 药 材 名 |

木兰花（药用部位：花蕾。别名：天女木兰）。

| 形态特征 |

落叶小乔木，高可达 10 m，当年生小枝细长，直径约 3 mm，淡灰褐色，初被银灰色平伏长柔毛。叶膜质，倒卵形或宽倒卵形，长（6 ~ ）9 ~ 15（ ~ 25）cm，宽 4 ~ 9（ ~ 12）cm，先端骤狭急尖或短渐尖，基部阔楔形、钝圆、平截或近心形，上面中脉及侧脉被弯曲柔毛，下面苍白色，通常被褐色及白色多细胞毛，有散生金黄色小点，中脉及侧脉被白色长绢毛，侧脉每边 6 ~ 8，叶柄长 1 ~ 4（ ~ 6.5）cm，被褐色及白色平伏长毛，托叶痕长约为叶柄长的 1/2。花与叶同时开放，白色、芳香、杯状，盛开时碟状，直径 7 ~ 10 cm；花梗长 3 ~ 7 cm，密被褐色及灰白色平伏长柔毛，着生平展或稍垂的花朵；花被片 9，近等大，外轮 3 长圆状倒卵形或倒卵形，长 4 ~ 6 cm，宽 2.5 ~ 3.5 cm，基部被白色毛，先端宽圆或圆形，内两轮 6，较狭小，基部渐狭成短爪；雄蕊紫红色，长 9 ~ 11 mm，花药长约 6 mm，两药室邻接，内向纵裂，先端微凹或药隔平，不伸出，花丝长 3 ~ 4 mm；雌蕊群椭圆形，绿色，长约 1.5 cm。聚合果实成熟时红色，倒卵圆形或长圆形，长 2 ～ 7 cm；蓇葖果狭椭圆形，长约 1 cm，沿背缝线 2 瓣全裂。先端具长约 2 mm 的喙；种子心形，外种皮红色，内种皮褐色，长与宽均 6 ～ 7 mm，顶孔细小末端具尖。

| 生境分布 | 生于海拔 1 600 ～ 2 000 m 的山地。分布于湖南株洲（炎陵）、衡阳（南岳）、邵阳（洞口、新宁）、永州（道县）等。

| 资源情况 | 野生资源稀少。药材来源于野生。

| 采收加工 | 春季未开放时采摘，晒干。

| 药材性状 | 本品花被片 9，外轮 3，长圆形，其余 6 倒卵形，外表面紫棕色，有毛茸，内表面黄棕色。雄蕊多数，花丝紫褐色；雌蕊心皮少数，离生，紫黑色。气清香，味淡。

| 功能主治 | 苦，寒。利尿消肿，润肺止咳。用于肺虚咳嗽，痰中带血，酒疸，重舌，痈肿。

木兰科 Magnoliaceae 木兰属 Magnolia

二乔木兰
Magnolia soulangeana Soul.-Bod.

| 药 材 名 | 辛夷（药用部位：花蕾）。

| 形态特征 | 小乔木，高 6 ~ 10 m。小枝无毛。叶纸质，倒卵形，长 6 ~ 15 cm，宽 4 ~ 7.5 cm，先端短急尖，2/3 以下部分渐狭成楔形，上面基部中脉常残留毛，下面多少被柔毛，侧脉每边 7 ~ 9，干时两面网脉凸起；叶柄长 1 ~ 1.5 cm，被柔毛，托叶痕约为叶柄长的 1/3。花蕾卵圆形，花先于叶开放，浅红色至深红色，花被片 6 ~ 9，外轮 3 花被片常较短，其长约为内轮花被片的 2/3；雄蕊长 1 ~ 1.2 cm，花药长约 5 mm，侧向开裂，药隔伸出而成短尖；雌蕊群无毛，圆柱形，长约 1.5 cm。聚合果长约 8 cm，直径约 3 cm；蓇葖果卵圆形或倒卵圆形，长 1 ~ 1.5 cm，成熟时呈黑色，具白色皮孔；种子深褐色，

宽倒卵圆形或倒卵圆形，侧扁。花期 2 ~ 3 月，果期 9 ~ 10 月。

| **生境分布** | 栽培于公园、庭院、屋旁。湖南有广泛栽培。

| **资源情况** | 栽培资源一般。药材来源于栽培。

| **采收加工** | 冬末春初花未开放时采收，阴干。

| **功能主治** | 辛，温。归肺、胃经。散风寒，通鼻窍。用于风寒头痛，鼻塞流涕，鼻衄，鼻渊。

| **用法用量** | 内服煎汤，3 ~ 10 g。外用适量，研末搐鼻；或以其蒸馏水滴鼻。

| **附　注** | 本种的拉丁学名在 FOC 中被修订为 *Yulania × soulangeana* (Soul.-Bod) D. L. Fu，中文名被修订为二乔玉兰。

武当玉兰 *Magnolia sprengeri* Pamp.

| 药 材 名 | 辛夷（药用部位：花蕾）。

| 形态特征 | 落叶乔木，高可达 21 m。树皮淡灰褐色或黑褐色，老干皮具纵裂沟并块片状脱落。小枝初呈淡黄褐色，后变为灰色，无毛。叶倒卵形，长 10 ~ 18 cm，宽 4.5 ~ 10 cm，先端急尖或急短渐尖，基部楔形，上面仅沿中脉及侧脉疏被平伏柔毛，下面初被平伏细柔毛；叶柄长 1 ~ 3 cm，托叶痕细小。花蕾直立，被淡灰黄色绢毛，花先叶开放，杯状，芳香，花被片 12（ ~ 14），较相似，外面玫瑰红色，有深紫色纵纹，倒卵状匙形或匙形，长 5 ~ 13 cm，宽 2.5 ~ 3.5 cm；雄蕊长 10 ~ 15 mm，花药长约 5 mm，稍分离，药隔伸出而成尖头，花丝紫红色，宽扁；雌蕊群圆柱形，长 2 ~ 3 cm，淡绿色，花柱玫瑰

红色。聚果圆柱形，长 6 ~ 18 cm；蓇葖果扁圆形，成熟时呈褐色。花期 3 ~ 4 月，果期 8 ~ 9 月。

| 生境分布 | 生于海拔 500 ~ 1 700 m 的常绿或落叶阔叶混交林中。湖南有广泛分布。

| 资源情况 | 野生资源一般。药材来源于野生。

| 采收加工 | 冬末春初花未开放时采收，阴干。

| 药材性状 | 本品长 2 ~ 4 cm，直径 1 ~ 2 cm。基部枝梗粗壮，皮孔红棕色。苞片外表面密被淡黄色或淡黄绿色茸毛，有的最外层苞片茸毛已脱落而呈黑褐色。花被片 12，内、外轮花被片无显著差异。

| 功能主治 | 辛，温。归肺、胃经。散风寒，通鼻窍。用于风寒头痛，鼻塞流涕，鼻衄，鼻渊。

| 用法用量 | 内服煎汤，3 ~ 10 g。外用适量，研末搐鼻；或以其蒸馏水滴鼻。

| 附　　注 | 本种的拉丁学名在 FOC 中被修订为 *Yulania sprengeri* (Pamp.) D. L. Fu。

木兰科 Magnoliaceae 木莲属 Manglietia

桂南木莲
Manglietia chingii Dandy

| 药 材 名 | 桂南木莲皮（药用部位：树皮）、桂南木莲（药用部位：叶、花、果实）。

| 形态特征 | 常绿乔木，高可达 20 m。叶革质，倒披针形或狭倒卵状椭圆形，先端短渐尖或钝，基部狭楔形或楔形，上面无毛，下面灰绿色，嫩叶被微硬毛或具白粉，侧脉每边 12 ～ 14；叶柄长 2 ～ 3 cm，上面具张开的狭沟，初被平伏柔毛，有托叶痕。花蕾卵圆形；花梗细长，向下弯垂，仅花被下有 1 环苞片痕；花被片 9 ～ 11，每轮 3，外轮 3 花被片常呈绿色，椭圆形，先端圆钝，中轮肉质，倒卵状椭圆形，内轮肉质，倒卵状匙形；雄蕊长 1.3 ～ 1.5 cm，花药长 8 ～ 9 mm，药隔伸出而成三角形的尖头，2 药室被药隔分开；雌蕊

群长 1.5 ~ 2 cm，心皮长 0.8 ~ 1 cm，背面具 3 ~ 4 纵沟，花柱长约 2 mm。聚合果卵圆形；蓇葖果具疣点状突起，先端具短喙；种子内种皮具突起点。花期 5 ~ 6 月，果期 9 ~ 10 月。

| 生境分布 | 生于海拔 700 ~ 1 300 m 的山地常绿阔叶林中。分布于湖南郴州（汝城）、怀化（通道）、长沙（浏阳）等。

| 资源情况 | 野生资源较少。药材来源于野生。

| 功能主治 | **桂南木莲皮**：消积，下气。
桂南木莲：消肿止痛。

| 附 注 | 本种的拉丁学名在 FOC 中被修订为 *Manglietia conifera* Dandy。

木兰科 Magnoliaceae　木莲属 Manglietia

木莲

Manglietia fordiana Oliv.

|药材名|

木莲果（药用部位：果实）。

|形态特征|

乔木，高达 20 m。嫩枝及芽有红褐色短毛，后脱落无毛。叶革质，狭倒卵形、狭椭圆状倒卵形或倒披针形，先端短急尖，通常尖头钝，基部楔形，沿叶柄稍下延，边缘稍内卷，下面疏生红褐色短毛；叶柄长 1 ~ 3 cm，基部稍膨大，托叶痕半椭圆形。总花梗长 6 ~ 11 mm，具 1 环状苞片脱落痕，被红褐色短柔毛；花被片纯白色，每轮 3，外轮 3 花被片较薄，近革质，凹入，长圆状椭圆形，内 2 轮花被片稍小，常呈肉质，倒卵形；雄蕊长约 1 cm，花药长约 8 mm，药隔钝；雌蕊群长约 1.5 cm，平滑，基部心皮长 5 ~ 6 mm，中部心皮露出面宽约 5 mm，花柱长约 1 mm，胚珠 8 ~ 10，2 列。聚合果褐色，卵球形；蓇葖果露出面有粗点状突起，先端具长约 1 mm 的短喙；种子红色。花期 5 月，果期 10 月。

|生境分布|

生于丘陵、山地常绿阔叶林中。栽培于海拔 1 000 m 以下的山间，喜土壤肥沃、湿润的环境。湖南有广泛分布。

| **资源情况** | 野生资源较丰富。栽培资源一般。药材来源于野生和栽培。

| **采收加工** | 8 月（处暑前后）当果实成熟而未开裂前摘取，剪除残余果柄，勿使其碎散，充分晒干。

| **药材性状** | 本品由多数蓇葖果聚合而成，形如松球，长约 4 cm，直径 3 ~ 4 cm，基部膨大，外表面紫褐色，内表面棕褐色。蓇葖果开裂后可见暗紫红色的种子 2，剥开种皮可见灰白色而富油质的子叶 1。气香，味淡。以干燥、完整不碎者为佳。

| **功能主治** | 辛，凉。归肺、大肠经。通便，止咳。用于实热便秘，老人咳嗽。

| **用法用量** | 内服煎汤，9 ~ 30 g。

木兰科 Magnoliaceae 木莲属 Manglietia

红色木莲

Manglietia insignis (Wall.) Bl.

| 药 材 名 | 红花木莲（药用部位：树皮）。

| 形态特征 | 常绿乔木，高达 30 m。叶革质，倒披针形、长圆形或长圆状椭圆形，先端渐尖或尾状渐尖，自 2/3 以下部分渐窄至基部，上面无毛，下面中脉具红褐色柔毛或散生平伏微毛，侧脉每边 12 ～ 24；叶柄长 1.8 ～ 3.5 cm，托叶痕长 0.5 ～ 1.2 cm。花芳香，花梗粗壮，花被片下约 1 cm 处具 1 苞片脱落环痕，花被片 9 ～ 12，外轮 3 花被片褐色，腹面带红色或紫红色，倒卵状长圆形，向外反曲，中、内轮花被片 6 ～ 9，直立，乳白色带粉红色，倒卵状匙形，1/4 以下部分渐狭成爪；雄蕊长 10 ～ 18 mm，2 药室稍分离，药隔伸出而成三角尖，花丝与药隔伸出部分近等长；雌蕊群圆柱形，心皮无毛，露出背面，具

浅沟。聚合果新鲜时呈紫红色，卵状长圆形；蓇葖果背缝全裂，具乳头状突起。花期 5 ~ 6 月，果期 8 ~ 9 月。

| **生境分布** | 生于海拔 600 ~ 1 900 m 的山地常绿阔叶林中。栽培于海拔 1 000 m 以下的山间，喜土壤肥沃、湿润的环境。分布于湖南永州（冷水滩）、怀化（通道）、邵阳（绥宁）、张家界（桑植、武陵源、慈利）、湘西州（吉首、永顺）等。

| **资源情况** | 野生资源一般。栽培资源较少。药材来源于野生和栽培。

| **采收加工** | 6 ~ 7 月剥取树皮，阴干或炕干。

| **药材性状** | 本品呈卷筒状或槽状。外表面棕褐色或黄棕色，粗糙，有明显凸起的横长皮孔，且常数个皮孔横向相连，长达 3.2 cm。内表面灰黄色至灰棕色。质硬，折断面纤维性。气微香，味苦、微涩。

| **功能主治** | 苦、辛，温。燥湿健脾。用于脘腹痞满胀痛，宿食不化，呕吐，泄泻，痢疾。

| **用法用量** | 内服煎汤，6 ~ 12 g。

巴东木莲 *Manglietia patungensis* Hu

| 药 材 名 | 巴东木莲（药用部位：花）、野辛夷（药用部位：树皮）。

| 形态特征 | 乔木，高达 25 m，胸径 1.4 m。树皮淡灰褐色带红色；小枝带灰褐色。叶薄革质，倒卵状椭圆形，长 14 ~ 18（~ 20）cm，宽 3.5 ~ 7 cm，先端尾状渐尖，基部楔形，两面无毛，上面绿色，有光泽，下面淡绿色，侧脉每边 13 ~ 15，叶面中脉凹下；叶柄长 2.5 ~ 3 cm；叶柄上的托叶痕长为叶柄的 1/7 ~ 1/5。花白色，芳香，直径 8.5 ~ 11 cm；花梗长约 1.5 cm，花被片下 5 ~ 10 mm 处具 1 苞片脱落痕，花被片 9，外轮 3 近革质，狭长圆形，先端圆形，长 4.5 ~ 6 cm，宽 1.5 ~ 2.5 cm，中轮及内轮肉质，倒卵形，长 4.5 ~ 5.5 cm，宽 2 ~ 3.5 cm；雄蕊长 6 ~ 8 mm，花药紫红色，长 5 ~ 6 mm，药室基部靠合，有时上端稍分开，药隔伸出成钝尖头，长约 1 mm；雌蕊

群圆锥形，长约 2 cm，雌蕊背面无纵沟纹，每心皮有胚珠 4 ～ 8。聚合果圆柱状椭圆形，长 5 ～ 9 cm，直径 2.5 ～ 3 cm，淡紫红色。蓇葖果露出面具点状突起。花期 5 ～ 6 月，果期 7 ～ 10 月。

| **生境分布** | 生于海拔 600 ～ 1 000 m 的密林中。分布于湖南湘西州（永顺）、张家界等。

| **资源情况** | 野生资源稀少。药材来源于野生。

| **功能主治** | 用于高血压。

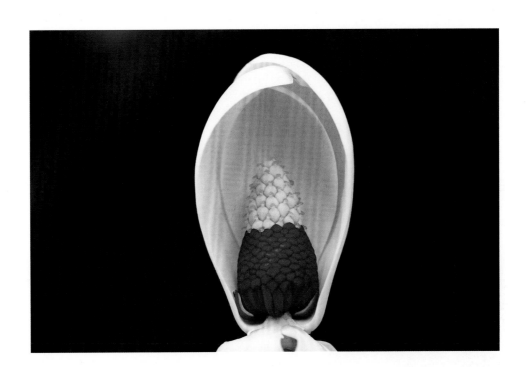

木兰科 Magnoliaceae 含笑属 Michelia

白兰
Michelia alba DC.

药材名

白兰花（药用部位：花）、白兰花叶（药用部位：叶）。

形态特征

常绿乔木，高达 17 m，枝广展，呈阔伞形树冠，胸径 30 cm。树皮灰色。揉搓枝、叶有芳香气。嫩枝及芽密被淡黄白色微柔毛，老时毛渐脱落。叶薄革质，长椭圆形或披针状椭圆形，长 10 ~ 27 cm，宽 4 ~ 9.5 cm，先端长渐尖或尾状渐尖，基部楔形，上面无毛，下面疏生微柔毛，干时两面网脉均很明显；叶柄长 1.5 ~ 2 cm，疏被微柔毛，托叶痕几达叶柄中部。花白色，极香；花被片 10 以上，披针形，长 3 ~ 4 cm，宽 3 ~ 5 mm；雄蕊的药隔伸出长尖头；雌蕊群被微柔毛，雌蕊群柄长约 4 mm，心皮多数，通常部分不发育，成熟时随着花托的延伸，形成蓇葖疏生的聚合果。蓇葖果成熟时呈鲜红色。花期 4 ~ 9 月，夏季盛开，多不结实。

生境分布

栽培于低海拔的屋旁、公园、路边，喜温暖、湿润的气候和肥沃、疏松的土壤。湖南有广泛栽培。

| **资源情况** | 栽培资源一般。药材来源于栽培。

| **采收加工** | **白兰花**：夏、秋季花开时采收，鲜用或晒干。
白兰花叶：夏、秋季采摘，洗净，鲜用或晒干。

| **药材性状** | **白兰花**：花狭钟形，长 2 ~ 3 cm，红棕色至棕褐色。花被片多为 12，外轮狭披针形，内轮较小；雄蕊多数，花药条形，淡黄棕色，花丝短，易脱落，心皮多数，分离，柱头褐色，外弯，花柱密被灰黄色细绒毛；花梗长 2 ~ 6 mm，密被灰黄色细绒毛。质脆，易破碎。气芳香，味淡。

| **功能主治** | **白兰花**：苦、辛，微温。化湿，行气，止咳。用于胸闷腹胀，中暑，咳嗽，前列腺炎，带下。
白兰花叶：苦、辛，平。清热利尿，止咳化痰。用于尿路感染，小便不利，支气管炎。

| **用法用量** | **白兰花**：内服煎汤，6 ~ 15 g。
白兰花叶：内服煎汤，9 ~ 30 g。外用适量，鲜品捣敷。

| **附　　注** | 本种的拉丁学名在 FOC 中被修订为 *Michelia × alba* Candolle。

木兰科 Magnoliaceae 含笑属 Michelia

乐昌含笑
Michelia chapensis Dandy

| 药 材 名 | 乐昌含笑（药用部位：树皮、叶）。

| 形态特征 | 乔木，高 15 ~ 30 m，胸径 1 m。树皮灰色至深褐色。叶薄革质，倒卵形、狭倒卵形或长圆状倒卵形，先端骤狭短渐尖，或短渐尖，尖头钝，基部楔形或阔楔形，上面深绿色，侧脉每边 9 ~ 12（~ 15），网脉稀疏；叶柄长 1.5 ~ 2.5 cm，无托叶痕，上面具张开的沟，嫩时被微柔毛，后脱落无毛。花梗被平伏灰色微柔毛，具 2 ~ 5 苞片脱落痕；花被片 6，外轮花被片倒卵状椭圆形，内轮花被片较狭；雄蕊长 1.7 ~ 2 cm，花药长 1.1 ~ 1.5 cm，药隔伸出而成 1 mm 的尖头；雌蕊群狭圆柱形，雌蕊群柄长约 7 mm，密被银灰色平伏微柔毛，心皮卵圆形，花柱长约 1.5 mm。胚珠约 6。聚合果长

约 10 cm，果柄长约 2 cm；蓇葖果长圆体形或卵圆形，先端具短细弯尖头，基部宽；种子红色，卵形或长圆状卵圆形。花期 3 ~ 4 月，果期 8 ~ 9 月。

| **生境分布** | 生于海拔 500 ~ 1 500 m 的山地林间。栽培于公园、路边。湖南各地均有分布。

| **资源情况** | 野生资源丰富。栽培资源丰富。药材来源于野生和栽培。

| **功能主治** | 清热解毒。用于胃痛，咳嗽。

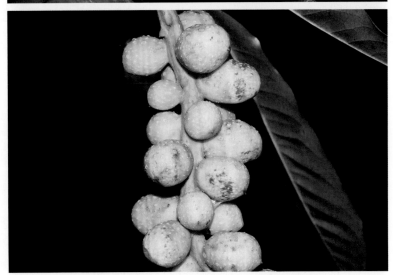

木兰科 Magnoliaceae 含笑属 Michelia

紫花含笑
Michelia crassipes Law

| 药 材 名 | 紫花含笑（药用部位：枝、叶）。

| 形态特征 | 小乔木或灌木，高 2 ~ 5 m。树皮灰褐色；芽、嫩枝、叶柄、花梗均密被红褐色或黄褐色长绒毛。叶革质，狭长圆形、倒卵形或狭倒卵形，稀狭椭圆形，长 7 ~ 13 cm，先端长尾状渐尖或急尖，基部楔形或阔楔形，上面深绿色，有光泽，无毛，下面淡绿色，脉上被长柔毛；叶柄长 2 ~ 4 mm，托叶痕达叶柄先端。花梗长 3 ~ 4 mm；花极芳香，紫红色或深紫色，花被片 6，长椭圆形；雄蕊长约 1 cm，花药长约 6 mm，药隔伸出而成短急尖；雌蕊群长约 8 mm，不超出雄蕊群，密被柔毛，雌蕊群柄长约 2 mm，果时长 3 ~ 4 mm，直径 3 ~ 4 mm，心皮卵圆形，密被柔毛，花柱长 2 mm。聚合果长

2.5 ~ 5 cm，具蓇葖果 10 以上；蓇葖果扁卵圆形或扁圆球形，有乳头状突起并有残留毛，果柄短粗。花期 4 ~ 5 月，果期 8 ~ 9 月。

| **生境分布** | 生于海拔 300 ~ 1 000 m 的山谷密林中。湖南有广泛分布。

| **资源情况** | 野生资源一般。药材来源于野生。

| **功能主治** | 活血散瘀，清热利湿。用于肝炎。

木兰科 Magnoliaceae 含笑属 Michelia

含笑花 *Michelia figo* (Lour.) Spreng.

| 药 材 名 | 含笑花（药用部位：花）、含笑叶（药用部位：叶）。

| 形态特征 | 常绿灌木，高 2 ~ 3 m。树皮灰褐色。分枝繁密，芽、嫩枝、叶柄、花梗均密被黄褐色绒毛。叶革质，狭椭圆形或倒卵状椭圆形，长 4 ~ 10 cm，宽 1.8 ~ 4.5 cm，先端钝短尖，基部楔形或阔楔形，上面有光泽，无毛，下面中脉上留有褐色平伏毛，余处无毛；叶柄长 2 ~ 4 mm，托叶痕长达叶柄先端。花直立，芳香，长 12 ~ 20 mm，宽 6 ~ 11 mm，淡黄色，边缘有时呈红色或紫色；花被片 6，肉质，较肥厚，长椭圆形，长 12 ~ 20 mm，宽 6 ~ 11 mm；雄蕊长 7 ~ 8 mm，药隔伸出而成急尖头；雌蕊群无毛，长约 7 mm，超出雄蕊群，雌蕊群柄长约 6 mm，被淡黄色绒毛。聚合果

长 2 ~ 3.5 cm；蓇葖果卵圆形或球形，先端有短尖的喙。花期 3 ~ 5 月，果期 7 ~ 8 月。

| 生境分布 | 栽培于公园、屋旁、路边，喜湿润、土壤肥沃的环境。湖南有广泛栽培。

| 资源情况 | 栽培资源丰富。药材来源于栽培。

| 功能主治 | 含笑花：苦、辛，微温。化湿，行气，止咳。用于胸闷腹胀，中暑，咳嗽，前列腺炎，带下，月经不调。

含笑叶：用于跌打损伤。

木兰科 Magnoliaceae 含笑属 Michelia

金叶含笑
Michelia foveolata Merr. ex Dandy

| 药 材 名 | 金叶含笑（药用部位：树皮）。

| 形态特征 | 乔木，高达 30 m，胸径达 80 cm。树皮淡灰色或深灰色。芽、幼枝、叶柄、叶背及花梗密被红褐色短绒毛。叶厚革质，长圆状椭圆形、椭圆状卵形或阔披针形，先端渐尖或短渐尖，基部阔楔形，圆钝或近心形，通常两侧不对称，上面深绿色，有光泽，下面被红铜色短绒毛，侧脉每边 16 ~ 26；叶柄长 1.5 ~ 3 cm，无托叶痕。花梗直径约 5 mm，具 3 ~ 4 苞片脱落痕；花被片 9 ~ 12，外轮 3 花被片阔倒卵形，中、内轮花被片倒卵形，较狭小；雄蕊约 50，花药长 1.5 ~ 2 cm，花丝深紫色；雌蕊群长 2 ~ 3 cm，雌蕊群柄长 1.7 ~ 2 cm，被银灰色短绒毛，雌蕊长约 5 mm，心皮长约 3 mm，狭卵

圆形，仅基部与花托合生，胚珠约 8。聚合果长 7 ~ 20 cm；蓇葖果长圆状椭圆体形。花期 3 ~ 5 月，果期 9 ~ 10 月。

| **生境分布** | 生于海拔 500 ~ 1 800 m 的山地、沟谷湿润常绿阔叶林中。分布于湖南邵阳（大祥、绥宁）、郴州（宜章、汝城）、永州（冷水滩）等。

| **资源情况** | 野生资源较少。药材来源于野生。

| **功能主治** | 解毒散热。

木兰科 Magnoliaceae 含笑属 Michelia

醉香含笑
Michelia macclurei Dandy

| 药 材 名 |　醉香含笑（药用部位：树皮、叶）。

| 形态特征 |　乔木，高达 30 m，胸径 1 m 左右。树皮灰白色。叶革质，倒卵形、椭圆状倒卵形、菱形或长圆状椭圆形，先端短急尖或渐尖，基部楔形或宽楔形，上面初被短柔毛，后无毛，下面被灰色毛，兼有褐色平伏短绒毛，侧脉每边 10 ～ 15，网脉细，蜂窝状；叶柄长 2.5 ～ 4 cm，上面具狭纵沟，无托叶痕。花蕾有时包裹不同节上 2 ～ 3 小花蕾，形成 2 ～ 3 聚伞花序；花梗直径 3 ～ 4 mm，具 2 ～ 3 苞片脱落痕；花被片白色，通常 9，匙状倒卵形或倒披针形；雄蕊长 1 ～ 2 cm，花药长 0.8 ～ 1.4 cm；雌蕊群长 1.4 ～ 2 cm，心皮卵圆形或狭卵圆形。聚合果长 3 ～ 7 cm；蓇葖果长圆形、倒卵状长圆形或倒

卵圆形，先端圆，基部宽阔，着生于果托上，疏生白色皮孔，沿腹背 2 瓣开裂；种子 1 ~ 3，扁卵圆形。花期 3 ~ 4 月，果期 9 ~ 11 月。

| **生境分布** | 生于海拔 500 ~ 1 000 m 的密林中。分布于湖南常德（澧县）、株洲（渌口）等。

| **资源情况** | 野生资源较少。药材来源于野生。

| **功能主治** | 用于跌打损伤，疮痈肿毒。

木兰科 Magnoliaceae 含笑属 Michelia

深山含笑
Michelia maudiae Dunn

| 药 材 名 | 深山含笑（药用部位：花蕾）。

| 形态特征 | 乔木，高达 20 m，各部位均无毛。芽、幼枝、苞片及叶下面被白粉。叶革质，长圆状椭圆形或卵状椭圆形，长 7 ~ 18 cm，宽 3.5 ~ 8.5 cm，先端骤狭，短渐尖，尖头钝，基部楔形至近圆形，侧脉 7 ~ 12 对，网状致密；叶柄长 1 ~ 3 cm，无托叶痕。花梗绿色，具环状苞片脱落痕 3，佛焰苞状苞片长约 3 cm；花芳香，纯白色，花被片 9，长 5 ~ 7 cm，宽 3.5 ~ 4 cm，先端具短急尖，基部具长约 1 cm 的爪，内 2 轮花被片渐狭；雄蕊长 1.5 ~ 2.2 cm，药隔伸出长 1 ~ 2 mm 的尖头，花丝淡紫色；雌蕊群长 1.5 ~ 1.8 cm，雌蕊群柄长 5 ~ 8 mm。聚合果长 7 ~ 15 cm；蓇葖果长圆形、倒卵圆形或卵圆形；种子

红色，斜卵圆形，长约 1 cm，稍扁。花期 2 ~ 3 月，果期 9 ~ 10 月。

| **生境分布** | 生于海拔 500 ~ 1 500 m 的山地常绿阔叶林中。栽培于公园、路边、屋旁，喜疏松砂质黄壤土。湖南各地均有分布。

| **资源情况** | 野生资源较丰富。栽培资源较丰富。药材来源于野生和栽培。

| **采收加工** | 春季采收，晒干或烘干。

| **药材性状** | 本品呈长圆柱形，先端渐尖，长 2.5 ~ 4 cm，中部直径 1 ~ 1.4 cm。苞片红棕色，无毛。花被片 9。花梗具环状苞片脱落痕 3，长约 2 cm，无毛。体轻，质脆。气香，味淡。

| **功能主治** | 辛，温。归心、肝经。散风寒，通鼻窍，行气止痛。用于风寒感冒，鼻塞流涕，头痛。

| 木兰科 | Magnoliaceae | 含笑属 | Michelia |

阔瓣含笑

Michelia platypetala Hand.-Mazz.

| 药 材 名 |

阔瓣含笑花（药用部位：花）、阔瓣含笑树干（药用部位：树干）。

| 形态特征 |

乔木，高达 20 m。嫩枝、芽、嫩叶均被红褐色绢毛。叶薄革质，长圆形或椭圆状长圆形，长 11 ~ 18（ ~ 20）cm，宽 4 ~ 6（ ~ 7）cm，先端渐尖，基部宽楔形或圆钝，下面被微柔毛，侧脉 8 ~ 14 对；叶柄长 1 ~ 3 cm，被红褐色平伏毛。花梗长 0.5 ~ 2 cm，具苞片脱落痕 2，被平伏毛；花被片 9，白色，外轮倒卵状椭圆形或椭圆形，中轮稍狭，内轮狭卵状披针形；雄蕊长约 1 cm，花丝长 2 mm，药室内向开裂；雌蕊群圆柱形，被灰色及金黄色微柔毛，心皮卵圆形，胚珠约 8。聚合果长 5 ~ 15 cm；蓇葖果无柄，长圆形，长 1.5 ~ 2（ ~ 2.5）cm，宽 1 ~ 1.5 cm，先端圆，基部无柄，有灰白色皮孔，通常背腹两面全部开裂；种子淡红色，扁宽卵圆形或长圆形，长 5 ~ 8 mm。花期 3 ~ 4 月，果期 8 ~ 9 月。

| 生境分布 |

生于海拔 1 200 ~ 1 500 m 的密林中。分布于湖南衡阳（石鼓、衡山）、邵阳（洞口）、岳阳（岳阳、汨罗）、永州（江永）等。

| 资源情况 | 野生资源较少。药材来源于野生。

| 采收加工 | **阔瓣含笑花：**春季采摘，晒干。
阔瓣含笑树干：全年均可采收，晒干。

| 功能主治 | **阔瓣含笑花：**芳香化湿，利尿，止咳。
阔瓣含笑树干：降气止痛。

| 附　注 | 本种的拉丁学名在 FOC 中被修订为 *Michelia cavaleriei* Finet et Gagnep. var. *platypetala* (Handel-Mazzetti) N. H. Xia。

木兰科 Magnoliaceae 含笑属 Michelia

野含笑
Michelia skinneriana Dunn

| 药 材 名 |

野含笑（药用部位：枝、叶）。

| 形态特征 |

乔木，高达 15 m。树皮灰白色。芽、嫩枝、叶柄、叶背中脉及花梗均密被褐色长柔毛。叶革质，狭倒卵状椭圆形、倒披针形或狭椭圆形，长 5 ~ 11（~ 14）cm，宽 1.5 ~ 3.5（~ 4）cm，先端尾状渐尖，基部楔形，叶面深绿色，有光泽，侧脉 10 ~ 13 对；叶柄长 2 ~ 4 mm，托叶痕达叶柄先端。花梗细长；花淡黄色，芳香；花被片 6，倒卵形，长 1.6 ~ 2 cm，外轮 3 花被片基部被褐色毛；雄蕊长 6 ~ 10 mm，花药侧向开裂，药隔伸出长约 0.5 mm 的短尖；雌蕊群长约 6 mm，心皮密被褐色毛，雌蕊群柄长 4 ~ 7 mm，密被褐色毛。聚合果长 4 ~ 7 cm，具细长的总柄；蓇葖果黑色，球形或长圆形，长 1 ~ 1.5 cm，具短尖的喙。花期 5 ~ 6 月，果期 8 ~ 9 月。

| 生境分布 |

生于海拔 1 200 m 以下的山谷、山坡、溪边密林中。分布于湖南郴州（桂阳）、永州（新田）等。

| **资源情况** | 野生资源较少。药材来源于野生。

| **功能主治** | 苦、辛，凉。归肝经。活血散瘀，清热利湿。用于跌打损伤，肝炎。

木兰科 Magnoliaceae 五味子属 Schisandra

二色五味子
Schisandra bicolor Cheng

| 药 材 名 | 二色内风消（药用部位：根、藤茎、果实）。

| 形态特征 | 落叶木质藤本，全株无毛。当年生枝淡红色，稍具纵棱，二年生枝褐紫色或褐灰色，老枝皮不规则片状脱落。叶纸质，近圆形，稀椭圆形至倒卵形，长 5.5 ~ 9 cm，先端急尖，基部阔楔形，边缘疏生小齿，侧脉 4 ~ 6 对；叶柄淡红色，长 2 ~ 4.5 cm。花单生于叶腋，雌雄同株；花被片 7 ~ 13，外轮花被片绿色，内轮花被片红色，长圆形或长圆状倒卵形，最大花被片长 5 ~ 7 mm，宽 2.8 ~ 4 mm；雄花花梗长 1 ~ 1.5 cm，雄蕊群红色，扁平五角形，直径约 4 mm，雄蕊 5，花丝初合生，花开放后分离；雌花花梗长 2 ~ 6 cm，雌蕊群宽卵球形，雌蕊 9 ~ 16，柱头短小。聚合果穗状，果序长 3 ~ 7 cm；

果柄长 3 ~ 7 cm；小浆果成熟时呈紫黑色，球形，皮具白色点；种子表面具小瘤点。花期 7 月，果期 9 ~ 10 月。

| **生境分布** | 生于海拔 700 ~ 1 500 m 的山坡或林缘。分布于湖南郴州（嘉禾）、怀化（芷江）、张家界（桑植）等。

| **资源情况** | 野生资源较少。药材来源于野生。

| **采收加工** | 全年均可采收根、藤茎，秋季果实成熟时采摘果实，除去杂质，晒干。

| **功能主治** | 苦、涩，温。归肝、胃、脾、肾经。通经活络，健脾开胃。用于劳力过度，四肢酸麻，胸闷，食欲不振。

| **用法用量** | 内服煎汤，15 ~ 24 g。

木兰科 Magnoliaceae 五味子属 Schisandra

瘤枝五味子
Schisandra bicolor Cheng var. *tuberculata* (Law) Law

| 药 材 名 | 瘤枝五味子（药用部位：根、藤茎、果实）。

| 形态特征 | 本变种的形态与二色五味子 *Schisandra bicolor* Cheng 基本相同，不同之处在于本变种的小枝黑褐色，具明显的小瘤状突起，种子的内种皮具不规则条状突起。花期 6 ~ 7 月，果期 10 月。

| 生境分布 | 生于海拔 800 ~ 1 700 m 的山谷林中。分布于湖南怀化（洪江）等。

| 资源情况 | 野生资源稀少。药材来源于野生。

| 采收加工 | 全年均可采收根、藤茎，秋季果实成熟时采摘果实，除去杂质，晒干。

| **功能主治** | 同二色五味子。

| **用法用量** | 内服煎汤，15 ~ 24 g。

| **附　　注** | FOC 将本变种合并到二色五味子 *Schisandra bicolor* Cheng 中。

木兰科 Magnoliaceae   五味子属 Schisandra

大花五味子 *Schisandra grandiflora* (Wall.) Hook. f. et Thoms.

| 药 材 名 |　大花五味子（药用部位：藤、果实）。

| 形态特征 |　落叶木质藤本，全株无毛。小枝直径 3 ~ 10 mm，紫色或紫褐色，老枝常灰色。叶纸质，狭椭圆形、椭圆形、狭倒卵状椭圆形或卵形，长（5 ~ ）8 ~ 14（~ 16）cm，宽（1.8 ~ ）3 ~ 5（~ 7）cm，先端渐尖或尾状渐尖，基部楔形，具稀疏腺质小齿或近全缘，上面深绿色，下面稍苍白色，侧脉每边 5 ~ 8，网脉稀疏，在叶面稍凹下；叶柄长 10 ~ 35 mm。雄花：花梗长 1 ~ 4 cm，渐向先端膨大增粗；花被片 7 ~ 10，白色，3 轮，近相似，宽椭圆形或倒卵形，具明显的腺点，外轮的长 13 ~ 20 mm，宽 9 ~ 14 mm，内轮的较狭小；雄蕊群卵圆形，长 1 ~ 1.4 cm，雄蕊 30 ~ 60，分离，花药长 1.5 ~ 3 mm，2 药室分离，外侧向纵裂，先端的雄蕊无花丝，下

部雄蕊的花丝长 2 ~ 5 mm，具透明细腺点，药隔平或稍凹下。雌花：花梗长 1.7 ~ 6 cm；花被片与雄花相似；雌蕊群卵圆形、长圆状椭圆形，长 6 ~ 12 mm，雌蕊 70 ~ 120，心皮倒卵形，长 2 ~ 2.5 mm，具外弯、柱头面鸡冠状、长 0.5 ~ 0.7 mm 的花柱。聚合果果柄长 2.5 ~ 8 cm，花托在果时粗壮，直径 5 ~ 6 mm，长 12 ~ 21 cm；成熟小浆果倒卵状椭圆形，长 7 ~ 9 mm；种子宽肾形，长 3.8 ~ 4.2 mm，种皮光滑，种脐 "V" 形，稍凹入。花期 4 ~ 6 月，果期 8 ~ 9 月。

| 生境分布 | 生于海拔 1 800 ~ 2 000 m 的山坡林下灌丛。分布于湖南常德（石门）、张家界（桑植）等。

| 资源情况 | 野生资源稀少。药材来源于野生。

| 功能主治 | 藤，用于劳伤，甲状腺肿。果实，清肺，补虚。

木兰科 Magnoliaceae 五味子属 Schisandra

翼梗五味子

Schisandra henryi Clarke.

|药 材 名|

黄皮血藤（药用部位：根、藤茎。别名：血藤）。

|形态特征|

落叶木质藤本。幼枝紫褐色，常具纵向翅状棱。内芽鳞长 8 ~ 15 mm，常宿存于新枝基部。叶宽卵形或近圆形，长 6 ~ 11 cm，宽 3 ~ 8 cm，先端短渐尖或短急尖，基部阔楔形或近圆形。花黄绿色，单生于叶腋；花被片 8 ~ 10，近圆形；雄花花梗长 4 ~ 6 cm，雄蕊群倒卵圆形，直径约 5 mm，雄蕊 30 ~ 40，花药向内侧开裂；雌花花梗长 7 ~ 8 cm，雌蕊群长圆状卵圆形，长约 7 mm，雌蕊约 50。聚合果穗状；小浆果球形，成熟时呈红色；种子扁球形，长 3 ~ 5 mm，表面具乳头状突起。花期 5 ~ 7 月，果期 8 ~ 9 月。

|生境分布|

生于海拔 300 ~ 1 500 m 的山地、沟谷、山坡林下或灌丛中。湖南各地均有分布。

|资源情况|

野生资源丰富。药材来源于野生。

| 采收加工 | 秋季采收，切片，晒干。

| 药材性状 | 本品藤茎呈长圆柱形，少分枝，长 30 ~ 60 cm，直径 2 ~ 4 cm；表面棕褐色或黑褐色，具深浅不等的纵沟和黄色点状皮孔；质坚实，皮具韧性；横断面皮部棕褐色，有的易与木心分离，木质部淡棕黄色，可见细小导管孔排列成放射状，中央髓部深棕色，常破裂或呈空洞状。根似藤茎，但较粗壮，皮部纵裂成深沟，形成的棱较绵软，少有支根。气微，味微涩。

| 功能主治 | 辛、涩，温。归肝、脾经。祛风除湿，活血止痛。用于风湿关节痛，脉管炎，跌打损伤，胃痛，骨折。

| 用法用量 | 内服煎汤，15 ~ 30 g；或浸酒。

木兰科 Magnoliaceae 五味子属 Schisandra

铁箍散

Schisandra propinqua (Wall.) Baill. var. *sinensis* Oliv.

| 药 材 名 | 小血藤（药用部位：根、藤茎）。

| 形态特征 | 落叶木质藤本，全株无毛。当年生枝褐色，有银白色角质层。叶坚纸质，卵形或狭长圆状卵形，长 7 ~ 11（~ 17）cm，宽 2 ~ 3.5（~ 5）cm，先端渐尖或长渐尖，基部圆形或阔楔形，下延至叶柄，叶缘具疏齿，有时近全缘，侧脉 4 ~ 8 对。花橙黄色，常单生或 2 ~ 3 花聚生于叶腋，或为腋生的总状花序；花梗长 6 ~ 16 mm，具 2 小苞片；花被片 9（~ 15），椭圆形至近圆形，最大花被片长 5 ~ 9（~ 15）mm，宽 4 ~ 9（~ 11）mm；雄蕊群近球形，雄蕊 6 ~ 9，短小，嵌生于近球形的肉质花托上，花丝极短或无，花药向内侧开裂；雌蕊群卵球形，心皮 10 ~ 30。聚合果穗状，长 3 ~ 15 cm；

小浆果成熟时呈红色，近球形；种子较小，肾形，种皮灰白色，光滑。花期 6 ~ 8 月，果期 8 ~ 9 月。

| **生境分布** | 生于海拔 400 ~ 2 000 m 的山谷、溪边及山地林中。湖南各地均有分布。

| **资源情况** | 野生资源较丰富。药材来源于野生。

| **采收加工** | 秋季采收，洗净，锯段，晒干。

| **药材性状** | 本品根呈圆柱形，常弯曲；表面红褐色或棕红色，常有环状裂缝，多露出木部而呈节状；质坚，难折断，断面皮部厚，整齐，呈灰绿色，木部呈刺片状，黄白色；气香，味辛，微苦、涩，嚼之有黏性。藤茎呈细长圆柱形，有的略弯曲；表面红棕色或棕褐色，有纵皱纹及红棕色皮孔；分枝断痕较硬；质坚韧，难折断，折断面呈刺片状，皮部易与木部分离，皮部棕褐色，木部粉白色，髓部中央有空心；气香，味微辛，嚼之有黏性。

| **功能主治** | 辛、酸，温。活血调经，散瘀消肿，行气止痛。用于风湿麻木，筋骨痛，跌打损伤，劳伤吐血，经闭，痈肿。

| **用法用量** | 内服煎汤，15 ~ 30 g；或浸酒。

| **附　　注** | 本种的拉丁学名在 FOC 中被修订为 *Schisandra propinqua* (Wall.) Baill. subsp. *sinensis* (Oliver) R. M. K. Saunders。

木兰科 Magnoliaceae 五味子属 Schisandra

华中五味子

Schisandra sphenanthera Rehd. et Wils.

| 药 材 名 |

南五味子（药用部位：果实）、血藤（药用部位：藤茎。别名：大血藤）。

| 形态特征 |

落叶木质藤本，全株无毛。小枝红褐色，皮孔明显。叶互生，纸质，倒卵形或倒卵状长椭圆形，长（3～）5～11 cm，宽（1.5～）3～7 cm，先端短尖或渐尖，基部楔形或阔楔形，边缘具疏生的波状细齿，上面深绿色，下面淡灰绿色，有白点；叶柄红色，长1～3 cm。花单性，雌雄异株，单生或1～3花簇生于叶腋；花梗纤细，长2～4.5 cm，基部具膜质苞片；花橙黄色，被片5～9；雄蕊群倒卵圆形，雄蕊11～19（～23），着生于圆柱形的花托上，花丝长约1 mm，上部1～4雄蕊与花托顶贴生；雌蕊群卵球形，雌蕊30～60，子房近镰状椭圆形。聚合果；成熟小浆果红色；种子长圆形或肾形，种皮褐色，光滑，种脐明显凹入。花期4～7月，果期7～9月。

| 生境分布 |

生于海拔400～1 400 m的湿润山坡边或灌丛中。栽培于湿润、阳光充足的地方。

湖南各地均有分布。

| 资源情况 | 野生资源丰富。栽培资源稀少。药材来源于野生。

| 采收加工 | **南五味子**：秋季果实成熟时采摘，晒干，除去杂质。

血藤：3 ~ 6 月采收，锯段，晒干。

| 药材性状 | **南五味子**：本品呈球形或扁球形，直径 4 ~ 6 mm。表面棕红色至暗棕色，干瘪，皱缩，果肉常紧贴于种子上。种子 1 ~ 2，肾形，表面棕黄色，有光泽，种皮薄而脆。果肉气微，味微酸。

血藤：本品呈圆柱形，粗壮，少有分枝。一般长 30 ~ 60 cm，直径 2 ~ 6 cm。表面棕褐色，微带黄色，皮质粗糙，少有呈鳞片状者。质坚实，木质性强，切断面皮部呈棕红色或棕紫色，与木心紧密结合，木心坚硬，淡棕红色，有多数排列散乱的细孔。气微，味淡。

| 功能主治 | **南五味子**：酸、甘，温。归肺、心、肾经。收敛固涩，益气生津，补肾宁心。用于久咳虚喘，梦遗滑精，遗尿，尿频，久泻不止，自汗，盗汗，津伤口渴，内热消渴，心悸，失眠。

血藤：辛、酸，温。养血消瘀，理气化湿。用于劳伤吐血，肢节酸痛，心胃气痛，脚气痿痹，月经不调，跌打损伤。

| 用法用量 | **南五味子**：内服煎汤，3 ~ 6 g；或入丸、散剂。外用适量，研末搽；或煎汤洗。

血藤：内服煎汤，25 ~ 50 g；或浸酒。

木兰科 Magnoliaceae 五味子属 Schisandra

绿叶五味子

Schisandra viridis A. C. Smith

| 药 材 名 |

过山风（药用部位：根、藤茎）。

| 形态特征 |

落叶木质藤本，全株无毛。当年生枝紫褐色，二年生枝灰褐色。叶纸质，卵状椭圆形，长 4 ~ 16 cm，宽 2 ~ 4（~ 7）cm，先端渐尖，基部钝或阔楔形，中上部边缘有胼胝质齿尖的粗锯齿或波状疏齿，上面绿色，下面浅绿色。花单性，雌雄异株；花被片 6 ~ 8，黄绿色或绿色；雄蕊群倒卵圆形或近球形，直径 4 ~ 6 mm，雄蕊 10 ~ 20，花药向内侧开裂，雌蕊群近球形，直径 5 ~ 6 mm，心皮 15 ~ 25，下延的柱头附属体长约 0.2 mm。聚合果果皮具黄色腺点，先端的花柱基部宿存，基部具短柄；种子肾形，种皮具皱纹或小瘤点。花期 4 ~ 6 月，果期 7 ~ 9 月。

| 生境分布 |

生于海拔 200 ~ 1 500 m 的山沟、溪谷丛林。分布于湖南郴州（嘉禾）、怀化（芷江）、张家界（桑植）等。

| **资源情况** | 野生资源较少。药材来源于野生。

| **采收加工** | 全年均可采收，切片，晒干或鲜用。

| **功能主治** | 辛，温。祛风活血，行气止痛。用于风湿关节痛，胃痛，疝气疼痛，月经不调，荨麻疹，带状疱疹。

| **用法用量** | 内服煎汤，15 ~ 30 g。外用适量，煎汤洗；或捣敷；或绞汁搽。

| **附　注** | 本种的拉丁学名在FOC中被修订为*Schisandra arisanensis* Hayata subsp. *viridis* (A. C. Smith) R. M. K. Saunders。

木兰科 Magnoliaceae 观光木属 Tsoongiodendron

观光木
Tsoongiodendron odorum Chun

| 药 材 名 | 观光木（药用部位：根皮、树皮）。

| 形态特征 | 常绿乔木，高达 25 m。树皮淡灰褐色，具深皱纹。枝纵切面，髓心白色，具厚壁组织横隔；小枝、芽、叶柄、叶面中脉、叶背和花梗均被黄棕色糙伏毛。叶片厚膜质，倒卵状椭圆形，中上部较宽，长 8 ~ 17 cm，宽 3.5 ~ 7 cm，先端急尖或钝，基部楔形，上面绿色，有光泽，侧脉每边 10 ~ 12，中脉、侧脉、网脉在叶面均凹陷；叶柄长 1.2 ~ 2.5 cm，基部膨大，托叶痕达叶柄中部。花蕾的佛焰苞状苞片一侧开裂，被柔毛，花梗长约 6 mm，具 1 苞片脱落痕，芳香；花被片象牙黄色，有红色小斑点，狭倒卵状椭圆形，外轮的花被片最大，长 17 ~ 20 mm，宽 6.5 ~ 7.5 mm，内轮的花被片长 15 ~

16 mm，宽约 5 mm；雄蕊 30 ~ 45，长 7.5 ~ 8.5 mm，花丝白色或带红色，长 2 ~ 3 mm；雌蕊 9 ~ 13，狭卵圆形，密被平伏柔毛，花柱钻状，红色，长约 2 mm，腹面缝线明显，柱头面在尖端，雌蕊群梗粗壮，长约 2 mm，具槽，密被糙伏毛。聚合果长椭圆形，有时上部的心皮退化而呈球形，长达 13 cm，直径约 9 cm，垂悬于具皱纹的老枝上，外果皮橄绿色，有苍白色孔，干时深棕色，具显著的黄色斑点；果瓣厚，长 1 ~ 2 cm；果柄长、宽几相等，长、宽均 1 ~ 2 cm；种子在每心皮内具 4 ~ 6，椭圆形或三角状倒卵圆形，长约 15 mm，宽约 8 mm。花期 3 月，果期 10 ~ 12 月。

| 生境分布 | 生于海拔 500 ~ 1 000 m 的岩山地常绿阔叶林中。分布于湖南郴州（宜章）、永州（江永、江华）、怀化（通道）等。

| 资源情况 | 野生资源稀少。药材主要来源于野生。

| 功能主治 | 清热解毒，消肿止痛。用于恶性肿瘤。

| 附　注 | 本种在 FOC 中被修订为木兰科 Magnoliaceae 含笑属 *Michelia* 观光木 *Michelia odora* (Chun) Noot. et B. L. Chen。

番荔枝科 Annonaceae 瓜馥木属 Fissistigma

瓜馥木
Fissistigma oldhamii (Hemsl.) Merr.

药材名

瓜馥木根（药用部位：根）。

形态特征

攀缘灌木，长约 8 m。小枝被黄褐色柔毛。叶革质，倒卵状椭圆形或长圆形，长 6 ~ 12.5 cm，宽 2 ~ 5 cm，先端圆形或微凹，有时急尖，基部阔楔形或圆形，叶面无毛，叶背被短柔毛，侧脉 16 ~ 20 对，上面扁平，下面凸起；叶柄长约 1 cm，被短柔毛。花长约 1.5 cm，直径 1 ~ 1.7 cm，1 ~ 3 朵集成密伞花序；总花梗长约 2.5 cm；萼片阔三角形，先端急尖；花瓣 2 轮，外轮花瓣较内轮花瓣长且被毛，内轮花瓣基部稍内凹，无毛；雄蕊药隔稍偏斜，呈三角形；心皮被绢质长柔毛，花柱稍弯，无毛，柱头先端 2 裂，每心皮有胚珠约 10，胚珠排成 2 排。果实圆球状，直径约 1.8 cm，密被黄棕色绒毛；种子圆形。花期 4 ~ 9 月，果期 7 月至翌年 2 月。

生境分布

生于低海拔的山谷、溪旁、潮湿疏林中。湖南有广泛分布。

| **资源情况** | 野生资源较丰富。药材来源于野生。

| **采收加工** | 全年均可采挖，鲜用。

| **药材性状** | 本品近圆柱形，稍弯或分枝，直径 0.5 ~ 2 cm。表面棕黑色，有断续的纵皱纹和呈点状凸起的细根痕。质硬，断面皮部棕色，木部淡黄棕色，有放射状纹理和小孔。气微香，味辣。

| **功能主治** | 微辛，温。祛风活血，镇痛。用于坐骨神经痛，关节炎，跌打损伤。

| **用法用量** | 内服煎汤，鲜品 5 ~ 10 g。

番荔枝科 Annonaceae **瓜馥木属** *Fissistigma*

凹叶瓜馥木
Fissistigma retusum (Lévl.) Rehd.

| **药 材 名** | 凹叶瓜馥木（药用部位：根、藤茎）。

| **形态特征** | 攀缘灌木。小枝被褐色绒毛。叶革质，广卵形、倒卵形或倒卵状长圆形，长 9 ~ 26 cm，宽 4.5 ~ 13 cm，先端圆形或微凹，基部圆形至截形，叶背被褐色绒毛，侧脉 15 ~ 20 对，在叶背凸起，网脉明显；叶柄长 8 ~ 15 mm，被短绒毛，上面有槽。花多朵组成团伞花序，花序与叶对生；总花梗长 5 ~ 10 mm，几无花梗；萼片卵状披针形，外面被短绒毛，内面无毛；外轮花瓣卵状长圆形，长约 1.5 cm，外面被短绒毛，内面无毛，内轮花瓣卵状披针形，比外轮花瓣短，两面无毛；药隔阔三角形；心皮密被绢质柔毛，花柱长圆形，被柔毛，柱头先端全缘，每心皮有胚珠 4，胚珠排成 2 排。果实圆球状，

直径约 3 cm，被金黄色短绒毛；果柄长 1.5 cm，被金黄色短绒毛。花期 5 ～ 11 月，果期 6 ～ 12 月。

| 生境分布 | 生于低海拔的山地密林中。分布于湖南永州（双牌）、湘西州（花垣、古丈、永顺）等。

| 资源情况 | 野生资源较少。药材来源于野生。

| 采收加工 | 全年均可采收，晒干。

| 功能主治 | 用于脊髓灰质炎后遗症，风湿关节痛。

番荔枝科 Annonaceae 瓜馥木属 Fissistigma

香港瓜馥木 *Fissistigma uonicum* (Dunn) Merr.

| 药 材 名 | 香港瓜馥木（药用部位：根、藤茎）。

| 形态特征 | 攀缘灌木。除果实和叶背被稀疏柔毛外，其余部位无毛。叶纸质，长圆形，长4～20 cm，宽1～5 cm，先端急尖，基部圆形或宽楔形，叶背淡黄色；侧脉叶背凸起。花黄色，有香气，1～2朵聚生于叶腋；花梗长约2 cm；萼片卵圆形；外轮花瓣比内轮花瓣长，无毛，卵状三角形；药隔三角形；心皮被柔毛，柱头先端全缘，每心皮有胚珠9。果实圆球状，直径约4 cm，成熟时呈黑色，被短柔毛。花期3～6月，果期6～12月。

| 生境分布 | 生于低海拔的山地林中或灌丛中。分布于湖南永州（道县）等。

| **资源情况** | 野生资源较少。药材来源于野生。 |

| **采收加工** | 全年均可采收，晒干。 |

| **功能主治** | 辛，温。祛风除湿，活血止痛。用于风湿痹痛，腰痛，胃痛，跌打损伤。 |

| **用法用量** | 内服煎汤。 |

番荔枝科 Annonaceae 野独活属 Miliusa

野独活 *Miliusa chunii* W. T. Wang

| 药 材 名 | 野独活（药用部位：根）。

| 形态特征 | 灌木，高 2 ～ 5 m。小枝被伏贴短柔毛。叶膜质，椭圆形或椭圆状长圆形，长 7 ～ 15 cm，宽 2.5 ～ 4.5 cm，先端渐尖或短渐尖，基部宽楔形或圆形，侧脉 10 ～ 12 对；叶柄长 2 ～ 3 mm，被疏微毛至无毛。花红色，单生于叶腋内，直径 1.3 ～ 1.6 cm；花梗细长，丝状，无毛；萼片卵形，边缘及外面稍被短柔毛；外轮花瓣比萼片略长；雄蕊倒卵形，花丝短，无毛；心皮弯月形，稍被紧贴柔毛，柱头圆柱状，稍外弯，被微毛，先端全缘，每心皮有胚珠 2 ～ 3。果实圆球状，直径 7 ～ 8 mm，内有种子 1 ～ 3；果柄纤细，总果柄柔弱，基部细，向先端增粗，无毛，有小瘤体。花期 4 ～ 7 月，果期 7 月

至翌年春季。

| 生境分布 | 生于海拔 500 ～ 800 m 的山地密林或山谷灌木林中。分布于湖南永州（江永）等。

| 资源情况 | 野生资源较少。药材来源于野生。

| 采收加工 | 全年均可采挖，晒干。

| 功能主治 | 用于胃脘疼痛，肾虚腰痛。

| 附　　注 | 本种的拉丁学名在 FOC 中被修订为 *Miliusa balansae* Finet et Gagnepain。

蜡梅科 Calycanthaceae 蜡梅属 Chimonanthus

山蜡梅

Chimonanthus nitens Oliv.

| **药 材 名** | 山蜡梅叶（药用部位：叶）。

| **形态特征** | 常绿灌木，高 1 ~ 3 m。幼枝四方形，赤褐色，老枝近圆柱形，暗褐色，有皮孔。叶纸质至薄革质，椭圆形、卵形或卵状披针形，长 2 ~ 13 cm，宽 1.5 ~ 5.5 cm，先端渐尖或长渐尖，基部楔形，全缘，侧脉 5 ~ 7 对，叶背面灰绿色，有白粉。花单生或对生于叶腋，芳香，花直径 0.7 ~ 1 cm，黄色或淡黄白色；花被片多数，外面被短柔毛，内面无毛；雄蕊 5 ~ 7，长约 2 mm；花丝短，被短柔毛，花药稍长于花丝，向内弯曲，有长约 1.5 mm 的退化雄蕊；雌蕊心皮多数，长 2 mm。果托坛状，被短绒毛，内藏聚合瘦果数个。花期 10 月至翌年 1 月，果期翌年 4 ~ 7 月。

| **生境分布** | 生于海拔约 250 m 的低山山谷、疏林、灌丛或石灰岩山地阳处。分布于湖南郴州（汝城）、永州（双牌、冷水滩）等。

| **资源情况** | 野生资源较少。药材来源于野生。

| **采收加工** | 全年均可采收，以夏、秋季采收为佳，晒干或鲜用。

| **药材性状** | 本品呈椭圆形或狭椭圆形，长 3 ~ 11 cm，宽 1.5 ~ 4 cm，先端渐尖，基部楔形，上表面灰绿色至棕绿色，下表面色较浅，两面均较糙，触之有单向的粗糙感，密布透明腺点，主脉浅褐色，于下表面凸出。叶柄长 0.5 ~ 1 cm。叶片纸质至薄革质。气清香，味微苦、辛。以完整、香气浓者为佳。

| **功能主治** | 微苦、辛，凉。清热解毒，祛风解表。用于中暑，咳嗽痰喘，胸闷，蚊虫叮咬，感冒。

| **用法用量** | 内服煎汤，6 ~ 18 g；或开水冲泡代茶。外用适量，鲜品涂擦。

蜡梅科 Calycanthaceae 蜡梅属 Chimonanthus

蜡梅
Chimonanthus praecox (L.) Link

| 药 材 名 | 蜡梅花（药用部位：花蕾。别名：铁筷子）、蜡梅根（药用部位：根）。

| 形态特征 | 落叶灌木，高达 4 m。树皮灰褐色，有皮孔。叶纸质至薄革质，卵圆形、椭圆形至卵状椭圆形，长 5 ~ 25 cm，宽 2 ~ 8 cm，先端渐尖、急尖或尾尖，基部急尖至圆形，侧脉 5 ~ 7 对，网脉明显，脉上疏生微毛；叶柄长 0.5 ~ 1 cm。花单生于二年生枝叶腋内，芳香浓郁，直径 2 ~ 4 cm；花被片约 16，基部有爪及紫红色晕；雄蕊 5 ~ 6，短小，长约 4 mm，花药先端伸长而成短尖头，有长约 3 mm 的退化雄蕊；雌蕊心皮 7 ~ 14，离生，着生于壶形花托内；花托外密被淡黄色短绒毛。成熟果托坛状或倒卵状椭圆形，瘦果，具 1 种子。花期 11 月至翌年 3 月，果期 4 ~ 11 月。

| **生境分布** | 生于海拔 350 ~ 1 200 m 的石灰岩山地的疏林、灌丛。栽培于公园、庭院，喜疏松肥沃、富含腐殖质的砂壤土。湖南有广泛分布。

| **资源情况** | 野生资源一般。栽培资源丰富。药材来源于野生和栽培。

| **采收加工** | **蜡梅花：**花未开放时采收，将花蕾用微火烘至表面干燥时取出，放置令回潮后，再复烘，反复几次，烘到花蕾全干为止。

蜡梅根：全年均可采挖，洗去泥土，鲜用，或烘干、晒干。

| **药材性状** | **蜡梅花：**本品呈圆形、短圆形或倒卵形，长 1 ~ 1.5 cm，宽 4 ~ 8 mm。花被片叠合，下半部被多数膜质鳞片，鳞片黄褐色，三角形，有微毛。气香，味微甜后苦，稍有油腻感。

蜡梅根：本品呈圆柱形或长圆锥形，直径 2 ~ 10 cm。表面黑褐色，具纵皱纹，有细须根及须根痕。质坚韧，不易折断，断面皮部棕褐色，木部浅黄白色，有放射状花纹。气芳香，味辛辣、苦。

| **功能主治** | **蜡梅花：**辛、甘、苦，凉。开胃散郁，解暑生津，止咳。用于气郁胸闷，暑热头晕，呕吐，麻疹，顿咳，烫火伤，中耳炎。

蜡梅根：辛，温；有毒。祛风理气，活血解毒。用于哮喘，胃痛，腹痛，劳伤咳嗽，风湿痹痛，疔疮肿毒，跌打损伤。

| **用法用量** | **蜡梅花：**内服煎汤，3 ~ 6 g。外用适量，浸油搽或滴耳。

蜡梅根：内服煎汤，3 ~ 10 g。外用适量，研末敷。

樟科 Lauraceae 黄肉楠属 Actinodaphne

红果黄肉楠

Actinodaphne cupularis (Hemsl.) Gamble

| 药 材 名 | 红果楠（药用部位：根、叶）。

| 形态特征 | 灌木或小乔木，高 2 ～ 10 m。小枝细，灰褐色，幼时被微柔毛。叶轮生，革质，长圆形至长圆状披针形，长 5.5 ～ 13.5 cm，宽 1.5 ～ 2.7 cm，两端渐尖或急尖，具羽状脉，中脉上面常凹下。花单性，雌雄异株，伞形花序单生或数个簇生，无总梗；苞片 5 ～ 6，常于开花时脱落；每一雄花花序有雄花 6 ～ 7，花梗及花被筒密生褐色长柔毛，花被片 6（～ 8），卵形，几相等，长约 2 mm，能育雄蕊 9，3 轮，花药椭圆形，4 室，均内向瓣裂，花丝长约 4 mm，退化雌蕊细小；雌花序常有雌花 5，子房椭圆形，无毛，柱头 2 裂。果实卵圆形或卵形，直径约 1 cm，成熟时呈红色，着生于杯状果

托上。花期 10 ~ 11 月，果期翌年 8 ~ 9 月。

| 生境分布 | 生于海拔 360 ~ 1 300 m 的山谷、山坡疏密林中或路边林缘。分布于湖南怀化（麻阳）、衡阳（常宁）、湘西州（吉首、泸溪、花垣、永顺、凤凰）等。

| 资源情况 | 野生资源一般。药材来源于野生。

| 采收加工 | 夏、秋季采收，除去杂质，洗净，晒干。

| 功能主治 | 辛，凉。解毒，消炎。用于疮疡，痔疮，烫火伤，足癣。

| 用法用量 | 内服煎汤，6 ~ 9 g；或磨汁服。外用适量，煎汤搽洗。

樟科 Lauraceae 无根藤属 Cassytha

无根藤 Cassytha filiformis L.

| **药 材 名** | 无根藤（药用部位：全草）。

| **形态特征** | 寄生缠绕草本，借盘状吸根攀附于寄主植物上。茎线形，绿色或绿褐色，稍木质。叶退化为微小的鳞片。穗状花序长 2 ~ 5 cm，密被锈色短柔毛；苞片和小苞片微小，宽卵圆形，长约 1 mm，褐色，被缘毛；花小，白色，长不及 2 mm，无梗；花被裂片 6，排成 2 轮，外轮 3 裂片较小，圆形，有缘毛，内轮 3 裂片较大，卵形，外面有短柔毛，内面几无毛；能育雄蕊 9，退化雄蕊 3，位于最内轮，三角形，具柄。果实小，卵球形，包藏于花后增大的肉质果托内，但彼此分离，先端有宿存的花被片。花果期 5 ~ 12 月。

| **生境分布** | 生于山坡灌丛或疏林中。分布于湖南永州（江永）。

| **资源情况** | 野生资源较稀少。药材来源于野生。

| **采收加工** | 全年均可采收，洗净，切段，晒干或阴干，亦可鲜用。

| **药材性状** | 本品呈细长圆柱形，略扭曲，直径 1 ~ 2.5 mm。表面黄绿色或黄褐色，具细纵纹和黄棕色茸毛，分枝处可见小鳞片，扭曲处常有盘状吸根。花小，排成穗状花序，长 2 ~ 5 cm。果实卵球形，包藏于肉质果托内，先端开口，直径约4 mm，无柄。质脆，断面皮部纤维性，木质部黄白色。气微，味淡。

| **功能主治** | 甘、微苦，凉；有小毒。清热利湿，凉血解毒。用于感冒发热，肝炎，疟疾，咯血，尿血，水肿，石淋，湿疹，疖肿。

| **用法用量** | 内服煎汤，9 ~ 15 g。外用适量，鲜品捣敷；或煎汤洗。

樟科 Lauraceae 樟属 Cinnamomum

毛桂
Cinnamomum appelianum Schewe

| 药 材 名 | 山桂皮（药用部位：树皮。别名：假桂皮）。

| 形态特征 | 小乔木，高 4 ~ 6 m，极多分枝。枝条略芳香，圆柱形，稍粗壮，当年生枝密被污黄色绒毛，老枝无毛，疏生皮孔；芽鳞覆瓦状排列，密被污黄色硬毛状绒毛。叶互生或近对生，椭圆形、椭圆状披针形至卵形，长 4.5 ~ 11.5 cm，宽 1.5 ~ 4 cm，先端骤短渐尖，基部楔形至近圆形，革质，离基三出脉；叶柄粗壮，密被柔毛。圆锥花序生于叶腋，苞片线形或披针形，长 2.5 ~ 3 mm，宽 0.7 mm，两面被柔毛，早落；花白色，长 3 ~ 5 mm；花梗长 2 ~ 3 mm，密被黄褐色微硬柔毛；花被筒倒锥形；能育雄蕊 9，稍短于花被片，3 轮；花柱粗壮，柱头盾形或头状。未成熟果实椭圆形，长约 6 mm，宽

4 mm，绿色；果托漏斗状，长达 1 cm，先端具齿裂，宽 7 mm。花期 4 ~ 6 月，果期 6 ~ 8 月。

| **生境分布** | 生于海拔（350 ~ ）500 ~ 1 400 m 的山坡或谷地的灌丛和疏林中。栽培于公园、路边、屋旁，喜疏松、透气性强的酸性土壤。分布于湖南怀化（中方、会同、麻阳、芷江、洪江）、湘西州（吉首、泸溪）等。

| **资源情况** | 野生资源较少。栽培资源较少。药材来源于野生和栽培。

| **采收加工** | 全年均可采收，洗净，切碎，晒干。

| **功能主治** | 辛，温。温中理气，发汗解肌。用于虚寒胃痛，泄泻，腰膝冷痛，风寒感冒，月经不调。

| **用法用量** | 内服煎汤，6 ~ 9 g。

樟科 Lauraceae 樟属 *Cinnamomum*

华南桂

Cinnamomum austrosinense H. T. Chang

| 药 材 名 |

野桂皮（药用部位：树皮）。

| 形态特征 |

乔木，高达 5 ~ 8（~ 16）m。树皮灰褐色。叶近对生或互生，椭圆形，长 14 ~ 16 cm，宽 6 ~ 7.5（~ 8）cm，边缘内卷，叶下密被贴伏而短的灰褐色微柔毛。圆锥花序腋生，长 9 ~ 13 cm，分枝最末端通常具 3 花，花黄绿色，长约 4.5 mm；花梗长约 2 mm，密被灰褐色微柔毛；花被内外两面密被灰褐微柔毛，花被筒倒锥形，长约 2 mm；能育雄蕊 9，花丝全长及花药背面被柔毛，第 1、2轮雄蕊花丝无腺体，第 3 轮雄蕊花丝中部有1 对近圆形的无柄腺体，药室 4，退化雄蕊 3，位于最内轮，三角形，具柄；子房圆球形。果实椭圆形，长约 1 cm，宽达 9 mm；果托浅杯状，高约 2.5 mm。花期 6 ~ 8 月，果期 8 ~ 10 月。

| 生境分布 |

生于海拔 600 ~ 700 m 的山坡、溪边常绿阔叶林或灌丛中。分布于湖南衡阳（耒阳）、郴州（永兴、临武）、长沙（浏阳）等。

| **资源情况** | 野生资源较少。药材来源于野生。

| **采收加工** | 全年均可采收，洗净，切碎，晒干。

| **药材性状** | 本品呈半卷筒状或为板状片块。表面灰褐色，有少量凸起的横纹及疤痕，并附有棕绿色地衣斑。质硬。气稍香，味辛辣、微甜。

| **功能主治** | 辛，温。散寒，温中，止痛。用于风湿关节痛，胃寒疼痛，疥癣。

| **用法用量** | 内服煎汤，3～6 g；或入丸、散剂。外用适量，研末调敷。

樟科 Lauraceae 樟属 Cinnamomum

猴樟
Cinnamomum bodinieri Lévl.

| 药 材 名 |

猴樟（药用部位：根皮、茎皮、枝叶）、猴樟果（药用部位：果实）。

| 形态特征 |

乔木，高达 16 m。树皮灰褐色。叶互生，卵圆形或椭圆状卵圆形，长 8 ~ 17 cm，宽 3 ~ 10 cm，厚纸质，上面幼时被极细的微柔毛，老时无毛，下面颜色苍白，密被绢状微柔毛；叶柄长 2 ~ 3 cm，略被微柔毛。圆锥花序在幼枝上腋生或侧生，长（5 ~）10 ~ 15 cm，多分枝；花两性，绿白色，长约 2.5 mm，花梗丝状，被绢状微柔毛，花被筒倒锥形，花被裂片 6，卵圆形，内面被白色绢毛；能育雄蕊 9，第 1、2 轮雄蕊花丝无腺体，第 3 轮雄蕊花丝近基部有 1 对肾形大腺体，退化雄蕊 3，心形。果实球形，直径 7 ~ 8 mm，绿色，无毛；果托浅杯状。花期 5 ~ 6 月，果期 7 ~ 8 月。

| 生境分布 |

生于海拔 400 ~ 1 480 m 的路旁、沟边、疏林或灌丛中。栽培于路边、公园，喜排水良好的环境，对土壤要求不高。分布于湖南衡阳（衡山）、怀化（鹤城、会同、麻阳、芷江、洪江）、湘西州（花垣、凤凰）、益阳（安化）等。

| 资源情况 | 野生资源较少。栽培资源一般。药材来源于野生和栽培。

| 采收加工 | **猴樟：** 全年均可采收，将根皮、茎皮刮去栓皮，洗净，晒干，枝叶多鲜用。

猴樟果： 秋季果实成熟时采摘，去净杂质，晒干。

| 功能主治 | **猴樟：** 辛，温。祛风除湿，温中散寒，行气止痛。用于风寒感冒，风湿痹痛，吐泻腹痛，腹中痞块，疝气疼痛，烫伤。

猴樟果： 辛，温。散寒，行气，止痛。用于虚寒胃痛，腹痛。

| 用法用量 | **猴樟：** 内服煎汤，10 ~ 15 g。外用适量，研末调敷；或研末酒炒，布包热敷。

猴樟果： 内服研末，1 ~ 3 g。

樟科 Lauraceae 樟属 Cinnamomum

樟

Cinnamomum camphora (L.) Presl

| 药 材 名 |

樟木（药用部位：木材。别名：樟材、香樟木）、樟树叶（药用部位：叶）、樟树皮（药用部位：树皮。别名：樟皮）、樟树子（药用部位：果实。别名：樟梨、樟子）、樟脑（药材来源：根、干、枝、叶经蒸馏精制而成的颗粒状结晶）。

| 形态特征 |

常绿大乔木，高可达 30 m，直径可达 3 m。树冠广卵形。树皮黄褐色，有不规则的纵裂。枝条圆柱形，无毛。叶互生，卵状椭圆形，长 6 ~ 12 cm，宽 2.5 ~ 5.5 cm，先端急尖，基部宽楔形至近圆形，全缘，上面有光泽，两面无毛，具离基三出脉或不明显 5 脉，中脉两面明显，侧脉（1 ~ ）3 ~ 5（~ 7）对，侧脉及支脉脉腋上面明显隆起，下面腺窝明显，窝内常被柔毛；叶柄纤细，腹凹背凸，无毛。圆锥花序腋生；花绿白色或带黄色，长约 3 mm；花被筒倒锥形，花被裂片椭圆形；能育雄蕊 9，花丝被短柔毛，退化雄蕊 3，被短柔毛；雌蕊无毛。果实卵球形或近球形，直径 6 ~ 8 mm，成熟时呈紫黑色；果托杯状，先端截平，具纵向沟纹。花期 4 ~ 5 月，果期 8 ~ 11 月。

| 生境分布 | 生于海拔 600 m 以下的山坡或沟谷中。栽培于公园、屋旁、路边。湖南各地均有分布。

| 资源情况 | 野生资源较丰富。栽培资源丰富。药材来源于野生和栽培。

| 采收加工 | **樟木**：冬季砍取树干，锯断，劈成小块，晒干。
樟树叶：全年均可采收，鲜用或晒干。
樟树皮：全年均可剥取，切段，鲜用或晒干。
樟树子：秋、冬季采集成熟的果实，晒干。
樟脑：除春分至立夏期间外，均可采收根、干、枝、叶，用蒸馏法提取樟脑油，升华后得樟脑粉。

| 药材性状 | **樟木**：本品呈形状不规则的木块，外表面赤棕色至暗棕色，横断面可见年轮，质地重而硬。气香，味辛、凉。以块大、完整、香气浓郁者为佳。
樟树皮：本品表面光滑，黄褐色、灰褐色或褐色，有纵裂沟缝。气香，味辛、苦。
樟树子：本品呈圆球形，棕黑色至紫黑色，表面皱缩不平，或有光泽，有的基部尚包有宿存的花被。果皮肉质而薄，内含种子 1，黑色。气香，味辛、辣。以个大、饱满、干燥、无杂质者为佳。
樟脑：本品纯品为雪白的结晶性粉末，或无色透明的硬块。粗制品略带黄色，有光亮。在常温下容易挥发，点火能发出多烟而有光的火焰。气香，味辛、辣。

以洁白、纯净、透明、干爽、无杂质者为佳。

| **功能主治** | **樟木:** 辛、微甘,温。归肝、胃经。祛风除湿,止泻,止血。用于皮肤痒疹,风湿痹痛,泄泻,痢疾,腹痛,寒结肿毒,外伤出血。

樟树叶: 苦、辛,温。归心、脾、肺经。祛风除湿,止痛,杀虫。用于风湿骨痛,跌打损伤,疥癣。

樟树皮: 苦、辛,温。归脾、胃、肺经。祛风除湿,暖胃和中,杀虫疗疮。用于风湿痹痛,胃脘疼痛,呕吐,泄泻,脚气肿痛,跌打损伤,疥癣疮毒,毒虫螫伤。

樟树子: 辛,温。归肝、胃经。散寒祛湿,行气止痛。用于吐泻,胃寒腹痛,脚气,肿毒。

樟脑: 辛,温。归心、脾经。通窍辟秽,温中止痛,利湿杀虫。用于心腹胀痛,脚气,疮疡疥癣,牙痛,跌打损伤。

| **用法用量** | **樟木:** 内服煎汤,10 ~ 20 g;或研末,3 ~ 6 g;或浸酒。外用适量,煎汤洗。

樟树叶: 内服煎汤,3 ~ 10 g;或捣汁;或研末。外用适量,煎汤洗;或捣敷。

樟树皮: 内服煎汤,10 ~ 15 g;或浸酒。外用适量,煎汤洗。

樟树子: 内服煎汤,10 ~ 15 g。外用适量,煎汤洗。

樟脑: 内服入丸、散剂,0.06 ~ 0.15 g。外用适量,研末,溶于酒中或入软膏中敷搽。

樟科 Lauraceae 樟属 Cinnamomum

天竺桂 *Cinnamomum japonicum* Sieb.

药材名

天竺桂（药用部位：树皮。别名：山肉桂、野桂）、桂子（药用部位：果实。别名：天竺桂实）。

形态特征

常绿乔木，高 10 ～ 15 m。枝条红色或红褐色，具香气。叶近对生或上部互生，卵圆状长圆形至长圆状披针形，长 7 ～ 10 cm，宽 3 ～ 3.5 cm，先端锐尖至渐尖，基部宽楔形或钝形，革质，两面无毛，离基三出脉；叶柄粗壮，腹凹背凸，红褐色，无毛。圆锥花序腋生，末端具由 3 ～ 5 花组成的聚伞花序；花长约 4.5 mm；花被筒倒锥形，花被裂片 6，卵圆形，长约 3 mm，宽约 2 mm，先端锐尖，外面无毛，内面被柔毛；能育雄蕊 9，花药卵圆状椭圆形，先端钝，4 室，花丝长约 2 mm，被柔毛，第 3 轮花丝近中部有 1 对圆状肾形腺体，退化雄蕊 3；子房卵珠形，略被微柔毛，花柱稍长于子房，柱头盘状。果实长圆形，长 7 mm，宽 5 mm，无毛；果托浅杯状。花期 4 ～ 5 月，果期 7 ～ 9 月。

| **生境分布** | 生于低山常绿阔叶林中。栽培于路边、公园，喜弱酸性至中性土壤。湖南有广泛分布。 |

| **资源情况** | 野生资源较少。栽培资源一般。药材来源于野生和栽培。 |

| **采收加工** | 天竺桂：全年均可采收，阴干。
桂子：7～9月果实成熟时采集，晒干。 |

| **药材性状** | 天竺桂：本品呈半筒状或不规则块片状。外表面红棕色或棕褐色，皮孔横向或圆形，有时可见灰白色斑纹；内表面暗紫色，划之油痕不明显。质地较硬，难折断，断面不平坦，线纹不明显，外层黄棕色，且有众多黄白色斑点，内层紫褐色而油润、细腻。气香，味辣，嚼之渣少。 |

| **功能主治** | 天竺桂：甘、辛，温。温中散寒，理气止痛。用于胃痛，腹痛，风湿关节痛；外用于跌打损伤。
桂子：辛、甘，温。归胃经。温中，和胃。用于胃痛，哕逆。 |

| **用法用量** | 天竺桂：内服煎汤，1～5 g。外用适量，研末，水调或酒调敷。
桂子：内服煎汤，3～6 g。 |

樟科 Lauraceae 樟属 Cinnamomum

野黄桂

Cinnamomum jensenianum Hand.-Mazz.

| 药 材 名 |

山玉桂（药用部位：树皮、叶）。

| 形态特征 |

常绿小乔木。树皮灰褐色，有桂皮香味。枝条无毛；芽纺锤形，外面被极短的绢状毛。叶近对生，披针形或长圆状披针形，长 5 ~ 10（~ 20）cm，宽 1.5 ~ 3（~ 6）cm，先端尾状渐尖，基部宽楔形至近圆形，厚革质，上面绿色，下面灰白色，具离基三出脉。花序伞房状，具 2 ~ 5 花，长 3 ~ 4 cm，总花梗纤细；苞片及小苞片长约 2 mm，早落；花黄色或白色；花梗直伸，向上渐增大；花被外面无毛，内面被丝毛，边缘具乳突小纤毛；花被筒极短，花被裂片 6，倒卵圆形，近等大；能育雄蕊 9，花丝被疏柔毛，退化雄蕊 3，位于最内轮，三角形；子房卵珠形，无毛，柱头盘状，具不规则圆裂。果实卵球形，先端具小突尖，无毛；果托倒卵形，具齿裂。花期 4 ~ 6 月，果期 7 ~ 8 月。

| 生境分布 |

生于海拔 500 ~ 1 600 m 的山坡常绿阔叶林或竹林中。分布于湖南郴州（宜章）、怀化

（麻阳）等。

| **资源情况** | 野生资源较少。药材来源于野生。

| **采收加工** | 全年均可采收，切碎，晒干。

| **功能主治** | 辛、甘，温。归肝、胃经。行气活血，散寒止痛。用于脘腹冷痛，风寒湿痹，跌打损伤。

| **用法用量** | 内服煎汤，5 ~ 10 g；或研末，1 ~ 1.5 g。外用适量，研末调敷。

樟科 Lauraceae 樟属 Cinnamomum

少花桂

Cinnamomum pauciflorum Nees

药材名

少花桂（药用部位：树皮。别名：官桂）。

形态特征

乔木，高 3 ~ 14 m。树皮黄褐色，具白色皮孔，有香气。叶互生，卵圆形或卵圆状披针形，长（3 ~ ）6.5 ~ 10.5 cm，宽（1.2 ~ ）2.5 ~ 5 cm，先端短渐尖，基部宽楔形至近圆形，边缘内卷，厚革质，上面绿色，无毛，下面粉绿色，幼时被或疏或密的灰白色短丝毛，老时毛渐脱落至无毛，具三出脉或离基三出脉；叶柄长达 12 mm，近无毛。圆锥花序腋生，长 2.5 ~ 5（ ~ 6.5）cm，有 3 ~ 5（ ~ 7）花，花序常呈伞房状；花黄白色，长 4 ~ 5 mm；花梗长 5 ~ 7 mm，被灰白色微柔毛；花被两面被灰白色短丝毛，花被裂片 6；能育雄蕊 9，花丝略被柔毛，第 3 轮雄蕊花药长约为花丝的一半，上部有 1 对具短柄的圆状肾形腺体，退化雄蕊 3。果实椭圆形，长 11 mm，直径 5 ~ 5.5 mm，成熟时呈紫黑色，具栓质斑点。花期 3 ~ 8 月，果期 9 ~ 10 月。

生境分布

生于海拔 400 ~ 1 800 m 的石灰岩或砂岩山

地中。分布于湖南郴州（桂阳、宜章、汝城）、怀化（中方）、娄底（新化）等。

| **资源情况** | 野生资源较少。药材来源于野生。

| **采收加工** | 夏、秋季采收，阴干。

| **药材性状** | 本品呈板片状、槽状或卷筒状，厚 2 ~ 5 mm。外表面灰褐色或棕褐色，部分药材有龟纹状的凹斑或灰白色地衣斑；内表面红棕色至棕褐色，较平滑，有细纵纹。质硬而脆，易折断，断面不平坦，微有颗粒。气微香，味辛、凉，嚼之起涩。

| **功能主治** | 辛，温。归脾、胃经。祛风止痛。用于胃痛，腹泻，风湿关节痛，跌仆损伤，疮疖。

| **用法用量** | 内服煎汤，3 ~ 6 g。

樟科 Lauraceae 樟属 Cinnamomum

黄樟
Cinnamomum porrectum (Roxb.) Kosterm.

药材名

黄樟（药用部位：树皮、根、叶）。

形态特征

乔木，高 10 ~ 20 m。树皮暗灰褐色，深纵裂，小片剥落，内皮带红色，具有樟脑气味。小枝具棱角，无毛。叶互生，叶片革质，椭圆状卵形或长椭圆状卵形，长 6 ~ 12 cm，宽 3 ~ 6 cm，先端急尖或短渐尖，基部楔形或阔楔形，两面无毛，羽状叶脉，中脉在叶面凸起；叶柄长 1.5 ~ 3 cm，无毛。圆锥花序于枝条上部腋生或近顶生，长 4.5 ~ 8 cm，总梗长 3 ~ 5.5 cm，无毛。花小，长约 3 mm，绿色带黄色；花被外面无毛，内面被短柔毛，花被筒倒锥形；能育雄蕊 9，花丝被短柔毛，第 3 轮雄蕊近基部有 1 对具短柄的近心形腺体；退化雄蕊 3，三角状心形。果实球形，直径 6 ~ 8 mm，黑色；果托红色，有纵长条纹。花期 3 ~ 5 月，果期 4 ~ 10 月。

生境分布

生于海拔 1 500 m 以下的常绿阔叶林或灌丛中。分布于湖南常德（汉寿）、怀化（鹤城、中方）、湘西州（保靖）等。

| **资源情况** | 野生资源较少。药材来源于野生。

| **采收加工** | 全年均可采收，除去杂质，晒干或鲜用。

| **功能主治** | 辛、微苦，温。归肺、脾、肝经。祛风散寒，温中止痛，行气活血。用于风寒感冒，风湿痹痛，胃寒腹痛，泄泻，痢疾，跌打损伤，月经不调。

| **用法用量** | 内服煎汤，10 ~ 15 g。外用适量，煎汤熏洗；或捣敷。

| **附　注** | 本种的拉丁学名在 FOC 中被修订为 *Cinnamomum parthenoxylon* (Jack) Meisner。

樟科 Lauraceae 樟属 Cinnamomum

香桂 *Cinnamomum subavenium* Miq.

| 药 材 名 |

香桂（药用部位：树皮、根、叶。别名：山肉桂、假桂皮）。

| 形态特征 |

乔木，高达 20 m。树皮灰色，平滑。枝条密被黄色平伏绢状短柔毛。叶近对生或互生，椭圆形、卵状椭圆形至披针形，长 4 ~ 13.5 cm，宽 2 ~ 6 cm，先端渐尖或短尖，基部楔形至圆形，幼时被黄色平伏绢状短柔毛，老时毛渐脱落，革质，具三出脉或近离基三出脉；叶柄长 5 ~ 15 mm，密被黄色平伏绢状短柔毛。花淡黄色，长 3 ~ 4 mm；花梗长 2 ~ 3 mm，密被黄色平伏绢状短柔毛；花被内外两面密被短柔毛，花被筒倒锥形；花被裂片 6；能育雄蕊 9，花丝全体及花药背面被柔毛，第 3 轮雄蕊花丝近基部有 1 对具短柄的圆状肾形腺体，退化雄蕊 3，具柄，被柔毛；子房球形，无毛。果实椭圆形，长约 7 mm，宽 5 mm，成熟时呈蓝黑色。花期 6 ~ 7 月，果期 8 ~ 10 月。

| 生境分布 |

生于海拔 1 500 m 以下的山坡或山谷常绿阔叶林中。分布于湖南衡阳（常宁）、怀化

（洪江、新晃、沅陵）、湘西州（龙山）、株洲（攸县）等。

| **资源情况** | 野生资源较少。药材来源于野生。

| **采收加工** | 全年均可采收，除去杂质，晒干或鲜用。

| **功能主治** | 辛，温。归胃、肝经。祛寒镇痛，行气健胃。用于风湿痹痛，创伤出血。

| **用法用量** | 内服煎汤，5～10 g；或入丸、散剂。外用适量，研末敷；或捣敷。

樟科 Lauraceae 樟属 Cinnamomum

川桂
Cinnamomum wilsonii Gamble

| 药 材 名 | 官桂（药用部位：树皮。别名：柴桂、川桂皮）。

| 形态特征 | 乔木，高达 25 m。叶互生或近对生，卵圆形或卵圆状长圆形，长
8.5 ~ 18 cm，宽 3.2 ~ 5.3 cm，先端渐尖，尖头钝，基部渐狭，下
延至叶柄，但有时为近圆形，革质，边缘软骨质而内卷，幼时明显
被白色丝毛，老时无毛，具离基三出脉，中脉与侧脉在两面均凸起；
叶柄无毛。圆锥花序腋生，长 3 ~ 9 cm；花白色，长约 6.5 mm；花
梗丝状，被细微柔毛；花被内外两面被丝状微柔毛；花被筒倒锥形；
花被裂片卵圆形；能育雄蕊 9，花丝被柔毛，第 3 轮雄蕊中部有 1
对呈肾形的无柄腺体，退化雄蕊 3；子房卵球形。果实椭圆状球形，
长 14 ~ 17 mm，直径 8 ~ 11 mm；果托碗状。花期 4 ~ 5 月，果期

6 月以后。

| **生境分布** | 生于海拔 800 ~ 2 100 m 的山地沟谷林中。栽培于房前屋后。湖南有广泛分布。

| **资源情况** | 野生资源一般。栽培资源一般。药材来源于野生和栽培。

| **采收加工** | 夏至前后采收，阴干。

| **药材性状** | 本品呈卷筒状或槽状，厚 3 ~ 5 mm。外表面灰褐色，粗糙，有明显纵皱纹及横向凸起的皮孔；内表面棕褐色，较平滑，有细纵纹。质坚硬，折断面略呈颗粒状。气微香，味微甘、涩，嚼之有凉舌感。

| **功能主治** | 辛、甘，温。归脾、胃、肝、肾经。温脾胃，暖肝肾，祛寒止痛，散瘀消肿。用于脘腹冷痛，呕吐，泄泻，寒疝腹痛，腰膝冷痛，跌打损伤。

| **用法用量** | 内服煎汤，6 ~ 12 g。外用适量，研末，用水或酒调敷。

樟科 Lauraceae 厚壳桂属 Cryptocarya

黄果厚壳桂

Cryptocarya concinna Hance

| 药 材 名 | 黄果厚壳桂（药用部位：茎皮）。

| 形态特征 | 乔木，高达 18 m，胸径 35 cm；树皮淡褐色。枝条灰褐色，多少有棱角，具纵向细条纹，无毛；幼枝纤细，有棱角及纵向细条纹，被黄褐色短绒毛。叶互生，椭圆状长圆形或长圆形，长（3 ~）5 ~ 10 cm，宽（1.5 ~）2 ~ 3 cm，先端钝、近急尖或短渐尖，基部楔形，两侧常不相等，坚纸质，上面稍光亮，无毛，下面带绿白色，略被短柔毛，后变无毛，中脉在上面凹陷，在下面凸起，侧脉每边4 ~ 7，在上面不明显，在下面明显，横脉及细脉构成不规则网状，在上面不明显，在下面多少明显；叶柄长 0.4 ~ 1 cm，腹凹背凸，被黄褐色短柔毛。圆锥花序腋生及顶生，长（2 ~）4 ~ 8 cm，被短柔毛，向上多分枝，总梗被短柔毛；苞片十分细小，三角形，花

长达 3.5 mm；花梗长 1 ~ 2 mm，被短柔毛；花被两面被短柔毛，花被筒近钟形，长约 1 mm，花被裂片长圆形，长约 2.5 mm，先端钝；能育雄蕊 9，花药长圆形，长约 1 mm，药隔十分伸出，伸出部分长 1/3 mm，花丝基部被柔毛，长 1.4 ~ 1.5 mm，第 1、2 轮雄蕊花药药室向内，花丝无腺体，第 3 轮雄蕊花药药室向外，花丝基部有 1 对具柄腺体；退化雄蕊 3，位于最内轮，三角状披针形，长 1 ~ 1.5 mm；子房包藏于花被筒中，长倒卵形，上端渐狭成花柱，柱头斜截形。果实长椭圆形，长 1.5 ~ 2 cm，直径约 8 mm，幼时深绿色，有纵棱 12，成熟时黑色或蓝黑色，纵棱有时不明显。花期 3 ~ 5 月，果期 6 ~ 12 月。

| **生境分布** | 生于海拔 600 m 以下的谷地或缓坡常绿阔叶林中。分布于湖南邵阳（城步）、怀化（通道）、永州（江华、江永、道县）等。

| **资源情况** | 野生资源稀少。药材来源于野生。

| **功能主治** | 清热解毒。

樟科 Lauraceae 山胡椒属 Lindera

乌药

Lindera aggregata (Sims) Kosterm.

| 药 材 名 | 乌药（药用部位：块根）、乌药叶（药用部位：叶）。

| 形态特征 | 常绿灌木或小乔木，高可达 5 m。根有纺锤状或结节状膨胀，长 6 ~ 15 cm，直径 1 ~ 3 cm，表面有细皱纹。幼枝青绿色，具纵向细条纹，密被金黄色绢毛，老时无毛。叶互生，卵形、椭圆形至近圆形，通常长 2.7 ~ 5 cm，宽 1.5 ~ 4（~ 7）cm，先端长渐尖或尾尖，基部圆形，革质，上面绿色，下面苍白色，幼时密被棕褐色柔毛，后渐脱落，两面有小凹窝，具三出脉；叶柄有褐色柔毛，后毛渐脱落。伞形花序腋生，无总梗；每花序内有花 7，花被裂片椭圆形，外面被白色柔毛；雄蕊 9，花丝被疏柔毛，退化雌蕊坛状；雌花中退化雄蕊条片状，雌蕊被毛，子房椭圆形，柱头头状；

花梗长 3 ~ 4 mm，密被毛。果实卵形或近圆形，长 0.6 ~ 1 cm，直径 4 ~ 7 mm。花期 3 ~ 4 月，果期 5 ~ 11 月。

| 生境分布 | 生于海拔 200 ~ 1 000 m 的向阳坡地、山谷或疏林、灌丛中。湖南各地均有分布。

| 资源情况 | 野生资源丰富。药材来源于野生。

| 采收加工 | **乌药：** 全年均可采挖，除去细根，洗净，趁鲜切片后晒干或直接晒干。
乌药叶： 全年均可采收，洗净，鲜用或晒干。

| 药材性状 | **乌药：** 本品多呈纺锤状，略弯曲，有的中部收缩成连珠状，长 6 ~ 15 cm，直径 1 ~ 3 cm。表面黄棕色或黄褐色，有纵皱纹及稀疏的细根痕。质坚硬。切片厚 0.2 ~ 2 mm，切面黄白色或淡黄棕色，射线呈放射状，可见年轮环纹，中心颜色较深。气香，味微苦、辛，有清凉感。

| 功能主治 | **乌药：** 辛，温。归肺、脾、肾、膀胱经。行气止痛，温肾散寒。用于寒凝气滞，胸腹胀痛，气逆喘急，膀胱虚冷，遗尿，尿频，疝气疼痛，经寒腹痛。
乌药叶： 辛，温。归脾、肾经。温中理气，消肿止痛。用于腹冷痛，小便频数，风湿痹痛，跌打伤痛，烫伤。

| 用法用量 | **乌药：** 内服煎汤，6 ~ 10 g；或入丸、散剂。
乌药叶： 内服煎汤，6 ~ 10 g。外用适量，鲜品捣敷。

樟科 Lauraceae 山胡椒属 Lindera

狭叶山胡椒

Lindera angustifolia Cheng

| 药 材 名 | 见风消（药用部位：枝、叶、根。别名：鸡婆子）。

| 形 态 特 征 | 落叶灌木或小乔木，高 2 ~ 8 m。幼枝条黄绿色，无毛；冬芽卵形，紫褐色，芽鳞具脊，外面芽鳞无毛，内面芽鳞背面被绢质柔毛，内面无毛。叶互生，椭圆状披针形，长 6 ~ 14 cm，宽 1.5 ~ 3.5 cm，先端渐尖，基部楔形，近革质，上面绿色，无毛，下面苍白色，沿脉被疏柔毛，羽状脉，侧脉 8 ~ 10 对。2 ~ 3 伞形花序生于冬芽基部；雄花序有花 3 ~ 4，花梗长 3 ~ 5 mm，花被片 6，能育雄蕊 9；雌花序有花 2 ~ 7，花梗长 3 ~ 6 mm，花被片 6，退化雄蕊 9，子房卵形，无毛，柱头头状。果实球形，直径约 8 mm，成熟时呈黑色；果托直径约 2 mm；果柄长 0.5 ~ 1.5 cm，被微柔毛或无毛。花期

3 ～ 4 月，果期 9 ～ 10 月。

| **生境分布** | 生于海拔 800 m 以下的山坡灌丛或疏林中。湖南有广泛分布。

| **资源情况** | 野生资源较丰富。药材来源于野生。

| **采收加工** | 秋季采收，晒干或鲜用。

| **功能主治** | 辛，温。归肺、肝、胃、大肠经。祛风除湿，行气散寒，解毒消肿。用于风寒感冒，头痛，风湿痹痛，四肢麻木，痢疾，肠炎，跌打损伤，疮疡肿毒，荨麻疹，淋巴结结核。

| **用法用量** | 内服煎汤，10 ～ 15 g。外用适量，鲜叶捣敷，根研末调敷。

樟科 Lauraceae 山胡椒属 Lindera

香叶树 *Lindera communis* Hemsl.

| 药 材 名 |

香叶树（药用部位：树皮、叶。别名：小粘叶）。

| 形态特征 |

常绿灌木或小乔木，高（1～）3～4 m。小枝纤细，平滑，具纵条纹，被黄白色短柔毛，基部有密集芽鳞痕。叶互生，通常为披针形、卵形或椭圆形，长（3～）4～7（～12.5）cm，宽（1～）1.5～3（～4.5）cm，先端渐尖至骤尖，基部宽楔形或近圆形，革质，上面绿色，无毛，下面灰绿色或浅黄色，被黄褐色柔毛，后毛渐脱落，具羽状脉；叶柄长5～8 mm，被黄褐色微柔毛或近无毛。伞形花序单生或2花序同生于叶腋，总梗极短，每花序内有花5～8，花被裂片卵形，背面有微柔毛；雄蕊9，花丝略被毛或无毛，退化雌蕊细小；雌花中退化雄蕊条形，雌蕊无毛，子房椭球形，柱头盾形；花梗长2～2.5 mm，被毛。果实卵形，长约1 cm，宽7～8 mm，无毛，成熟时呈红色；果柄长4～7 mm，被黄褐色微柔毛。花期3～4月，果期9～10月。

| **生境分布** | 生于海拔 1 300 m 以下的山地或丘陵林中。湖南有广泛分布。

| **资源情况** | 野生资源一般。药材来源于野生。

| **采收加工** | 全年均可采收，晒干或鲜用。

| **功能主治** | 微辛、微苦，温。归肺、肾经。散瘀消肿，止血，止痛，解毒。用于骨折，跌打肿痛，外伤出血，疮疖痈肿。

| **用法用量** | 内服煎汤，6 ~ 9 g。外用适量，鲜品捣敷；或研末调敷。

樟科 Lauraceae 山胡椒属 Lindera

红果山胡椒

Lindera erythrocarpa Makino

药材名

钓樟枝叶（药用部位：枝、叶）、钓樟根皮（药用部位：根皮）。

形态特征

落叶灌木或小乔木，高达 5 m。树皮灰褐色，幼枝条通常为灰白色或灰黄色，多皮孔，皮粗糙；冬芽角锥形。叶互生，通常为倒披针形，偶为倒卵形，先端渐尖，基部狭楔形，长（5 ～）9 ～ 12（～ 15）cm，宽（1.5 ～）4 ～ 5（～ 6）cm，纸质，叶面有贴伏柔毛或无毛，叶背脉上毛较密，具羽状脉，侧脉 4 ～ 5 对。伞形花序腋生，总梗长约 5 mm，每花序内有花 15 ～ 17，花被片 6，椭圆形，背面被毛；雄蕊 9，花丝无毛，退化雌蕊细小，花梗长约 3.5 mm，被疏柔毛；雌花中退化雄蕊条形，雌蕊无毛，子房狭椭圆形，柱头盘状；花梗长约 1 mm。果实球形，直径 7 ～ 8 mm，成熟时呈红色；果柄长 1.5 ～ 1.8 cm，向先端渐增粗至果托。花期 4 月，果期 9 ～ 10 月。

生境分布

生于海拔 1 000 m 以下的山地林中。湖南有广泛分布。

| **资源情况** | 野生资源较丰富。药材来源于野生。

| **采收加工** | 钓樟枝叶：春、夏、秋季均可采收，洗净，切碎，鲜用或晒干。
钓樟根皮：全年均可采收，洗净，晒干。

| **功能主治** | 钓樟枝叶：辛，温。祛风杀虫，敛疮止血。用于疥癣疡疮，外伤出血，手足皲裂。
钓樟根皮：辛，温。归脾、胃经。暖胃温中，行气止痛，祛风除湿。用于胃寒吐泻，腹痛腹胀，水肿脚气，风湿痹痛，疥癣湿疮，跌打损伤。

| **用法用量** | 钓樟枝叶：内服煎汤，6 ~ 15 g。外用适量，捣敷；或煎汤洗；或研末搽。
钓樟根皮：内服煎汤，3 ~ 10 g。外用适量，煎汤洗。

樟科 Lauraceae 山胡椒属 *Lindera*

绒毛钓樟 *Lindera floribunda* (Allen) H. P. Tsui

| **药 材 名** | 绒毛钓樟（药用部位：树皮、根皮）。

| **形态特征** | 常绿乔木，高 4 ～ 10 m。幼枝密被灰褐色茸毛，树皮灰白色或灰褐色，有纵裂及皮孔；芽卵形，芽鳞密被灰白色毛。叶互生，倒卵形或椭圆形，长（6.5 ～）7 ～ 10（～ 11）cm，宽 4.5 ～ 6.5 cm，先端渐尖，坚纸质，三出脉，网脉明显，叶背密被黄褐色绒毛；叶柄长约 1 cm。伞形花序 3 ～ 7 腋生于极短枝上；总苞片 4，外面被银白色柔毛，内有花 5；雄花花被片 6，椭圆形，近等长，外面密被柔毛，内面无毛，雄蕊 9，花柱密被柔毛，柱头盘状；雌花小，花被片近等长，退化雄蕊 9，等长，条片形，被疏柔毛，子房椭圆形，连同花柱密被银白色绢毛，柱头盘状，2 裂。果实椭圆形，

长 0.8 cm，直径 0.4 cm，幼时被绒毛；果柄短，长 0.8 cm；果托盘状，膨大。花期 3 ~ 4 月，果期 4 ~ 8 月。

| **生境分布** | 生于海拔 300 ~ 1 300 m 的丘陵或山地林中。分布于湘西、湘中、湘东等。

| **资源情况** | 野生资源一般。药材来源于野生。

| **采收加工** | 全年均可采收，洗净，晒干。

| **功能主治** | 辛，温。行气止痛，止血。用于泄泻，关节疼痛，跌打损伤，外伤出血。

| **用法用量** | 内服煎汤。外用适量，研末调敷。

樟科 Lauraceae 山胡椒属 Lindera

香叶子

Lindera fragrans Oliv.

药材名

香叶子（药用部位：树皮、叶）。

形态特征

常绿小乔木，高达 5 m。树皮黄褐色，有纵裂及皮孔。叶互生，披针形至长狭卵形，先端渐尖，基部楔形或宽楔形，上面绿色，无毛，下面绿色带苍白色，无毛或被白色微柔毛，具三出脉，第 1 对侧脉紧沿叶缘上伸，纤细而不甚明显，但有时几与叶缘并行而近似羽状脉；叶柄长 5 ~ 8 mm。伞形花序腋生；总苞片 4，内有花 2 ~ 4；雄花黄色，有香味，花被片 6，近等长，外面密被黄褐色短柔毛，雄蕊 9，花丝无毛，第 3 轮花丝基部有宽肾形、几无柄的腺体 2，退化子房长椭圆形，柱头盘状；雌花未见。果实长卵形，长 1 cm，宽 0.7 cm，幼时呈青绿色，成熟时呈紫黑色；果柄长 0.5 ~ 0.7 cm，有疏柔毛；果托膨大。花期 4 ~ 5 月，果期 7 ~ 8 月。

生境分布

生于海拔 300 ~ 2 030 m 的疏林下及多岩石的沟谷中。分布于湖南怀化（洪江）、湘西州（龙山）、邵阳（武冈）等。

| **资源情况** | 野生资源较少。药材来源于野生。

| **采收加工** | 全年均可采收，切碎，晒干。

| **功能主治** | 辛，温。归胃经。温中行气，祛风散寒。用于风寒感冒，胃脘疼痛，消化不良，风湿痹痛。

| **用法用量** | 内服煎汤，6 ~ 10 g。

樟科 Lauraceae 山胡椒属 Lindera

绿叶甘橿 *Lindera fruticosa* Hemsl.

| 药 材 名 | 绿叶甘橿（药用部位：果实）。

| 形态特征 | 落叶灌木或小乔木，高达 6 m。幼枝青绿色，无毛。叶互生，纸质，卵形至宽卵形，长 5 ~ 14 cm，宽 2.5 ~ 8 cm，先端渐尖，基部圆形，上面无毛，下面苍绿色，初时密被柔毛，后毛渐脱落，具三出脉或离基三出脉；叶柄长 1 ~ 2 cm。伞形花序 2，生于叶芽两侧，总梗长约 4 mm，无毛，每花序内有花 7 ~ 9；雄花花被片宽椭圆形或近圆形，雄蕊无毛，退化雌蕊细小；雌花花被片宽倒卵形，退化雄蕊条形，雌蕊无毛，子房椭圆形，无毛；花梗长 2 mm，被微柔毛。果实近球形，直径 6 ~ 8 mm；果柄长 4 ~ 7 mm。花期 4 月，果期 9 月。

| 生境分布 | 生于海拔 2 100 m 以下的山地林中。分布于湖南邵阳（绥宁）、常

德（汉寿）、张家界（武陵源）、怀化（洪江）、湘潭（湘乡）、湘西州（龙山）等。

| 资源情况 | 野生资源较少。药材来源于野生。

| 采收加工 | 秋季果实成熟时采收。

| 功能主治 | 祛风散寒，理气止痛，止喘。用于腹痛，消化不良。

| 附　　注 | 本种的拉丁学名在 FOC 中被修订为 *Lindera neesiana* (Wallich ex Nees) Kurz。

樟科 Lauraceae 山胡椒属 Lindera

山胡椒 *Lindera glauca* (Sieb. et Zucc.) Bl.

| 药 材 名 | 山胡椒（药用部位：果实）、山胡椒叶（药用部位：叶）、山胡椒根（药用部位：根）。

| 形态特征 | 落叶灌木或小乔木，高可达 8 m。幼枝条白黄色，初有褐色毛，后毛脱落。叶互生，纸质，宽椭圆形、椭圆形、倒卵形至狭倒卵形，长 4 ~ 9 cm，宽 2 ~ 4（ ~ 6）cm，叶背被白色柔毛，具羽状脉；叶枯后不落，翌年新叶发出时落下。伞形花序腋生，总梗短或不明显，长不及 3 mm；每花序内有花 3 ~ 8，花被裂片椭圆形，背面基部有柔毛；雄花中有雄蕊 9，雄蕊无毛，退化雌蕊细小，花梗长约 1.2 cm，密被白色柔毛；雌花中退化雄蕊条形，雄蕊无毛，子房椭圆形，柱头盘状，花梗长 3 ~ 6 mm。果实球形，直径 6 ~ 7 mm；果托碟状，

直径约 3 mm；果柄长 10 ~ 15 mm，无毛或有疏柔毛。花期 3 ~ 4 月，果期 7 ~ 8 月。

| 生境分布 | 生于海拔 900 m 以下的山坡、林缘、路旁。湖南各地均有分布。

| 资源情况 | 野生资源丰富。药材来源于野生。

| 采收加工 | 山胡椒：秋季果实成熟时采收，晒干。
山胡椒叶：秋季采收，晒干或鲜用。
山胡椒根：秋季采收，晒干或鲜用。

| 药材性状 | 山胡椒叶：本品呈宽椭圆形、椭圆形、倒卵形至狭倒卵形，长 4 ~ 9 cm，宽 2 ~ 6 cm，叶背被白色柔毛。气微芳香，味辛，凉。
山胡椒根：本品呈长圆柱形。表面棕褐色。质坚硬，难折断，断面黄白色。气微芳香，味辛，凉。

| 功能主治 | 山胡椒：辛，温。归肺、胃经。温中散寒，行气止痛，平喘。用于脘腹冷痛，胸满痞闷，哮喘。

山胡椒叶：苦、辛，微寒。归膀胱、肝经。解毒消疮，祛风止痛，止痒，止血。用于疮疡肿毒，风湿痹痛，跌打损伤，外伤出血，皮肤瘙痒，蛇虫咬伤。

山胡椒根：辛，温。归肝、胃经。祛风通络，理气活血，利湿消肿，化痰止咳。用于风湿痹痛，跌打损伤，胃脘疼痛，脱力劳伤，支气管炎，水肿。

| 用法用量 | 山胡椒：内服煎汤，3 ~ 15 g。
山胡椒叶：内服煎汤，10 ~ 15 g；或浸酒。外用适量，捣敷；或研末敷。
山胡椒根：内服煎汤，15 ~ 30 g；或浸酒。外用适量，煎汤熏洗；或鲜品磨汁涂擦。

黑壳楠
Lindera megaphylla Hemsl.

| 药 材 名 | 黑壳楠（药用部位：根、树皮、枝）。

| 形态特征 | 常绿乔木，高 3 ~ 15（~ 25）m。树皮灰黑色。叶互生，倒披针形至倒卵状长圆形，有时长卵形，长 10 ~ 23 cm，先端急尖或渐尖，基部渐狭，革质，叶背苍白淡绿色，两面无毛，具羽状脉，侧脉 15 ~ 21 对；叶柄长 1.5 ~ 3 cm，无毛。伞形花序生于短枝上，两侧各 1；花序具总梗，总梗被毛；雄花序总梗长 10 ~ 15 mm，花被片椭圆形，背面略被毛，雄蕊花丝被疏柔毛，退化雌蕊无毛，花梗长 5 ~ 6 mm，被毛；雌花序总梗长 5 ~ 6 mm，花被片线状匙形，背面沿中肋有毛，退化雄蕊线形或棍棒状，雌蕊无毛，子房卵形，柱头盾状，花梗长 1.5 ~ 3 mm，被黄褐色柔毛。果实椭圆形至卵形，

长约 1.8 cm, 宽约 1.3 cm, 成熟时呈紫黑色, 无毛; 宿存果托杯状。花期 2 ~ 4 月, 果期 9 ~ 12 月。

| **生境分布** | 生于海拔 600 ~ 2 000 m 的阔叶林或灌丛中。湖南各地均有分布。

| **资源情况** | 野生资源丰富。药材来源于野生。

| **采收加工** | 全年均可采收, 晒干或鲜用。

| **药材性状** | 本品树皮呈槽状、卷筒状或片块状, 长达 40 cm, 厚 2 ~ 8 mm; 外表面灰褐色或灰黑色, 较粗糙, 嫩皮具纵皱纹, 有凸起的椭圆形皮孔, 偶有圆形枝痕, 内表面棕红色或淡黄棕色, 较平滑; 质硬而脆, 易折断, 断面平坦, 黄白色; 气微香, 味略辛; 以质重、肉厚、有香气者为佳。本品枝呈长圆柱形, 有分枝, 直径 2 ~ 10 mm; 表面灰棕色或黑色, 有纵皱纹和凸起的疏点状皮孔; 质硬而脆, 易折断, 断面皮部薄, 棕褐色, 木部黄白色或灰黄色, 髓部小; 气微香, 味略辛; 以枝条均匀、气香者为佳。

| **功能主治** | 辛、微苦, 温。归肝、胃经。祛风除湿, 温中行气, 消肿止痛。用于风湿痹痛, 肢体麻木、疼痛, 脘腹冷痛, 疝气疼痛, 咽喉肿痛, 癣疮瘙痒。

| **用法用量** | 内服煎汤, 3 ~ 9 g。外用适量, 炒热外敷; 或煎汤洗。

樟科 Lauraceae 山胡椒属 Lindera

毛黑壳楠

Lindera megaphylla Hemsl. f. *touyunensis* (Lévl.) Rehd.

药材名

毛黑壳楠（药用部位：根、枝、树皮）。

形态特征

常绿乔木，高 3 ~ 15（~ 25）m。枝条粗壮，紫黑色。叶互生，倒披针形、倒卵状长圆形或长卵形，长 10 ~ 23 cm，先端急尖或渐尖，基部渐狭，革质，上面深绿色，下面苍白淡绿色，具羽状脉；叶柄长 1.5 ~ 3 cm。幼枝、叶柄及叶片下面疏或密被毛，后毛渐脱落，但叶脉上有毛残存。伞形花序多花，生于短枝，两侧各 1，短枝腋生，长 3.5 mm；雄花序总梗长 1 ~ 1.5 cm，花被片 6，椭圆形，背面略被毛，雄蕊花丝被疏柔毛，退化雌蕊 9，花梗长约 6 mm，被毛；雌花序总梗长 5 ~ 6 mm，花被片 6，线状匙形，背面沿中肋有毛，退化雄蕊 9，线形或棍棒状，子房卵形，柱头盾状，花梗长 1.5 ~ 3 mm，被黄褐色柔毛。果实椭圆形至卵形；果柄长 1.5 cm；宿存果托杯状，长约 8 mm，全缘，略呈微波状。花期 2 ~ 4 月，果期 9 ~ 12 月。

生境分布

生于海拔 600 ~ 2 000 m 的阔叶林或灌丛中。分布于湖南郴州（宜章）、湘西州（吉首、永顺）等。

| **资源情况** | 野生资源较少。药材来源于野生。

| **功能主治** | 祛风除湿，消肿止痛。用于风湿痹痛，咽喉肿痛。

樟科 Lauraceae 山胡椒属 Lindera

三桠乌药 *Lindera obtusiloba* Bl.

| 药 材 名 | 三钻风（药用部位：树皮。别名：三钻七）。

| 形态特征 | 落叶乔木或灌木，高 3 ～ 10 m。芽卵形，外鳞片黄褐色，无毛，内鳞片有淡棕黄色厚绢毛。叶互生，纸质，近圆形至扁圆形，长 5.5 ～ 10 cm，宽 4.8 ～ 10.8 cm，先端急尖，常 3 裂，基部近圆形或心形，叶背苍绿色，脉 3 出，偶 5 出，网脉明显；叶柄长 1.5 ～ 2.8 cm，被黄白色柔毛。伞形花序腋生，无总梗，每花序内有花 5 ～ 6，花被裂片 6，长椭圆形，背面有长柔毛；雄花中能育雄蕊 9，花丝无毛，退化雌蕊细小；雌花中退化雄蕊条片形，雌蕊无毛，子房椭圆形，无毛，花柱短，长不及 1 mm。果实广椭圆形，长 0.8 cm，直径 0.5 ～ 0.6 cm，成熟时先呈红色，后呈紫黑色，干时呈黑褐色。

花期 3 ~ 4 月，果期 8 ~ 9 月。

| 生境分布 | 生于海拔 1 000 ~ 1 600 m 的山谷、密林灌丛中。分布于湖南张家界（桑植）、长沙（浏阳）等。

| 资源情况 | 野生资源较少。药材来源于野生。

| 采收加工 | 全年均可采收，晒干或鲜用。

| 药材性状 | 本品呈细卷筒状，长 16 ~ 25 cm，宽 2 cm，厚 1.5 ~ 2 mm。外表面灰褐色，粗糙，具不规则细纵纹和斑块状纹理，有凸起的类圆形小皮孔，栓皮脱落或被刮去后外表面较平滑，呈棕黄色至红棕色；内表面红棕色，平坦，可见细纵纹，划之略显油痕。质硬脆，折断面较平坦，外层棕黄色，内层红棕色而略带油质。气微香，味淡、微辛。

| 功能主治 | 辛，温。归肝、胃经。温中行气，活血散瘀。用于心腹疼痛，跌打损伤，瘀血肿痛，疮毒。

| 用法用量 | 内服煎汤，5 ~ 10 g。外用适量，捣敷。

樟科 Lauraceae 山胡椒属 Lindera

峨眉钓樟
Lindera prattii Gamble

| 药 材 名 |

峨眉钓樟（药用部位：枝、果实）。

| 形态特征 |

常绿乔木或小乔木，高达 20 m。幼枝被锈色毡毛，后毛逐渐脱落，老枝可见皮孔。芽卵形，芽鳞密被锈色或褐色长柔毛。叶互生，通常呈椭圆形至长圆形，长 10 ~ 25 cm，宽 5 ~ 12.5 cm，先端急尖或短渐尖，基部通常呈圆形，革质，叶背面苍白色带绿色，幼时两面被棕黄色柔毛，后毛渐脱落至近无毛；叶柄长 1.5 ~ 3 cm，幼时被黄褐色毡毛，后毛脱落。伞形花序数个着生于短枝上，总梗长约 2 mm，密被棕黄色柔毛，每花序具花 3 ~ 6；雄花花被片椭圆形或长圆形，能育雄蕊 9，长 5 mm，退化雌蕊长 3 ~ 3.5 mm；雌花花被片狭卵形，退化雄蕊条形，长约 2 mm，子房卵球形。果实椭圆形，长 1 cm，直径 6 mm；果柄长 2 ~ 4 mm，密被棕黄色柔毛。花期 3 ~ 4 月，果期 8 ~ 9 月。

| 生境分布 |

生于海拔 2 100 m 以下的杂木林中。分布于湖南湘西（吉首）等。

| **资源情况** | 野生资源较少。药材来源于野生。

| **采收加工** | 全年均可采收枝，果实成熟后采摘果实，晒干。

| **功能主治** | 理气止痛，除湿，杀虫。用于风寒头痛，胃痛，血吸虫病。

樟科 Lauraceae 山胡椒属 Lindera

香粉叶

Lindera pulcherrima (Wall.) Benth. var. *attenuata* Allen

| 药 材 名 |

香粉叶（药用部位：树皮、根、叶）。

| 形态特征 |

常绿灌木或乔木，高 3 ～ 10 m。芽鳞密被白色贴伏柔毛。叶互生，叶片纸质或近革质，披针形至狭卵形，长 8 ～ 13 cm，宽 1 ～ 3.5 cm，先端渐尖至尾状渐尖，基部楔形，幼时两面被白色疏柔毛，老叶背面苍白色，近无毛，脉 3 出，中脉凸起，侧脉 2 ～ 3 对，横脉明显，小脉结成网状，构成蜂巢状细小窝穴；叶柄长 8 ～ 12 mm，幼时被毛，后脱落无毛。伞形花序 3 ～ 5 生于短枝先端，花序无总梗，每花序内有花 4 ～ 6；花被裂片椭圆形，背面有疏柔毛；雄花中能育雄蕊 9，花丝被柔毛，退化雌蕊被毛；雌花中退化雄蕊条片状，雌蕊无毛，子房卵球形。果实椭圆形，长 7 ～ 8 mm，直径 5 ～ 6 mm；果托碟状；果柄被毛。花期 3 ～ 4 月，果期 6 ～ 8 月。

| 生境分布 |

生于海拔 600 ～ 1 700 m 的山地林中。湖南各地均有分布。

| **资源情况** | 野生资源较丰富。药材来源于野生。

| **采收加工** | 全年均可采收，晒干。

| **功能主治** | 苦，温。归脾经。消食止痛，祛风除湿，止血生肌。用于腹痛，下肢麻木、疼痛，刀斧砍伤。

樟科 Lauraceae 山胡椒属 Lindera

川钓樟

Lindera pulcherrima (Wall.) Benth. var. *hemsleyana* (Diels) H. P. Tsui

| 药 材 名 |

川钓樟（药用部位：树皮、根、叶。别名：长叶乌药）。

| 形态特征 |

本变种的形态与香粉叶 *Lindera pulcherrima* (Wall.) Benth. var. *attenuata* Allen 基本相同，不同之处在于本变种的叶片通常呈椭圆形至倒卵形，宽 2.5 ～ 5 cm。

| 生境分布 |

生于海拔 1 000 ～ 1 500 m 的山地林中。湖南有广泛分布。

| 资源情况 |

野生资源一般。药材来源于野生。

| 采收加工 |

全年均可采收，晒干。

| 功能主治 |

辛、微甘，温。归肝、胃经。顺气，开郁宽中，消食止痛，止血生肌，排石。用于宿食不消，反胃吐食，风湿关节痛。

樟科 Lauraceae 山胡椒属 Lindera

山橿
Lindera reflexa Hemsl.

| 药 材 名 |　山橿（药用部位：根。别名：山姜、副山苍）。

| 形态特征 |　落叶灌木或小乔木，高 1 ~ 5 m。树皮有纵裂及斑点。叶互生，纸质，卵形或倒卵状椭圆形，长（5 ~）9 ~ 12（~ 16.5）cm，宽 5 ~ 8（~ 12.5）cm，先端渐尖，基部圆形或宽楔形，叶背面苍绿色，被白色柔毛，后毛渐脱落，具羽状脉，侧脉 6 ~ 8（~ 10）对；叶柄幼时被柔毛，后毛脱落。伞形花序着生于叶芽两侧，具总梗，总梗长约 3 mm，红色，密被红褐色微柔毛，果时毛脱落；总苞片 4，内有花约 5；雄花花梗长 4 ~ 5 mm，密被白色柔毛，花被片 6，黄色，椭圆形，花丝无毛，退化雌蕊细小，狭角锥形；雌花花梗长 4 ~ 5 mm，密被白柔毛，花被片被白柔毛，退化雄蕊条形，雌蕊长约

2 mm，子房椭圆形，柱头盘状。果实球形，直径约 7 mm，成熟时呈红色；果柄无皮孔，被疏柔毛。花期 4 月，果期 8 月。

| **生境分布** | 生于海拔 1 000 m 以下的山谷、山坡林下或灌丛中。湖南各地均有分布。

| **资源情况** | 野生资源丰富。药材来源于野生。

| **采收加工** | 全年均可采收，晒干或鲜用。

| **药材性状** | 本品呈不规则块状，大小、厚薄不等。表面残存红棕色栓皮，除去栓皮后表面呈淡黄色，具少量支根及支根痕，劈开面呈淡黄色。纵向撕裂纹理纤维状。质地坚硬，不易折断。气香，味辛。

| **功能主治** | 辛，温。归肺、胃经。理气止痛，祛风解表，杀虫，止血。用于胃痛，腹痛，风寒感冒，风疹，疥癣，刀伤出血。

| **用法用量** | 内服煎汤，6 ～ 15 g。外用适量，鲜品捣敷；或煎汤熏洗。

樟科 Lauraceae 山胡椒属 Lindera

红脉钓樟
Lindera rubronervia Gamble

| 药 材 名 | 红脉钓樟（药用部位：根皮、枝、叶。别名：庐山乌药）。

| 形态特征 | 落叶灌木或小乔木，高达 5 m。树皮黑灰色，有皮孔。叶互生，厚纸质，卵形至狭卵形或披针形，长（4 ~）6 ~ 8（~ 13）cm，宽（2 ~）3 ~ 4（~ 5）cm，先端渐尖，基部楔形，叶面沿中脉疏被短柔毛，叶背淡绿色，被柔毛，离基三出脉；叶柄长 5 ~ 10 mm，被短柔毛。伞形花序腋生，通常 2 花序着生于叶芽两侧；总梗长约 2 mm；总苞片 8，宿存，内有花 5 ~ 8；雄花花被筒被柔毛，花被片 6，内面被白色柔毛，能育雄蕊 9，花丝无毛，退化雌蕊细小，花梗密被白色柔毛；雌花花被筒密被白色柔毛，退化雄蕊条形，无毛，雌蕊长约 2 mm，子房卵形，柱头盘状，花梗有毛。果实近球形，直

径 1 cm；果柄长 1 ~ 1.5 cm。花期 3 ~ 4 月，果期 8 ~ 9 月。

| 生境分布 | 生于海拔 1 000 m 以下的山坡林下、溪边或山谷中。分布于湖南株洲（醴陵）、怀化（芷江）、娄底（涟源）、湘潭（湘乡）等。

| 资源情况 | 野生资源较少。药材来源于野生。

| 采收加工 | 根皮，秋、冬季采挖根，洗净，去木质心，留取根皮，晒干。枝、叶，落叶之前采收，晒干。

| 功能主治 | 辛、酸，温。归肝、胃经。杀虫，止痒。用于皮肤瘙痒。

樟科 Lauraceae 山胡椒属 Lindera

菱叶钓樟 *Lindera supracostata* Lec.

| 药 材 名 | 菱叶钓樟（药用部位：根皮、茎叶）。

| 形态特征 | 常绿灌木或乔木，高（1.5 ~ ）3 ~ 15（ ~ 25）m，胸径 20 cm，树皮褐色。枝条具纵裂纹，灰褐色。顶芽宽卵形，芽鳞外被灰白色绢质微柔毛。叶互生，椭圆形、卵形至披针形，长 5 ~ 10 cm，宽 2.3 ~ 4 cm，先端尾状渐尖或尾尖，基部略呈菱形、楔形或宽楔形，叶缘多少呈波状，上面绿色，有光泽，下面苍白色，两面无毛，三出脉或近离基三出脉，脉在叶上面比在叶下面更为凸出；叶柄长约 1 cm，无毛。伞形花序几无梗，1 ~ 2 着生于当年生枝条上部叶腋。雄花黄绿色，每伞形花序约具 5 花；花被片 6，长圆形，长约 3.5 mm，外被柔毛，雄蕊 9，长约 2.5 mm，宽约 1 mm，花丝被柔毛；第 3 轮花丝近基部有 2 具短柄的圆球形腺体；退化子房卵形，长约 1 mm，

上部被柔毛，花柱与子房几等长，被柔毛。雌花黄绿色，每伞形花序具花 3～8；花被片 6，长圆形，长约 2 mm；第 3 轮雄蕊中部有 2 具短柄的长圆球形腺体；子房椭圆球形，长 2 mm，宽 1.2 mm，花柱长 1.5 mm，连同子房上部密被柔毛，柱头盘状。果实卵形，长 8～9 mm，成熟时黑紫色；果柄长 7～11 mm，向上渐增粗成宽 3～5 mm 的盘状果托。花期 3～5 月，果期 7～9 月。

| 生境分布 | 生于海拔 1 800 m 以下的谷地、山坡密林中。分布于湖南张家界（桑植）、常德（石门）、怀化（沅陵、芷江、新晃）等。

| 资源情况 | 野生资源稀少。药材来源于野生。

| 功能主治 | 温中行气，消食化积。

樟科 Lauraceae 木姜子属 Litsea

毛豹皮樟 *Litsea coreana* Lévl. var. *lanuginosa* (Migo) Yang et P. H. Huang

药材名

毛豹皮樟（药用部位：根、树皮）、毛豹皮樟叶（药用部位：叶）。

形态特征

常绿乔木，高 8 ~ 15 m。嫩枝密被灰黄色长柔毛。叶互生；叶片革质，长圆形或披针形，长 4.5 ~ 9.5 cm，宽 1.4 ~ 4 cm，先端渐尖，基部楔形，叶脉羽状，中脉在叶面凸起，侧脉 7 ~ 10 对，网脉不明显，嫩叶两面均被灰黄色长柔毛，下面毛尤密，老叶下面仍被稀疏毛；叶柄长 1 ~ 2.2 cm，全面被灰黄色长柔毛。伞形花序腋生，几无总梗，每花序有花 3 ~ 4；苞片 4，交互对生，近圆形，外面被黄褐色丝状短柔毛，内面无毛；花被裂片 6，卵形或椭圆形，外面被柔毛；雄蕊 9，花丝有长柔毛，腺体箭形，有柄，无退化雌蕊；子房近球形，花柱被疏毛，柱头 2 裂，退化雄蕊丝状，有长柔毛。果实近球形，直径 7 ~ 8 mm；果托扁平，宿存有 6 裂花被裂片；果柄长约 5 mm。花期 8 ~ 9 月，果期翌年夏季。

生境分布

生于海拔 300 ~ 2 000 m 的灌丛、山谷杂木林中。分布于湖南湘西州（泸溪、古丈、永顺、凤凰）、张家界（永定）、怀化（中方、麻阳）等。

| **资源情况** | 野生资源较少。药材来源于野生。

| **功能主治** | **毛豹皮樟：** 行气止痛。用于水肿，胃脘胀痛，呕吐，泻痢，风湿痹痛。
毛豹皮樟叶： 利湿止泻。用于泄泻，痢疾。

樟科 Lauraceae 木姜子属 Litsea

豹皮樟

Litsea coreana Lévl. var. *sinensis* (Allen) Yang et P. H. Huang

| 药 材 名 | 豹皮樟（药用部位：根、茎皮）。

| 形态特征 | 常绿乔木，高5～15 m。小枝无毛。叶互生，叶片革质，长圆形或披针形，长4.5～10 cm，宽1.5～4 cm，先端急尖，基部楔形，幼时基部沿中脉有柔毛，其余部位无毛，叶背常呈粉白色，叶脉羽状，中脉在叶面凸起，侧脉7～10对，网脉不明显；叶柄长6～16 mm。伞形花序腋生，每花序有花3～4，几无总梗；苞片4，交互对生，近圆形，腹面无毛，背面被黄褐色丝状短柔毛；花小，花被背面有柔毛；雄花中雄蕊9，花丝被长柔毛，无退化雌蕊；雌花中退化雄蕊丝状，有长柔毛，子房近球形，花柱被疏毛，柱头2裂；花梗长1～2 mm，被柔毛。果序长12～15 mm，被柔毛；果实近球形，直径

7 ～ 8 mm；花被裂片宿存；果柄长约 5 mm。花期 8 ～ 9 月，果期翌年夏季。

| 生境分布 | 生于海拔 1 000 m 以下的山地杂木林中。分布于湖南湘潭（韶山）、邵阳（邵阳）、岳阳（岳阳）、张家界（永定）、郴州（宜章、永兴）、永州（蓝山）等。

| 资源情况 | 野生资源较少。药材来源于野生。

| 采收加工 | 全年均可采收，洗净，晒干。

| 功能主治 | 辛、苦，温。归脾、胃经。温中止痛，理气行水。用于胃脘胀痛，水肿。

| 用法用量 | 内服煎汤，9 ～ 30 g。

樟科 Lauraceae 木姜子属 Litsea

山鸡椒
Litsea cubeba (Lour.) Pers.

| 药 材 名 |

荜澄茄（药用部位：果实。别名：山苍子）、山鸡椒叶（药用部位：叶。别名：山苍子叶）、山鸡椒根（药用部位：根）。

| 形态特征 |

落叶灌木或小乔木，高 8 ~ 10 m。小枝细长，绿色，无毛，枝、叶芳香。叶互生，披针形或长圆形，长 4 ~ 11 cm，宽 1.1 ~ 2.4 cm，先端渐尖，基部楔形，纸质，上面深绿色，下面粉绿色，两面均无毛，脉羽状，侧脉 6 ~ 10 对，纤细，中脉、侧脉在两面均凸起；叶柄长 6 ~ 20 mm，纤细，无毛。伞形花序单生或簇生，每花序有花 4 ~ 6，总梗细长，长 6 ~ 10 mm；苞片边缘有睫毛；花被裂片 6，宽卵形；能育雄蕊 9，花丝中下部有毛，第 3 轮雄蕊基部腺体具短柄，退化雌蕊无毛；雌花中退化雄蕊中下部具柔毛，子房卵形，花柱短，柱头头状。果实近球形，直径约 5 mm，无毛，幼时绿色，成熟时呈黑色；果柄长 2 ~ 4 mm，先端稍增粗。花期 2 ~ 3 月，果期 7 ~ 8 月。

| 生境分布 |

生于海拔 500 ~ 2 100 m 的向阳山地、灌丛、

疏林或林中路旁、水边。栽培于排水良好的酸性红壤、黄壤以及山地黄棕壤中。湖南各地均有分布。

| 资源情况 |　野生资源丰富。栽培资源丰富。药材来源于野生和栽培。

| 采收加工 |　荜澄茄：秋季果实成熟时采收，除去杂质，晒干。
山鸡椒叶：夏、秋季采收，除去杂质，鲜用或晒干。
山鸡椒根：秋、冬季采挖，洗净，干燥。

| 药材性状 |　荜澄茄：本品类球形，直径 4 ~ 6 mm。表面棕褐色至黑褐色，有网状皱纹。基部偶有宿萼和细果柄。除去外皮可见硬脆的果核，种子 1，黄棕色，富油性，

子叶 2。气芳香，味稍辣而微苦。

山鸡椒叶： 本品呈披针形或长圆形，易破碎。表面棕色或棕绿色，长 4 ~ 11 cm，宽 1.1 ~ 2.4 cm，先端渐尖，基部楔形，纸质，全缘。质较脆。气芳香，味辛，凉。

山鸡椒根： 本品呈圆柱形，下端多分枝，长 20 ~ 60 cm，直径 2 ~ 7 cm。表面灰棕色。质坚硬，不易折断，皮部浅棕色，较薄，木部灰白色。气香，味微辣。

| 功能主治 | **荜澄茄：** 辛，温。归脾、胃、肾、膀胱经。温中散寒，行气止痛。用于胃寒呕逆，脘腹冷痛，寒疝腹痛，寒湿瘀滞，小便浑浊。

山鸡椒叶： 辛、微苦，温。理气散结，解毒消肿，止血。用于痈疽肿痛，乳痈，蛇虫咬伤，外伤出血，脚肿，慢性支气管炎。

山鸡椒根： 辛、苦，温。祛风散寒，温中理气，杀虫解毒。用于复合性胃和十二指肠溃疡，胃肠炎，中暑，腹痛，感冒，风湿关节痛，劳倦乏力，疟疾，产后瘀血腹痛。

| 用法用量 | **荜澄茄：** 内服煎汤，1 ~ 3 g。

山鸡椒叶： 外用适量，鲜品捣敷；或煎汤洗。

山鸡椒根： 内服煎汤，15 ~ 30 g。

樟科 Lauraceae 木姜子属 Litsea

黄丹木姜子

Litsea elongata (Wall. ex Nees) Benth. et Hook. f.

| 药 材 名 | 黄丹木姜子（药用部位：根。别名：野枇杷木）。

| 形态特征 | 常绿小乔木或中乔木，高达 12 m。小枝黄褐至灰褐色，密被褐色绒毛。叶互生，长圆形、长圆状披针形至倒披针形，长 6 ~ 22 cm，宽 2 ~ 6 cm，先端钝或短渐尖，基部楔形或近圆形，革质，叶正面无毛，叶背面被柔毛，具羽状叶脉，中脉在叶正面下凹，侧脉 10 ~ 20 对，网脉在叶正面不明显，在叶背面明显；叶柄长 1 ~ 2.5 cm，密被褐色绒毛。伞形花序多单生，少簇生，总梗长 2 ~ 5 mm，密被褐色绒毛；每花序有花 4 ~ 5，花被裂片卵形，背面中肋被柔毛；雄花中能育雄蕊 9 ~ 12，花丝有长柔毛；子房卵球形，无毛，柱头盘状。果实长圆形，长 11 ~ 13 mm，直径 7 ~ 8 mm，成熟时呈黑紫色；果托杯状，深约 2 mm，直径约 5 mm；果柄长

2 ~ 3 mm。花期 5 ~ 11 月，果期翌年 2 ~ 6 月。

| **生境分布** | 生于海拔 500 ~ 2 000 m 的阔叶林、草丛中。分布于湖南岳阳（临湘）、益阳（桃江）、郴州（永兴）、永州（东安）、怀化（鹤城、中方、靖州、辰溪）、湘西州（花垣、古丈）等。

| **资源情况** | 野生资源一般。药材来源于野生。

| **采收加工** | 秋季采挖，阴干。

| **功能主治** | 辛、苦，温。归脾经。祛风除湿。用于关节疼痛，水肿。

| **用法用量** | 内服煎汤，3 ~ 10 g。

樟科 Lauraceae 木姜子属 Litsea

石木姜子

Litsea elongata var. *faberi* (Hemsl.) Yang et P. H. Huang

| 药 材 名 |

石木姜子（药用部位：根）。

| 形态特征 |

常绿小乔木或中乔木，高达 12 m，胸径达 40 cm，树皮灰黄色或褐色。小枝黄褐色至 灰褐色，密被褐色绒毛。顶芽卵圆形，鳞片 外面被丝状短柔毛。叶互生，长圆状披针形 或窄披针形，先端尾尖或长尾尖，革质，上 面无毛，下面被短柔毛，沿中脉及侧脉有长 柔毛，脉羽状，侧脉每边 10 ~ 20，中脉及 侧脉在叶上面下陷，在下面凸起，横行小 脉在下面明显凸起，网脉稍凸起；叶柄长 1 ~ 2.5 cm，密被褐色绒毛。伞形花序单生， 少簇生；花序总梗较细长，长 5 ~ 10 mm， 密被褐色绒毛；每 1 花序有花 4 ~ 5；花梗 被丝状长柔毛；花被裂片 6，卵形，外面中 肋有丝状长柔毛；雄花中能育雄蕊 9 ~ 12， 花丝有长柔毛，腺体圆形，无柄，退化雌蕊 细小，无毛；雌花序较雄花序略小，子房卵 圆形，无毛，花柱粗壮，柱头盘状，退化 雄蕊细小，基部有柔毛。果实长圆形，长 11 ~ 13 mm，直径 7 ~ 8 mm，成熟时黑紫 色；果托杯状，深约 2 mm，直径约 5 mm； 果柄长 2 ~ 3 mm。花期 5 ~ 11 月，果期翌年 2 ～ 6 月。

| **生境分布** | 生于海拔 1 500 ～ 2 000 m 的山坡阴湿地或疏林。分布于湖南衡阳、邵阳（新宁）、岳阳（平江）、郴州（宜章）、怀化（洪江）、湘西州（永顺）等。

| **资源情况** | 野生资源稀少。药材来源于野生。

| **功能主治** | 祛风除湿。用于胃痛，食积。

樟科 Lauraceae 木姜子属 Litsea

清香木姜子 *Litsea euosma* W. W. Smith

药材名

木姜子（药用部位：果实。别名：毛梅桑）、木姜子叶（药用部位：叶）、木姜子根（药用部位：根）、木姜子茎（药用部位：茎）。

形态特征

落叶小乔木，高 10 m。幼枝有短柔毛；顶芽圆锥形，外被黄褐色柔毛。叶互生；叶片卵状椭圆形或长圆形，长 6.5 ~ 14 cm，宽 2.2 ~ 4.5 cm，先端渐尖，基部楔形且略圆，上面深绿色，无毛，下面粉绿色，被疏柔毛，中脉稍密；叶柄长 1.5 cm。雌雄异株；伞形花序腋生，常 4 花序簇生于短枝上，每花序有花 4 ~ 6，花先于叶开放或与叶同时开放；花被裂片 6，黄绿色或黄白色，椭圆形，长约 2 mm；能育雄蕊 9，花丝有灰黄色柔毛，花药 4 室，皆内向瓣裂。果实球形，直径 5 ~ 7 mm，先端具小尖头，成熟时呈黑色；果柄长 4 mm；果托不增大，有稀疏短柔毛。花期 2 ~ 3 月，果期 9 月。

生境分布

生于海拔 2 000 m 以下的山地阔叶林、针叶林、草丛、灌丛等湿润处。分布于湖南长沙（岳麓）、常德（安乡）、湘西州（吉首、花垣、古丈、凤凰）、永州（道县）、怀化（麻阳）等。

| 资源情况 |　野生资源一般。药材来源于野生。

| 采收加工 |　**木姜子**：秋末采摘，阴干。

　　　　　　木姜子叶：春、夏季采收，鲜用或晒干。

　　　　　　木姜子根：春、夏季采挖，洗净，晒干。

　　　　　　木姜子茎：春、夏季采集，洗净，鲜用或晒干。

| 药材性状 |　**木姜子**：本品呈类圆球形，直径 4 ～ 5 mm。外表面黑褐色或棕褐色，有网
状皱纹，先端钝圆，基部可见果柄脱落后残留的圆形疤痕，少数残留宿萼及折
断的果柄。除去果皮，可见硬脆的果核，果核表面暗棕褐色，质坚脆，有光泽，
外有 1 隆起的纵横纹，内含种子 1，胚具子叶 2，黄色，富油性。气芳香，味辛
辣，微苦而麻。

　　　　　　木姜子叶：本品卵状披针形，长 8 ～ 13 cm，宽 2.2 ～ 4.5 cm，先端渐尖，基部
楔形。上面深绿色，下面绿白色，有柔毛；羽状脉在下面稍凸出，侧脉 9 ～ 12 对。
质脆，易碎。气芳香，味辛，凉。

| 功能主治 |　**木姜子**：辛、苦，温。归脾、胃经。祛痰止痛，顺气止呕。用于痧症。

　　　　　　木姜子叶：辛、苦，温。归脾经。祛风行气，健脾利湿，解毒。用于腹痛腹胀，
暑湿吐泻，关节疼痛，水肿，无名肿毒。

　　　　　　木姜子根：辛，温。归胃、肝经。温中理气，散寒止痛。用于胃脘冷痛，风湿
关节痛，疟疾，痛经。

　　　　　　木姜子茎：辛，温。归胃经。散寒止痛，行气消食，透疹。用于胃寒腹痛，食
积腹胀，麻疹透发不畅。

| 用法用量 |　**木姜子**：内服煎汤，3 ～ 10 g；或研末吞服，1 ～ 1.5 g。
外用适量，捣敷；或研末调敷。

　　　　　　木姜子叶：内服煎汤，10 ～ 15 g。外用适量，煎汤洗；
或捣敷。

　　　　　　木姜子根：内服煎汤或浸酒，3 ～ 10 g；或研末，
0.2 ～ 0.5 g。

　　　　　　木姜子茎：内服煎汤，3 ～ 10 g。外用适量，煎汤熏洗。

| 附　注 |　本种名称已修订为毛叶木姜子 *Litsea mollis* Hemsl.。

樟科 Lauraceae 木姜子属 Litsea

宜昌木姜子

Litsea ichangensis Gamble

| 药 材 名 |

小木姜子（药用部位：果实。别名：老姜子）。

| 形 态 特 征 |

落叶灌木或小乔木，高达 8 m。叶互生；叶片纸质，倒卵形或近圆形，长 2 ~ 5 cm，宽 2 ~ 3 cm，先端急尖或圆钝，基部楔形，上面深绿色，无毛，下面粉绿色，幼时脉腋处有簇毛，具羽状脉，侧脉每边 4 ~ 6，纤细，通常离基部第 1 对侧脉与第 2 对侧脉之间的距离较大，中脉、侧脉在叶两面微凸起；叶柄长 5 ~ 15 mm，纤细，无毛。伞形花序单生或 2 花序簇生，每花序常有 9 花；总梗稍粗，长约 5 mm，无毛；花被裂片倒卵形或近圆形，背面仅基部有毛，腹面无毛；能育雄蕊 9，花丝无毛，退化雄蕊细小；雌花中退化雄蕊无毛，雌蕊无毛，子房卵球形；花梗长 4 ~ 10 mm，密被柔毛。果序长 15 ~ 20 cm；果实近球形，直径 5 mm；果柄长 1 ~ 1.5 cm，无毛，先端稍增粗。花期 4 ~ 5 月，果期 7 ~ 8 月。

| 生 境 分 布 |

生于海拔 300 ~ 1 700 m 的山坡灌丛或针叶林中。分布于湖南湘西州（花垣、凤凰、

永顺）等。

| **资源情况** | 野生资源稀少。药材来源于野生。

| **采收加工** | 秋末采摘，阴干。

| **功能主治** | 辛、苦，温。归脾、胃经。温中，行气止痛。用于脘腹冷痛，痛经。

| **用法用量** | 内服煎汤，3 ～ 10 g。

樟科 Lauraceae 木姜子属 Litsea

毛叶木姜子
Litsea mollis Hemsl.

|药 材 名|

木姜子（药用部位：果实。别名：香桂子、野木姜子、荜澄茄）、木姜子根（药用部位：根）。

|形态特征|

落叶灌木或小乔木，高达 4 m。树皮绿色，光滑，有黑斑，破裂后有松节油气味。叶互生或聚生于枝顶；叶片长圆形或椭圆形，长 4 ~ 12 cm，宽 2 ~ 4.8 cm，先端突尖，基部楔形，纸质，上面暗绿色，无毛，下面苍白色带绿色，密被白色柔毛，具羽状脉，侧脉每边 6 ~ 9，纤细，中脉在叶两面均凸起，侧脉在上面微凸，在下面凸起；叶柄长 1 ~ 1.5 cm，被白色柔毛。伞形花序腋生，常 2 ~ 3 花序簇生于短枝上，短枝长 1 ~ 2 mm，花序梗长 6 mm，有白色短柔毛，每花序有花 4 ~ 6，花先于叶开放或与叶同时开放；花被裂片 6，黄色，宽倒卵形；能育雄蕊 9，花丝有柔毛，第 3 轮雄蕊基部腺体盾状心形，黄色，退化雌蕊无。果实球形，直径约 5 mm，成熟时呈蓝黑色；果柄长 5 ~ 6 mm，有稀疏短柔毛。花期 3 ~ 4 月，果期 9 ~ 10 月。

| 生境分布 | 生于海拔 600 ~ 2 100 m 的山坡灌丛、阔叶林或针叶林中。湖南各地均有分布。

| 资源情况 | 野生资源丰富。药材来源于野生。

| 采收加工 | 木姜子：秋末采摘，阴干。
木姜子根：春、夏季采挖，洗净，晒干。

| 药材性状 | 木姜子：本品圆球形，直径约 5 mm。外表面黑褐色或棕褐色，有网状皱纹，先端钝圆，基部可见果柄脱落后残留的圆形疤痕，少数残留宿萼及折断的果柄。除去果皮，可见硬脆的果核，果核表面暗棕褐色，质坚脆，有光泽，外有 1 隆起的纵横纹，内含种子 1，胚具子叶 2，黄色，富油性。气香，味辛辣，微苦而麻。

| 功能主治 | 木姜子：辛、苦，温。归脾、胃经。温中行气，止痛，燥湿健脾，消食，解毒消肿。用于胃寒腹痛，暑湿吐泻，食滞饱胀，痛经，疝气疼痛，疟疾，疮疡肿痛。
木姜子根：辛，温。温中理气，散寒止痛。用于胃脘冷痛，风湿关节痛，疟疾，痛经。

| 用法用量 | 木姜子：内服煎汤，3 ~ 10 g；或研末吞服，1 ~ 1.5 g。外用适量，捣敷；或研末调敷。
木姜子根：内服煎汤或浸酒，3 ~ 10 g；或研末吞服，0.2 ~ 0.5 g。

木姜子
Litsea pungens Hemsl.

| 药 材 名 | 木姜子（药用部位：果实、叶。别名：辣姜子、猴香子、香桂子）。 |

| 形态特征 | 落叶小乔木，高3～10 m。树皮灰白色。幼枝黄绿色，被柔毛，老枝黑褐色，无毛；顶芽圆锥形，鳞片无毛。叶互生，常聚生于枝顶；叶片披针形或倒卵状披针形，长4～15 cm，宽2～5.5 cm，先端短尖，基部楔形，膜质，幼叶下面具绢状柔毛，后毛渐脱落而无毛或沿中脉有稀疏毛，具羽状脉，侧脉每边5～7，叶脉在两面均凸起；叶柄纤细，长1～2 cm，初有柔毛，后毛渐脱落。伞形花序腋生；总花梗长5～8 mm，无毛；每花序有雄花8～12，花先于叶开放；花梗长5～6 mm，被丝状柔毛；花被裂片6，黄色，倒卵形，长2.5 mm，外面有稀疏柔毛；能育雄蕊9，花丝仅基部有柔毛，第3轮雄蕊基 |

部有黄色腺体，圆形，退化雌蕊细小，无毛。果实球形，直径 7 ~ 10 mm，成熟时呈蓝黑色；果柄长 1 ~ 2.5 cm，先端略增粗。花期 3 ~ 5 月，果期 7 ~ 9 月。

| **生境分布** | 生于海拔 800 ~ 2 100 m 的阔叶林、山坡灌丛中。栽培于山坡、荒地。湖南各地均有分布。

| **资源情况** | 野生资源丰富。栽培资源一般。药材来源于野生和栽培。

| **采收加工** | 果实，8 ~ 9 月采摘，晒干或鲜用。叶，夏、秋季采摘，晒干或鲜用。

| **功能主治** | 苦、辛，温。祛风行气，健脾燥湿，消食，解毒。用于胃寒腹痛，食积气滞，中暑吐泻；外用于疮疡肿毒。

| **用法用量** | 内服煎汤，15 ~ 25 g；或研末，1.5 ~ 2.5 g。外用鲜品捣敷；或研末调敷。

樟科 Lauraceae　木姜子属 Litsea

红叶木姜子 *Litsea rubescens* Lec.

药材名

辣姜子（药用部位：果实。别名：野气辣子、山茴香）、红叶木姜子根（药用部位：根）。

形态特征

落叶灌木或小乔木，高 4 ～ 10 m。树皮绿色。小枝无毛；顶芽圆锥形，鳞片无毛或仅上部有稀疏短柔毛。叶互生，椭圆形或披针状椭圆形，长 4 ～ 6 cm，宽 1.7 ～ 3.5 cm，膜质，上面绿色，下面淡绿色，两面均无毛；叶柄长 12 ～ 16 mm，无毛。嫩枝、叶脉、叶柄常为红色。伞形花序腋生，每花序有雄花 10 ～ 12；花单性，雌雄异株；花梗长 3 ～ 4 mm，密被灰黄色柔毛；花被裂片 6，黄色，宽椭圆形，长约 2 mm，先端钝圆，外面中肋有微毛或近无毛，内面无毛；能育雄蕊 9，花丝短，无毛，第 3 轮雄蕊基部腺体小，黄色，退化雌蕊细小，柱头 2 裂。果实球形，直径约 8 mm；果柄长 8 mm，先端稍增粗，有稀疏柔毛。花期 3 ～ 4 月，果期 9 ～ 10 月。

生境分布

生于海拔 700 ～ 2 000 m 的针叶林或灌丛。分布于湖南邵阳（邵阳）、永州（道县）、湘西州（花垣、永顺、龙山、吉首）等。

| **资源情况** | 野生资源一般。药材来源于野生。

| **采收加工** | **辣姜子**：9 ~ 10 月果实成熟时采摘，晒干。

　　　　　　　红叶木姜子根：全年均可采挖，洗净，切片，阴干。

| **功能主治** | **辣姜子**：辛，微温。温中理气，消食化滞。用于脘腹疼痛，食滞腹胀，呕吐，泄泻。

　　　　　　　红叶木姜子根：辛，微温。归肝经。祛风除湿，止痛。用于风湿关节痛，跌打损伤，感冒头痛。

| **用法用量** | **辣姜子**：内服煎汤，1.5 ~ 5 g。

　　　　　　　红叶木姜子根：内服煎汤，3 ~ 9 g。

樟科 Lauraceae 木姜子属 Litsea

钝叶木姜子

Litsea veitchiana Gamble

| 药 材 名 | 钝叶木姜子（药用部位：果实）。

| 形态特征 | 落叶灌木或小乔木，高达 4 m，树皮灰褐色或黑褐色。幼枝被黄白色长绢毛，以后毛脱落，变无毛。顶芽圆锥形，鳞片无毛或上部被微短柔毛。叶互生，倒卵形或倒卵状长圆形，长 4 ~ 12 cm，宽 2.5 ~ 5.5 cm，先端急尖或钝，基部楔形或宽楔形，纸质，幼时两面密被黄白色或锈黄色长绢毛，老时毛渐脱落，上面无毛或仅中脉有毛，下面有稀疏长绢毛，脉羽状，侧脉每边 6 ~ 9，中脉、侧脉在上面微凸起，在下面凸起，联结侧脉之间的小脉微凸起；叶柄长 1 ~ 1.2 cm，幼时密被黄白色或锈黄色长绢毛，此后毛渐脱落，变无毛。伞形花序生于去年生枝的枝顶，单生，先叶开放或与叶同时开放；花序总梗长 6 ~ 7 mm，有柔毛；每 1 花序有花 10 ~ 13，花淡黄色；

花梗长 5 ~ 7 mm，密被柔毛，花被裂片 6，椭圆形或近圆形，有脉 3，具腺点；能育雄蕊 9，花丝基部有柔毛，第 3 轮基部腺体大；退化子房卵形；雌花中退化雄蕊基部具柔毛；子房卵圆形，花柱短，柱头头状。果实球形，直径约 5 mm，成熟时黑色；果柄长 1.5 ~ 2 cm，有稀疏长毛。花期 4 ~ 5 月，果期 8 ~ 9 月。

| 生境分布 | 生于海拔 400 ~ 1 800 m 的山坡路旁或灌丛。分布于湖南常德（石门）、张家界、湘西州（永顺、龙山）、怀化（溆浦）、邵阳（城步、新宁）、株洲（炎陵）、郴州（资兴）、岳阳等。

| 资源情况 | 野生资源稀少。药材来源于野生。

| 功能主治 | 祛风行气，健脾利湿。

樟科 Lauraceae 润楠属 Machilus

黄绒润楠 *Machilus grijsii* Hance

| 药 材 名 |

香槁树（药用部位：全株或枝叶、树皮。别名：野枇杷、跌打王、香胶树）。

| 形态特征 |

乔木，高可达 5 m。芽、小枝、叶柄、叶下面有黄褐色短绒毛。叶倒卵状长圆形，长 7.5 ～ 14（～ 18）cm，宽 3.7 ～ 6.5（～ 7）cm，先端渐狭，基部多少圆形，革质，上面无毛，中脉和侧脉在上面凹下，在下面隆起，侧脉每边 8 ～ 11，小脉纤细而不明显；叶柄稍粗壮，长 7 ～ 18 mm。花序短，丛生于小枝枝梢，长约 3 cm，密被黄褐色短绒毛；总梗长 1 ～ 2.5 cm；花梗长约 5 mm；花被裂片薄，长椭圆形，近相等，长约 3.5 mm，两面均被绒毛，外轮较狭；第 3 轮雄蕊腺体肾形，无柄，生于花丝基部。果实球形，直径约 10 mm。花期 3 月，果期 4 月。

| 生境分布 |

生于海拔 500 ～ 1 000 m 的阔叶林中。分布于湖南株洲（醴陵）、衡阳（雁峰）、郴州（汝城）等。

| **资源情况** | 野生资源较少。药材来源于野生。

| **采收加工** | 全年均可采收，鲜用或晒干。

| **功能主治** | 甘、微苦，凉。散瘀消肿，止痛止血，消炎。用于跌打损伤，外伤出血，口腔炎，喉炎，扁桃体炎。

| **用法用量** | 内服煎汤，15 ~ 30 g。外用适量，捣敷。

樟科 Lauraceae 润楠属 Machilus

宜昌润楠

Machilus ichangensis Rehd. et Wils.

| 药 材 名 | 宜昌润楠（药用部位：树皮、茎、叶。别名：竹叶楠）。

| 形态特征 | 乔木，高 7 ~ 15 m。小枝纤细而短，无毛，多为褐红色，极少为褐灰色。叶草质，长圆状披针形至长圆状倒披针形，长 10 ~ 24 cm，宽 2 ~ 6 cm，先端短渐尖，有时尖头稍呈镰形，基部楔形，坚纸质，幼叶和芽鳞背面密被灰白色柔毛，后毛渐脱落，叶正面无毛，中脉在叶正面下凹，侧脉 12 ~ 17 对，小脉结成细密网状，在两面均稍隆起；叶柄长 0.8 ~ 2 cm。圆锥花序生于当年生枝基部已脱落苞片的腋内，长 5 ~ 9 cm，密被毛；花被裂片长 5 ~ 6 mm，先端钝圆，背面密被毛；雄蕊无毛，花丝长约 2.5 mm，花药长圆形，长约 1.5 mm，第 3 轮雄蕊腺体近球形，有柄；子房近球形，无毛，花柱

长 3 mm，柱头小，头状。果序长 6 ~ 9 cm；果实近球形，直径约 1 cm，黑色，有小尖头；果柄不增大。花期 4 月，果期 8 月。

| 生境分布 | 生于海拔 560 ~ 1 400 m 的针叶林、灌丛中。分布于湖南株洲（茶陵）、常德（临澧、石门）、怀化（麻阳、通道）、娄底（新化）、湘西州（古丈）等。

| 资源情况 | 野生资源丰富。药材来源于野生。

| 采收加工 | 全年均可采收，鲜用或晒干。

| 功能主治 | 辛、苦，温。疏通经络，止呕。用于皮肤炎症，关节肿痛，风湿病。

| 用法用量 | 内服煎汤，3 ~ 9 g。

樟科 Lauraceae **润楠属** *Machilus*

薄叶润楠
Machilus leptophylla Hand.-Mazz.

| 药 材 名 |

大叶楠（药用部位：根、树皮。别名：荷树、华东楠）。

| 形态特征 |

乔木，高达 28 m。树皮灰褐色。小枝褐红色，粗壮，无毛；芽鳞背面被黄褐色绢毛。叶互生；叶片坚纸质，倒卵状长圆形，长 14 ～ 24（～ 32）cm，宽 3.5 ～ 7（～ 8）cm，先端短渐尖，基部楔形，正面无毛，幼时叶背面被绢毛，后毛渐脱落，中脉在叶正面下凹，侧脉 14 ～ 20（～ 24）对，小脉结成网状，不明显；叶柄长 1 ～ 3 cm。圆锥花序聚生于幼枝的叶腋，长 8 ～ 12（～ 15）cm，被毛；花被裂片长圆状椭圆形，几等长，背面被柔毛；雄蕊花丝基部有簇毛，第 3 轮雄蕊基部有 1 对腺体，圆肾形，有短柄；雌蕊 1，花柱细长。果序数个，长 10 ～ 15 cm，无毛；果实球形，直径约 1 cm；宿存花被裂片坚纸质，无毛；果柄长 5 ～ 10 mm。花期 3 ～ 4 月，果期 7 ～ 9 月。

| 生境分布 |

生于海拔 450 ～ 1 200 m 的针叶林、阔叶林或灌丛中。湖南有广泛分布。

| **资源情况** | 野生资源较丰富。药材来源于野生。

| **采收加工** | 4 月中下旬剥取树皮，切成长约 30 cm 的段，阴干或晒干。

| **功能主治** | 辛、苦，微温。归肝、脾、大肠经。活血散瘀，消肿解毒，止痢。用于跌打损伤，疮疖，痢疾。

| **用法用量** | 内服煎汤，3 ~ 9 g。外用适量，研末调敷。

樟科 Lauraceae 润楠属 Machilus

小果润楠
Machilus microcarpa Hemsl.

| 药 材 名 | 小果润楠（药用部位：果实。别名：毛楠、大树药）。

| 形态特征 | 乔木，高达 8 m 或更高。小枝纤细，无毛。叶倒卵形、倒披针形至椭圆形或长椭圆形，长 5 ~ 9 cm，宽 3 ~ 5 cm，先端尾状渐尖，基部楔形，革质，上面光亮，下面带粉绿色，中脉在叶上面凹下，在叶下面明显凸起，侧脉每边 8 ~ 10，纤弱，但在两面可见，小脉在两面结成密网状；叶柄细弱，长 8 ~ 15 mm，无毛。圆锥花序集生于小枝枝端，较叶为短，长 3.5 ~ 9 cm；花梗与花等长或较花长；花被裂片近等长，卵状长圆形，长 4 ~ 5 mm，先端很钝，外面无毛，内面基部有柔毛，有纵脉；花丝无毛，第 3 轮雄蕊腺体近肾形，有柄，基部有柔毛；子房近球形，花柱略弯曲，柱头盘状。果实球形，

直径 5 ～ 7 mm。花期 2 ～ 4 月，果期 7 ～ 9 月。

| **生境分布** | 生于海拔 1 500 m 以上的阔叶林中。分布于湖南郴州（汝城）等。

| **资源情况** | 野生资源稀少。药材来源于野生。

| **采收加工** | 秋末采摘，阴干。

| **功能主治** | 辛、苦，温。归肺、胃经。止咳，消胀。用于咳嗽痰多，腹部胀满疼痛。

| **用法用量** | 内服煎汤，10 ～ 15 g。

樟科 Lauraceae 润楠属 Machilus

刨花润楠
Machilus pauhoi Kanehira

| 药 材 名 | 刨花润楠（药用部位：茎。别名：粘柴、刨花、刨花楠）。

| 形态特征 | 乔木，高 6.5 ~ 20 m。小枝绿色带褐色，无毛或幼枝基部被疏柔毛；芽鳞密被棕色或黄棕色小柔毛。叶革质，常集生于小枝梢端，叶片椭圆形至倒披针形，长 7 ~ 15（~ 17）cm，宽 2 ~ 4（~ 5）cm，先端渐尖至尾状渐尖，基部楔形，叶正面无毛，叶背面被绢毛，中脉在叶正面下凹，侧脉 12 ~ 17 对，小脉结成密网状；叶柄长 1.2 ~ 1.6（~ 2.5）cm。聚伞状圆锥花序生于当年生枝下部，与叶近等长，有微小柔毛；花被裂片卵状披针形，先端钝，长约 6 mm，两面被小柔毛；雄蕊无毛，第 3 轮雄蕊基部有腺体 1 对，具柄，退化雄蕊约和腺体等长，长约 1.5 mm；子房无毛，近球形，花柱较子

房长，柱头小，头状。果序数个，长 7 ~ 15 cm；果实球形，直径约 1 cm，成熟时呈黑色。花期 3 ~ 4 月，果期 6 ~ 7 月。

| **生境分布** | 生于海拔 600 ~ 1 200 m 的针叶林中。分布于湖南永州（江永）、怀化（溆浦）等。

| **资源情况** | 野生资源一般。药材来源于野生。

| **采收加工** | 全年均可采收，用宽刨刀刨成宽约 4 cm 的薄片，晒干。

| **功能主治** | 甘、微辛，凉。归胃、大肠经。清热解毒，润肠通便。用于烫火伤，大便秘结。

| **用法用量** | 外用适量，冷开水浸泡，取液外涂或用浸液灌肠。

樟科 Lauraceae 润楠属 *Machilus*

柳叶润楠

Machilus salicina Hance

| 药 材 名 | 柳叶润楠（药用部位：叶）。

| 形态特征 | 灌木，通常高 3 ~ 5 m。枝条褐色，有纵裂的浅棕色皮孔，无毛。叶线状披针形，长 4 ~ 12 cm，宽 1 ~ 2.5 cm，先端渐尖，基部渐狭成楔形，革质，上面无毛，下面暗粉绿色，亦无毛，嫩叶有时具贴伏微柔毛；叶柄长 7 ~ 15 mm。聚伞状圆锥花序多数，通常长约 3 cm，无毛，总梗和各级序轴、花梗被或疏或密的绢状微毛；花黄色或淡黄色，花梗长 2 ~ 5 mm；花被筒倒圆锥形；花被裂片长圆形；雄蕊花丝被柔毛，雄蕊第 3 轮稍长，腺体圆状肾形，连柄长达花丝的 1/2，退化雄蕊先端三角状箭头形，柄密被柔毛；子房近球形，花柱纤细，柱头偏头状。果序疏松，少果，生于小枝先端，长

3.5 ~ 7.5 cm；果实球形，直径 7 ~ 10 mm，嫩时绿色，成熟时呈紫黑色；果柄红色。花期 2 ~ 3 月，果期 4 ~ 6 月。

| **生境分布** | 生于低海拔地区的溪畔河边。分布于湖南株洲（炎陵）等。

| **资源情况** | 野生资源稀少。药材来源于野生。

| **采收加工** | 全年均可采收，鲜用或晒干。

| **功能主治** | 辛、苦，凉。归心、肝经。消肿解毒。用于痈肿疮毒，疔毒内攻，耳目肿痛。

| **用法用量** | 内服煎汤，6 ~ 9 g。外用适量。

樟科 Lauraceae 润楠属 *Machilus*

红楠
Machilus thunbergii Sieb. et Zucc.

| 药 材 名 | 红楠（药用部位：根皮、茎皮。别名：山樟树皮、丹皮、樟树皮）。

| 形态特征 | 常绿乔木，高 10 ~ 15（~ 20）m。小枝紫红色至紫褐色，无毛。叶革质；叶片卵形至倒卵状披针形，长 4.5 ~ 9（~ 13）cm，宽 1.7 ~ 4.2 cm，先端短突尖至短渐尖，基部楔形，两面无毛，中脉在叶正面下凹，侧脉 7 ~ 12 对，小脉结成网状，在叶背面构成浅窝穴；叶柄长 1 ~ 3.5 cm。圆锥花序顶生或在新枝上腋生，长 5 ~ 11.8 cm；苞片卵形，有棕红色贴伏绒毛；花被裂片长圆形，长 5 mm，内面的先端有小柔毛；雄蕊无毛，第 3 轮雄蕊基部有 1 对腺体，腺体有柄；子房球形，无毛，花柱细长，柱头头状；花梗长 8 ~ 15 mm。果序多数，长 7 ~ 15 cm；果实扁球形，直径 8 ~ 10 mm，初时绿色，

后变为黑紫色；果柄鲜红色。花期 2 月，果期 7 月。

| **生境分布** | 生于海拔 800 m 以下的针叶林、阔叶林、草丛或灌丛中。湖南有广泛分布。

| **资源情况** | 野生资源较丰富。药材来源于野生。

| **采收加工** | 全年均可采收，剥取根皮或茎皮，刮去栓皮，洗净，切段，鲜用或晒干。

| **功能主治** | 辛、苦，温。归肝、脾、胃经。舒筋活血，消肿止痛。用于寒滞呕吐，腹泻，小儿吐乳，纳呆食少，扭挫伤，寒湿脚肿。

| **用法用量** | 内服煎汤，10 ~ 15 g。外用适量，捣敷；或煎汤熏洗。

樟科 Lauraceae 润楠属 Machilus

绒毛润楠
Machilus velutina Champ. ex Benth.

| 药材名 | 猴高铁（药用部位：根、叶。别名：野枇杷、绒毛桢楠、香胶木）。

| 形态特征 | 乔木，高可达 18 m，胸径 40 cm。枝、芽、叶下面和花序均密被锈色绒毛。叶狭倒卵形、椭圆形或狭卵形，长 5 ~ 11 cm，宽 2 ~ 5 cm，先端渐狭或短渐尖，基部楔形，革质，上面有光泽，中脉在上面稍凹下，在下面明显凸起，侧脉每边 8 ~ 11，在下面明显凸起，小脉纤细，不明显；叶柄长 1 ~ 2.5 cm。花序单独顶生或数个密集在小枝先端，几乎无总梗，分枝多而短，似团伞花序；花黄绿色，有香味，被锈色绒毛；内轮花被裂片卵形，长约 6 mm，宽约 3 mm，外轮花被裂片较小且较狭；雄蕊长约 5 mm，第 3 轮雄蕊花丝基部有绒毛，腺体心形，有柄，退化雄蕊长约 2 mm，有绒毛；子房淡红色。果实球形，

直径约 4 mm，紫红色。花期 10 ~ 12 月，果期翌年 2 ~ 3 月。

| **生境分布** | 生于海拔 500 ~ 1 000 m 的阔叶林、草丛。分布于湖南郴州（汝城）、怀化（靖州）、湘西州（龙山）等。

| **资源情况** | 野生资源稀少。药材来源于野生。

| **采收加工** | 全年均可采收，鲜用或晒干。

| **功能主治** | 苦、辛，凉。归肺、肝、胃经。化痰止咳，消肿止痛，收敛止血。用于咳嗽痰喘，痈疖疮肿；外用于烫火伤，外伤出血，骨折。

| **用法用量** | 内服煎汤，根 9 ~ 12 g，叶 6 ~ 9 g。外用适量，研末调搽；或煎汤洗。

樟科 Lauraceae 新木姜子属 Neolitsea

新木姜子
Neolitsea aurata (Hay.) Koidz.

| 药 材 名 | 新木姜子（药用部位：根、树皮。别名：新木姜）。

| 形态特征 | 乔木，高达 14 m。小枝黄褐色或红褐色，被锈色短柔毛。叶互生，聚生枝顶或呈轮生状，叶片革质，长圆形、长圆状披针形至长圆状倒卵形，长 8 ~ 14 cm，宽 2.5 ~ 4 cm，先端镰状渐尖，基部楔形至近圆形，叶正面无毛，叶背面密被金黄色绢毛，离基三出脉，叶脉在叶正面稍凸起，侧脉 3 ~ 4 条，横脉不明显；叶柄长 8 ~ 12 mm，被毛。伞形花序簇生于枝侧或叶腋，总梗长约 1 mm；苞片圆形，背面被锈色毛，腹面无毛；每花序有花 5；花梗长 2 mm，有锈色柔毛；花被裂片 4，椭圆形，长约 3 mm，宽约 2 mm，外面中肋有锈色柔毛，内面无毛；能育雄蕊 6，花丝基部有柔毛，第 3 轮基部腺体有柄；

退化子房卵形，无毛。果实椭圆形，长 8 mm；果托浅盘状，直径 3 ～ 4 mm；果柄长 5 ～ 7 mm。花期 2 ～ 3 月，果期 9 ～ 10 月。

| 生境分布 | 生于海拔 500 ～ 1 700 m 的山坡林缘或杂木林中。分布于湖南衡阳（衡山、衡阳）、郴州（北湖）、张家界（慈利）、湘西州（龙山）等。

| 资源情况 | 野生资源一般。药材来源于野生。

| 采收加工 | 全年均可采收，洗净，鲜用或晒干。

| 功能主治 | 辛，温。归肝、脾、胃、肾经。行气止痛，利水消肿。用于胃脘胀痛，腹痛，水肿。

| 用法用量 | 内服煎汤，根 9 ～ 30 g，树皮 9 ～ 12 g。外用适量，研末调敷。

浙江新木姜子 *Neolitsea aurata* (Hay.) Koidz. var. *chekiangensis* (Nakai) Yang et P. H. Huang

| 药 材 名 | 浙江新木姜子（药用部位：根、树皮。别名：假桂花、红皮树、香桂）。

| 形态特征 | 本种与新木姜子 *Neolitsea aurata* (Hay.) Koidz. 的区别在于本种叶片披针形或倒披针形，较狭窄，宽 0.9 ~ 2.4 cm，下面薄被棕黄色丝状毛，毛易脱落，具白粉。

| 生境分布 | 生于海拔 500 ~ 1 300 m 的山地。分布于湖南衡阳（衡阳）、邵阳（洞口）等。

| 资源情况 | 野生资源稀少。药材来源于野生。

| 采收加工 | 全年均可采收，洗净，鲜用或晒干。

| **功能主治** | 辛，温。归肝、脾、胃、肾经。行气止痛，利水消肿。用于水肿，胃脘胀痛。

| **用法用量** | 内服煎汤，根 9 ~ 30 g，树皮 9 ~ 12 g。外用适量，研末调敷。

樟科 Lauraceae 新木姜子属 Neolitsea

锈叶新木姜子 *Neolitsea cambodiana* Lec.

| 药 材 名 | 锈叶新木姜（药用部位：叶。别名：辣汁树、大叶樟、石槁）。

| 形态特征 | 乔木，高 8 ~ 12 m。小枝轮生或近轮生，幼时密被锈色绒毛；顶芽卵形，鳞片外面被锈色短柔毛。叶 3 ~ 5，近轮生，叶片长圆状披针形、长圆状椭圆形或披针形，长 10 ~ 17 cm，宽 3.5 ~ 6 cm，先端近尾状渐尖或尖，基部楔形，革质，幼叶两面密被锈色绒毛；叶柄长 1 ~ 1.5 cm，密被锈色绒毛。伞形花序多个簇生于叶腋或枝侧；花单性；雄花花被片 4，卵形，能育雄蕊 6，外露，花丝基部有长柔毛，退化雌蕊无毛，花柱细长；雌花花被条形或卵状披针形，退化雄蕊基部有柔毛，子房卵圆形，无毛或有稀疏柔毛，花柱有柔毛，柱头 2 裂。果实球形，直径 8 ~ 10 mm；果托扁平盘状，直径 2 ~ 3 mm，

边缘常残留花被片；果柄长约 7 mm，有柔毛。花期 10 ～ 12 月，果期翌年 7 ～ 8 月。

| **生境分布** | 生于海拔 1 000 m 以下的山地混交林中。分布于湖南郴州（宜章、永兴）等。

| **资源情况** | 野生资源稀少。药材来源于野生。

| **采收加工** | 全年均可采收，鲜用或晒干。

| **功能主治** | 辛，凉。清热解毒，祛湿止痒。用于痈疽肿毒，湿疹，疥癣。

| **用法用量** | 外用适量，捣敷。

樟科 Lauraceae 新木姜子属 Neolitsea

鸭公树 *Neolitsea chuii* Merr.

| 药 材 名 | 鸭公树子（药用部位：种子。别名：青胶木、中叶樟、大香籽）。

| 形态特征 | 乔木，高 8 ~ 18 m。小枝绿黄色，除花序外，其他各部位均无毛；顶芽卵圆形。叶互生或聚生于枝顶，呈轮生状；叶片椭圆形至长圆状椭圆形或卵状椭圆形，长 8 ~ 16 cm，宽 2.7 ~ 9 cm，先端渐尖，基部锐尖，革质，上面深绿色，有光泽，下面粉绿色。伞形花序腋生或侧生，多个密集；花单性，雌雄异株；花被裂片 4，卵形或长圆形；外面基部及中肋被柔毛，内面基部有柔毛；雄花能育雄蕊 6，花丝长约 3 mm，基部有柔毛，退化子房卵形，无毛，花柱有稀疏柔毛；雌花退化雄蕊基部有柔毛，子房卵形，无毛，花柱有稀疏柔毛，柱头盾状。果实椭圆形至球形，长约 10 mm，直径约 8 mm；果柄

长约 7 mm，略增粗。花期 9 ～ 10 月，果期 12 月。

| **生境分布** | 生于海拔 500 ～ 1 400 m 的山谷或丘陵疏林中。分布于湖南湘西州（龙山）、永州（江永、道县）等。

| **资源情况** | 野生资源一般。药材来源于野生。

| **采收加工** | 冬季采摘成熟果实，取种子，除去杂质，晒干。

| **功能主治** | 辛，温。行气止痛，利水消肿。用于胃脘胀痛，水肿。

| **用法用量** | 内服煎汤，6 ～ 9 g。

| **附　注** | 本种的种加词拼写错误，现已修订为 *chui*。

樟科 Lauraceae 新木姜子属 Neolitsea

簇叶新木姜子 *Neolitsea confertifolia* (Hemsl.) Merr.

| 药 材 名 | 香楠树（药用部位：全株。别名：密叶新木姜、香桂子树、丛叶楠）。

| 形态特征 | 小乔木，高 3 ～ 7 m。小枝常轮生，黄褐色，初时有灰褐色短柔毛，后无毛。叶轮生；叶片革质，长圆形至狭披针形，长 5 ～ 12 cm，宽 1.2 ～ 3.5 cm，先端渐尖，基部楔形，叶面无毛，叶背幼时有短柔毛，后无毛，具羽状叶脉，中脉在叶面凸起，侧脉 4 ～ 6 对；叶柄长 5 ～ 7 mm，幼时被短柔毛。伞形花序多个簇生于枝侧或叶腋，几无总梗；苞片 4，背面有柔毛；每花序有花 4，花被裂片背面中肋有柔毛，腹面无毛；雄花能育雄蕊 6，花丝基部有毛，退化雌蕊细小；雌花中雄蕊无毛，子房卵球形，柱头 2 裂；花梗长约 2 mm，被柔毛。果实卵球形或椭球形，长 8 ～ 12 mm，直径 5 ～

6 mm；果托扁平盘状，直径约 2 mm；果柄长 4 ~ 8 mm，无毛。花期 4 ~ 5 月，果期 9 ~ 10 月。

| 生境分布 | 生于海拔 460 ~ 2 000 m 的针叶林中。分布于湖南湘西州（花垣）、娄底（新化）等。

| 资源情况 | 野生资源稀少。药材来源于野生。

| 采收加工 | 全年均可采收，洗净，鲜用或晒干。

| 功能主治 | 辛、苦，温。归胃、肝经。祛风行气，健脾利湿。用于胸腹胀痛，疳积，腹泻，中暑，疮疡，关节痛。

| 用法用量 | 内服煎汤，5 ~ 10 g。

樟科 Lauraceae 新木姜子属 Neolitsea

大叶新木姜子 *Neolitsea levinei* Merr.

| 药 材 名 | 土玉桂（药用部位：根、树皮。别名：厚壳树、假玉桂、大叶新木姜）。

| 形态特征 | 常绿乔木，高 22 m。叶 4 ~ 5 轮生；叶片长圆状披针形至长圆状倒披针形或椭圆形，长 15 ~ 31 cm，宽 4.5 ~ 9 cm，先端短尖或突尖，基部尖锐，革质，上面有光泽，无毛，下面苍绿色，幼时密被黄褐色长柔毛，老时毛渐脱落而被厚白粉；叶柄长 1.5 ~ 2 mm，密被黄褐色柔毛。伞形花序数个生于枝侧；花单性，雌雄异株；花被裂片 4，卵形，黄白色，长约 3 mm，外面有稀疏柔毛，边缘有睫毛，内面无毛；雄花能育雄蕊 6，花丝无毛，退化子房卵形；雌花退化雄蕊长 3 ~ 3.2 mm，无毛，子房卵形或卵圆形，无毛，花柱短，有柔毛，柱头头状。果实椭圆形或球形，长 1.2 ~ 1.8 cm，直径 0.8 ~ 1.5 cm，

成熟时呈黑色；果柄密被柔毛，先端略增粗。花期3～4月，果期8～10月。

| **生境分布** | 生于海拔300～1000 m的山地路旁、水旁及山谷密林中。分布于湖南永州（东安、江永）、郴州（安仁）、常德（石门）等。

| **资源情况** | 野生资源一般。药材来源于野生。

| **采收加工** | 秋季采收，洗净，晒干。

| **功能主治** | 辛、苦，温。根，止带消痈。用于带下，跌打损伤，痈肿疮毒。树皮，祛风散寒。用于风湿关节痛，胃寒证。

| **用法用量** | 内服煎汤，5～10 g。外用适量，研末调敷。

樟科 Lauraceae 楠属 Phoebe

闽楠

Phoebe bournei (Hemsl.) Yang

| 药 材 名 |

闽楠（药用部位：叶、根皮。别名：膏药树、兴安楠木）。

| 形态特征 |

大乔木，高 15 ~ 20 m。树干通直，分枝少。老树皮灰白色，新树皮带黄褐色。小枝有毛或近无毛。叶革质或厚革质，披针形或倒披针形，长 7 ~ 15 cm，下面有短柔毛，脉上被长柔毛，有时具缘毛，中脉在上面下陷，横脉及小脉多而密，在下面结成十分明显的网格状。圆锥花序生于新枝中下部，被毛，通常 3 ~ 4，最下部分枝长 2 ~ 2.5 cm；花被片卵形，两面被短柔毛；第 1、2 轮花丝疏被柔毛，第 3 轮花丝密被长柔毛，基部的腺体近无柄，退化雄蕊三角形，具柄，有长柔毛；子房近球形，柱头帽状。果实椭圆形或长圆形，长 1.1 ~ 1.5 cm，直径 6 ~ 7 mm；宿存花被片被毛，紧贴。花期 4 月，果期 10 ~ 11 月。

| 生境分布 |

生于海拔 800 m 以下的针叶林、阔叶林中。分布于湖南株洲（攸县）、郴州（嘉禾）、永州（冷水滩）、怀化（辰溪、麻阳）、湘西州（永顺）等。

| **资源情况** | 野生资源较丰富。药材来源于野生。

| **采收加工** | 全年均可采收，晒干。

| **功能主治** | 苦，微寒。清热解毒，收敛止血，消肿止痛。用于痈肿疮毒。

| **附　　注** | 在《国家重点保护野生植物名录（第一批）》中，本种被列为国家二级保护野生植物。

樟科 Lauraceae 楠属 Phoebe

竹叶楠

Phoebe faberi (Hemsl.) Chun

| 药 材 名 |

竹叶楠（药用部位：心材。别名：小樟木）。

| 形态特征 |

乔木，高 10 ~ 15 m。小枝粗，干后呈黑色，无毛。叶厚革质或革质，长圆状披针形或椭圆形，长 7 ~ 12（ ~ 15）cm，上面光滑无毛，下面苍白色或苍绿色，无毛或嫩叶下面有灰白贴伏柔毛；叶柄长 1 ~ 2.5 cm。花序多数，生于新枝下部叶腋，长 5 ~ 12 cm，无毛，中部以上分枝，每伞形花序有花 3 ~ 5；花黄绿色，长 2.5 ~ 3 mm；花梗长 4 ~ 5 mm；花被片卵圆形，外面无毛，内面及边缘有毛；花丝无毛或仅基部有毛，第 3 轮花丝基部腺体有短柄或近无柄；子房卵形，无毛，花柱纤细，柱头不明显。果实球形，直径 7 ~ 9 mm；果柄长约 8 mm，微增粗；宿存花被片卵形，革质，略紧贴或松散。花期 4 ~ 5 月，果期 6 ~ 7 月。

| 生境分布 |

生于海拔 800 ~ 1 500 m 的阔叶林、针叶林中。分布于湖南邵阳（邵阳）、郴州（嘉禾）、怀化（麻阳、芷江）、湘西州（永顺）、张家界（桑植）等。

| **资源情况** | 野生资源丰富。药材来源于野生。

| **采收加工** | 全年均可采收，晒干。

| **功能主治** | 辛，温。散寒止痛，温胃止呕。用于脘腹冷痛，胃寒呕吐，嗳气吞酸。

| **附　　注** | 本种的拉丁学名在 FOC 中被修订为 *Machilus faberi* Hemsl.。

樟科 Lauraceae 楠属 Phoebe

湘楠
Phoebe hunanensis Hand.-Mazz.

| 药 材 名 | 湘楠（药用部位：根、叶。别名：湖南楠）。

| 形态特征 | 灌木或小乔木，通常高 3 ~ 8 m。小枝干红褐色或红黑色，有棱，无毛。叶革质或近革质，倒阔披针形，稀倒卵状披针形，基部楔形或狭楔形，老叶上面无毛，发亮，下面无毛或有紧贴短柔毛，苍白色或被白粉，幼叶下面密被贴伏的银白色绢状柔毛，上面有时带红紫色；叶柄无毛。花序生于当年生枝上部，极细弱，长 8 ~ 14 cm，近总状或在上部分枝，无毛；花长 4 ~ 5 mm，花梗约与花等长；花被片有缘毛，外轮稍短，外面无毛，内面有毛；能育雄蕊各轮花丝无毛或仅基部有毛，第 3 轮花丝基部的腺体无柄；子房扁球形，无毛，柱头帽状或略扩大。果实卵形，长 1 ~ 1.2 cm，直径约 7 mm；果柄

略增粗；宿存花被片卵形，纵脉明显，松散，常可见到缘毛。花期 5 ~ 6 月，果期 8 ~ 9 月。

| **生境分布** | 生于海拔 800 m 以下的灌丛、针叶林中。湖南各地均有分布。

| **资源情况** | 野生资源丰富。药材来源于野生。

| **采收加工** | 全年均可采收，晒干。

| **功能主治** | 辛，温。化食，祛风止痛。用于疳积，风湿痹痛。

| **用法用量** | 内服煎汤，6 ~ 9 g。

樟科 Lauraceae 楠属 Phoebe

白楠
Phoebe neurantha (Hemsl.) Gamble

| 药 材 名 | 白楠（药用部位：树皮、心材。别名：鸭婆树、湘楠、竹叶楠）。

| 形态特征 | 大灌木或乔木，高 3 ~ 14 m。树皮灰黑色。小枝初时疏被柔毛，后近无毛。叶革质，狭披针形、披针形或倒披针形，初时疏或密被灰白色柔毛，后渐变为仅被散生短柔毛或近无毛；叶柄被柔毛或近无毛。圆锥花序在近顶部分枝，被柔毛，结果时近无毛或无毛；花长 4 ~ 5 mm；花梗被毛，长 3 ~ 5 mm；花被片卵状长圆形，外轮较短而狭，内轮较长而宽，先端钝，两面被毛，内面毛特别密；各轮花丝被长柔毛，腺体无柄，着生在第 3 轮花丝基部，退化雄蕊具柄，被长柔毛；子房球形，花柱伸长，柱头盘状。果实卵形，长约 1 cm，直径约 7 mm；果柄不增粗或略增粗；宿存花被片革质，松散，

有时先端外倾，具明显纵脉。花期 5 月，果期 8 ~ 10 月。

| **生境分布** | 生于海拔 1 000 m 的山地密林、阔叶林中。分布于湖南益阳（桃江）、张家界（武陵源、慈利、桑植）等。

| **资源情况** | 野生资源一般。药材来源于野生。

| **采收加工** | 全年均可采收，晒干。

| **功能主治** | 辛，温。树皮，用于心气痛，吐泻，中耳炎。心材，用于瘟疫。

樟科 Lauraceae 楠属 *Phoebe*

紫楠
Phoebe sheareri (Hemsl.) Gamble

| 药 材 名 | 紫楠叶（药用部位：叶）、紫楠根（药用部位：根）。

| 形态特征 | 大灌木至乔木，高 5 ~ 15 m。树皮灰白色。小枝、叶柄及花序密被黄褐色或灰黑色柔毛或绒毛。叶革质，倒卵形、椭圆状倒卵形或阔倒披针形，长 8 ~ 27 cm，宽 3.5 ~ 9 cm，先端突渐尖或突尾状渐尖，基部渐狭，上面完全无毛或沿脉上有毛，下面密被黄褐色长柔毛，稀被短柔毛，中脉和侧脉在上面下陷，侧脉每边 8 ~ 13，弧形，在边缘联结，横脉及小脉多而密集，结成网格状；叶柄长 1 ~ 2.5 cm。圆锥花序长 7 ~ 15 cm，在顶端分枝；花长 4 ~ 5 mm；花被片近等大，卵形，两面均被毛；能育雄蕊各轮花丝均被毛或仅基部被毛，第 3 轮花丝特别密，腺体无柄，生于第 3 轮花丝基部，退化雄蕊花

丝均被毛；子房球形，无毛，花柱通常直，柱头不明显或呈盘状。果实卵形，长约 1 cm，直径 5~6 mm，果柄略增粗，被毛；宿存花被片卵形，两面均被毛，松散；种子单胚性，两侧对称。花期 4~5 月，果期 9~10 月。

| **生境分布** | 生于海拔 1 000 m 以下的山地阔叶林中。分布于湖南永州（东安）、娄底（新化）等。

| **资源情况** | 野生资源一般。药材来源于野生。

| **采收加工** | **紫楠叶**：全年均可采收，晒干。
紫楠根：全年均可采收，晒干或鲜用。

| **功能主治** | **紫楠叶**：辛，微温。温中理气，祛湿，散瘀。用于气滞脘腹胀痛，脚气水肿，转筋。
紫楠根：辛，温。归肝经。活血祛瘀，行气止痛。用于跌打损伤，水肿，腹胀，孕妇过月不产。

| **用法用量** | **紫楠叶**：内服煎汤，15 ～ 25 g。外用适量，煎汤熏洗。
紫楠根：内服煎汤，10 ～ 15 g，鲜品 30 ～ 60 g。

楠木

Phoebe zhennan S. Lee et F. N. Wei

| 药 材 名 |

楠木（药用部位：木材、枝叶。别名：楠树、桢楠、雅楠）。

| 形态特征 |

大乔木，高达 30 m，树干通直。芽鳞被灰黄色贴伏长毛。小枝通常较细，有棱或近圆柱形，被灰黄色或灰褐色长柔毛或短柔毛。叶革质，椭圆形，稀披针形或倒披针形；叶柄细，被毛。聚伞状圆锥花序，被毛，纤细，在中部以上分枝，每伞形花序有花 3 ~ 6；花中等大，花梗与花等长；花被片近等大，外轮卵形，内轮卵状长圆形，先端钝，两面被灰黄色长柔毛或短柔毛，内面毛较密；花丝均被毛，第 3 轮花丝基部的腺体无柄，退化雄蕊三角形，具柄，被毛；子房球形，无毛或上半部与花柱被疏柔毛，柱头盘状。果实椭圆形，长 1.1 ~ 1.4 cm，直径 6 ~ 7 mm；果柄微增粗；宿存花被片卵形，革质，两面被短柔毛或外面被微柔毛。花期 4 ~ 5 月，果期 9 ~ 10 月。

| 生境分布 |

生于海拔 1 500 m 以下的阔叶林中。湖南各地均有分布。

| 资源情况 | 野生资源丰富。药材来源于野生。

| 采收加工 | 全年均可采收，晒干。

| 功能主治 | 辛，温。利水消肿，止吐止泻，和中降逆。用于吐泻不止，胃脘胀痛，水肿，暑湿霍乱，腹痛，聤耳出脓。

| 用法用量 | 内服煎汤，5 ~ 15 g。外用适量，煎汤洗足；或烧存性，研末，棉裹塞耳。

| 附　　注 | 在《国家重点保护野生植物名录（第一批）》中，本种被列为国家二级保护野生植物。

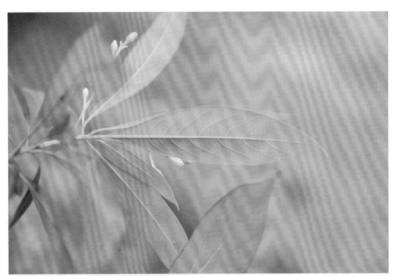

檫木
Sassafras tzumu (Hemsl.) Hemsl.

| 药 材 名 |　檫木（药用部位：根、茎、叶。别名：独脚樟、枫荷桂）。

| 形态特征 |　落叶乔木，高达 35 m，胸径达 2.5 m。顶芽大，椭圆形，芽鳞近圆形，外面密被黄色绢毛。枝条粗壮，近圆柱形。叶互生，聚集于枝顶；叶片卵形或倒卵形，先端渐尖，基部楔形，裂片先端略钝，坚纸质，羽状脉或离基三出脉；叶柄纤细，鲜时常带红色，腹平背凸，无毛或略被短硬毛。花序顶生，先于叶开放，多花，具梗，梗长不及 1 cm，梗与序轴密被棕褐色柔毛，基部有迟落、互生的总苞片；苞片线形至丝状。花黄色，长约 4 mm，雌雄异株；花梗纤细，密被棕褐色柔毛。果实近球形，成熟时呈蓝黑色而带有白蜡粉，着生于浅杯状的果托上；果柄长 1.5 ~ 2 cm，上端渐增粗，无毛，果柄与

果托均呈红色。花期 3 ~ 4 月，果期 5 ~ 9 月。

| **生境分布** | 生于海拔 150 ~ 1 900 m 的疏林或密林中。栽培于土层深厚、疏松、排水良好的酸性红壤土或酸性黄壤土中。湖南各地均有分布。湖南常德（武陵）、长沙（开福）等地偶见栽培。

| **资源情况** | 野生资源丰富。栽培资源较少。药材来源于野生和栽培。

| **采收加工** | 根，秋季挖取，洗净泥沙，切段，晒干。茎、叶，秋季采集，切段，晒干。

| **功能主治** | 甘、淡，温。活血散瘀，祛风除湿。用于风湿性或类风湿性关节炎，腰肌劳损，慢性腰腿痛，半身不遂，跌打损伤，扭挫伤，胃痛；外用于刀伤出血。

| **用法用量** | 内服煎汤，15 ~ 30 g；或浸酒。外用适量，捣敷。

领春木科 Eupteleaceae 领春木属 Euptelea

领春木
Euptelea pleiospermum Hook. f. et Thoms.

| 药 材 名 | 领春木（药用部位：树皮）。

| 形态特征 | 落叶灌木或小乔木，高 2 ~ 15 m；树皮紫黑色或棕灰色。小枝无毛，紫黑色或灰色；芽卵形，鳞片深褐色，光亮。叶纸质，卵形或近圆形，少数椭圆状卵形或椭圆状披针形，长 5 ~ 14 cm，宽 3 ~ 9 cm，先端渐尖，有 1 突生尾尖，长 1 ~ 1.5 cm，基部楔形或宽楔形，边缘疏生先端加厚的锯齿，下部或近基部全缘，上面无毛或散生柔毛后脱落、仅在脉上残存，下面无毛或脉上有伏毛，脉腋具丛毛，侧脉 6 ~ 11 对；叶柄长 2 ~ 5 cm，有柔毛，后脱落。花丛生；花梗长 3 ~ 5 mm；苞片椭圆形，早落；雄蕊 6 ~ 14，长 8 ~ 15 mm，花药红色，比花丝长，药隔附属物长 0.7 ~ 2 mm；心皮 6 ~ 12，子

房歪斜，长 2 ~ 4 mm，柱头面在腹面或远轴，斧形，具微小黏质突起，有 1 ~ 3 （~ 4）胚珠。翅果长 5 ~ 10 mm，宽 3 ~ 5 mm，棕色，子房柄长 7 ~ 10 mm，果柄长 8 ~ 10 mm；种子 1 ~ 3，卵形，长 1.5 ~ 2.5 mm，黑色。花期 4 ~ 5 月，果期 7 ~ 8 月。

| 生境分布 | 生于海拔 900 ~ 2 000 m 的溪边杂木林中。分布于湖南常德（石门）、张家界（武陵源）等。

| 资源情况 | 野生资源稀少。药材来源于野生。

| 功能主治 | 清热，泻火，消痈，接骨。

| 附　　注 | 本种在 FOC 中被修订为领春木科 Eupteleaceae 领春木属 *Euptelea* 领春木 *Euptelea pleiosperma* Hook. f. et Thomson。

连香树科 Cercidiphyllaceae 连香树属 Cercidiphyllum

连香树

Cercidiphyllum japonicum Sieb. et Zucc.

| 药 材 名 |

连香树果（药用部位：果实。别名：芭蕉香清、山白果）。

| 形态特征 |

落叶大乔木，高 10 ~ 20 m，少数达 40 m；树皮灰色或棕灰色。小枝无毛，短枝在长枝上对生；芽鳞片褐色。生于短枝上的叶呈近圆形、宽卵形或心形，生于长枝上的叶呈椭圆形或三角形，长 4 ~ 7 cm，宽 3.5 ~ 6 cm，先端圆钝或急尖，基部心形或截形，边缘有圆钝锯齿，先端具腺体，两面无毛，下面灰绿色带粉霜，7 掌状脉直达边缘；叶柄长 1 ~ 2.5 cm，无毛。雄花常 4 丛生，近无梗；苞片在花期为红色，膜质，卵形；花丝长 4 ~ 6 mm，花药长 3 ~ 4 mm。雌花 2 ~ 6（~ 8），丛生，花柱长 1 ~ 1.5 cm，上端为柱头面。蓇葖果 2 ~ 4，荚果状，长 10 ~ 18 mm，宽 2 ~ 3 mm，褐色或黑色，微弯曲，先端渐细，有宿存花柱；果柄长 4 ~ 7 mm；种子数个，扁平状四角形，长 2 ~ 2.5 mm（不包括翅），褐色，先端有透明翅，翅长 3 ~ 4 mm。花期 4 月，果期 8 月。

| **生境分布** | 生于海拔 650 ~ 1 800 m 的山谷边缘或林中开阔地的杂木林中。分布于湖南常德（石门）、张家界、湘西州（龙山）、邵阳（新宁）、娄底（新化）等。

| **资源情况** | 野生资源稀少。药材来源于野生。

| **采收加工** | 秋季果实成熟时采收，晒干或鲜用。

| **功能主治** | 祛风定惊，止痉。用于小儿惊风，抽搐肢冷。

| **用法用量** | 内服煎汤，10 ~ 15 g，鲜品可用至 30 g。

毛茛科 Ranunculaceae 乌头属 Aconitum

大麻叶乌头

Aconitum cannabifolium Franch. ex Finet et Gagnep.

| 药 材 名 | 草乌（药用部位：块根。别名：岩乌头、岩羊角）。

| 形态特征 | 茎缠绕，被反曲的短柔毛或变无毛，上部分枝。茎中部以上的叶有稍长柄；叶片草质，五角形，长 6.8 ~ 10 cm，宽 9 ~ 11 cm，3 全裂，全裂片具细长柄，中央全裂片披针形或长圆状披针形，渐尖，边缘密生三角形锐齿，侧全裂片不等 2 裂通常达基部，有短柄或无柄，两面几无毛或表面疏生短柔毛；叶柄比叶片短，疏被反曲的短柔毛或几无毛。总状花序有 3 ~ 6 花；花序轴和花梗被伸展的微硬毛；苞片小，线形；花梗长 1.5 ~ 3.2 cm，稍弧状弯曲；小苞片生花梗下部，小，钻形，长 2 ~ 3 mm；萼片淡绿色带紫色，外面被短毛，上萼片高盔形，高 2.1 ~ 2.3 cm，下缘稍凹，长 1.4 ~ 1.6 cm，外缘近直或在中部稍缢缩，与下缘形成短喙；花瓣无毛，唇长约 4.5 mm，

距长约 3.5 mm，向后弯曲；雄蕊无毛，花丝全缘；心皮 3，子房疏生短柔毛。菁葖果直，长约 1.5 cm；种子狭三棱形，长约 3.5 mm，只在一面密生鳞状横翅。8 ~ 9 月开花。

| **生境分布** | 生于海拔 1280 ~ 1950 m 的山地林中或沟边。分布于湖南常德（石门）等。

| **资源情况** | 野生资源稀少。药材来源于野生。

| **功能主治** | 有毒。散寒祛湿，舒筋活络。

毛茛科 Ranunculaceae 乌头属 Aconitum

乌头 *Aconitum carmichaelii* Debx.

药材名

川乌（药用部位：母根。别名：乌头、五毒根）、附子（药用部位：子根。别名：附片、盐附子）。

形态特征

块根倒圆锥形，长 2 ~ 4 cm，直径 1 ~ 1.6 cm。茎中部之上疏被反曲的短柔毛，等距离生叶，分枝。茎下部叶在开花时枯萎，茎中部叶有长柄；叶片薄革质或纸质，五角形，基部浅心形 3 裂达或近达基部，中央全裂片宽菱形，2 回裂片约 2 对，斜三角形；叶柄长 1 ~ 2.5 cm，疏被短柔毛。顶生总状花序；轴及花梗多少密被反曲而紧贴的短柔毛；下部苞片 3 裂，其他部位的苞片狭卵形至披针形；萼片蓝紫色，外面被短柔毛，上萼片高盔形；花瓣无毛，瓣片长约 1.1 cm，唇长约 6 mm，微凹，通常拳卷；雄蕊无毛或疏被短毛，花丝有 2 小齿或全缘；心皮 3 ~ 5，子房疏或密被短柔毛，稀无毛。蓇葖果长 1.5 ~ 1.8 cm；种子长 3 ~ 3.2 mm，三棱形，只在两面密生横膜翅。9 ~ 10 月开花。

| 生境分布 | 生于海拔 700 ~ 900 m 的山地草坡或灌丛中。湖南各地均有分布。

| 资源情况 | 野生资源丰富。药材来源于野生。

| 采收加工 | 6 月下旬至 8 月上旬采挖，除去茎叶和子根（附子），取母根（川乌），去净须根、泥沙，晒干。

| 药材性状 | 川乌：本品呈瘦长圆锥形，体长 3 ~ 7 cm，直径 1.5 ~ 3 cm。表面棕褐色，皱缩不平，或有锥形的小瘤状侧根，并具割去附子后残留的痕迹。质坚实，断面粉白色或微带灰色，横切面可见多角形环纹。无臭，味辛辣而麻舌。均以个匀、肥满、坚实、无空心者为佳。

附子：本品呈圆锥形，长 1.5 ~ 3 cm，直径 1.5 ~ 2 cm。表面灰褐色，有细纵皱纹，先端有凹陷的芽痕，侧边常留有自母根摘离的痕迹，下端尖，周围有数个隆起的瘤状支根，习称"钉角"。质坚实，难折断，断面外层褐色，内层灰白色，粉性，横切面有 1 多角形环纹。无臭，味辛辣而麻舌。

| 功能主治 | 川乌：辛、苦，热；有大毒。归心、肝、肾、脾经。祛风除湿，温经止痛。用于风寒湿痹，关节痛，心腹冷痛，寒疝作痛，局部麻醉。

附子：辛、甘，大热；有毒。归心、肾、脾经。回阳救逆，补火助阳，逐风寒湿邪。用于亡阳虚脱，肢冷脉微，阳痿，宫冷，心腹冷痛，虚寒吐泻，阴寒水肿，阳虚外感，寒湿痹痛。

| **用法用量** | **川乌：**内服煎汤，3 ~ 9 g；或研末，1 ~ 2 g；或入丸、散剂。内服须炮制后使用；入汤剂时应先煎 1 ~ 2 小时，以降低其毒性。外用适量，研末撒或调敷。

附子：内服煎汤，一般用 3 ~ 9 g，用其回阳救逆时可用 18 ~ 30 g；或入丸、散剂。内服时宜制用，宜久煎。外用适量，研末调敷；或切成薄片，盖在患处或穴位上，用艾炷灸之。外用时多生用。

毛茛科 Ranunculaceae　乌头属 Aconitum

赣皖乌头
Aconitum finetianum Hand.-Mazz.

| 药 材 名 |

破叶莲（药用部位：根）。

| 形态特征 |

根圆柱形，长 5 ~ 20 cm，直径 2 ~ 4 cm。茎缠绕，长约 1 m，疏被反曲的短柔毛，中部以下几无毛。茎下部叶具长柄，叶片形状与两色乌头极为相似，五角状肾形，长 6 ~ 10 cm，宽 10 ~ 18 cm，两面疏被紧贴的短毛；叶柄长达 30 cm，几无毛；茎上部叶渐变小，叶柄与叶片近等长或稍短。总状花序具 4 ~ 9 花；花序轴和花梗均密被淡黄色反曲的小柔毛；花梗长 3.5 ~ 8 mm；小苞片小，线形，生于花梗的中部或近基部；萼片白色带淡紫色，外面被紧贴的短柔毛，上萼片圆筒形，高 1.3 ~ 1.5 cm，中部直径 2.5 ~ 3（~ 5）mm，直或稍向内弯曲，外缘在中部以下向外下方斜展成短喙，下缘长约 1 cm，侧萼片倒卵形，下萼片狭椭圆形；花瓣与上萼片等长，无毛，距与唇近等长或稍长，细，先端稍拳卷；雄蕊无毛，花丝全缘；心皮 3，子房疏被紧贴的淡黄色短柔毛。蓇葖果长 0.8 ~ 1.1 cm；种子倒圆锥状三棱形，长约 1.5 mm，生横狭翅。8 ~ 9 月开花，10 月结果。

| **生境分布** | 生于海拔 850 ~ 1 600 m 的山地阴湿处。分布于湖南益阳（安化）等。

| **资源情况** | 野生资源稀少。药材来源于野生。

| **采收加工** | 春、秋季采挖，除去残茎及须根，洗净，晒干。

| **药材性状** | 本品呈长倒圆锥形，下部偶有分枝，长 5 ~ 20 cm，直径 2 ~ 4 cm。表面棕褐色至棕黑色，粗糙，有时因后生皮层脱落而露出中柱，扭裂成辫子状。质轻而松脆。

| **功能主治** | 辛、苦，微温。祛风止痛，和血败毒。用于风湿痹痛，跌打损伤，肠炎，细菌性痢疾。

| **用法用量** | 内服煎汤，6 ~ 9 g。外用适量，捣敷。

毛茛科 Ranunculaceae 乌头属 Aconitum

瓜叶乌头
Aconitum hemsleyanum Pritz.

| **药 材 名** | 藤乌（药用部位：块根。别名：草乌、羊角七）。

| **形态特征** | 块根圆锥形，长 1.6 ~ 3 cm。茎缠绕，无毛，常带紫色，分枝。茎中部叶的叶片五角形或卵状五角形，基部心形，3 深裂至距基部 0.9 ~ 3.2 cm 处；叶柄比叶片稍短，疏被短柔毛或几无毛。总状花序生于茎或分枝先端，有 2 ~ 6（~ 12）花；轴和花梗无毛或被贴伏的短柔毛，花梗常下垂，弧状弯曲；下部苞片叶状，或不分裂而呈宽椭圆形，上部苞片小，线形，小苞片生于花梗下部或上部，线形；萼片深蓝色，上萼片高盔形或圆筒状盔形；花瓣无毛，瓣片长约 10 mm，宽约 4 mm，唇长 5 mm，距长约 2 mm，向后弯；雄蕊无毛；心皮 5，无毛或偶尔子房有柔毛。蓇葖果直，长 1.2 ~ 1.5 cm，

喙长约 2.5 mm；种子三棱形，长约 3 mm，沿棱有狭翅并有横膜翅。8 ～ 10 月开花。

| 生境分布 | 生于海拔 1 700 ～ 2 100 m 的山地林中或灌丛。分布于湖南张家界（桑植）、郴州（桂东）、湘西州（龙山）、长沙（浏阳）等。

| 资源情况 | 野生资源一般。药材来源于野生。

| 采收加工 | 7 ～ 9 月采挖，除去须根，晒干。

| 药材性状 | 本品圆锥形，长 1.6 ～ 3 cm，直径 1.6 cm。表面深棕褐色或灰棕色，皱缩不平，有须根残存。质坚硬，难折断，断面平坦，深棕色，可见五角形的环纹。

| 功能主治 | 辛、苦，热；有大毒。祛风除湿，活血止痛。用于风湿关节痛，腰腿痛，跌打损伤；外用于无名肿毒，疥疮。

| 用法用量 | 内服煎汤，0.9 ～ 1.5 g；或入散剂。未经炮制者不宜内服。外用适量，磨汁涂；或研末调敷。

毛茛科 Ranunculaceae 乌头属 Aconitum

川鄂乌头 *Aconitum henryi* Pritz.

| 药 材 名 | 藤乌（药用部位：块根。别名：草乌、千锤打、羊角七）。

| 形态特征 | 块根胡萝卜形或倒圆锥形，长 1.5 ～ 3.8 cm。茎缠绕，无毛，分枝。叶片坚纸质，卵状五角形，长 4 ～ 10 cm，宽 6.5 ～ 12 cm，3全裂，中央全裂片披针形或菱状披针形，渐尖，边缘疏生或稍密生钝牙齿，两面无毛，或表面疏被紧贴的短柔毛；叶柄长为叶片长的1/3 ～ 2/3，无毛。花序有（1 ～）3 ～ 6 花，轴和花梗无毛或有极稀疏的反曲短柔毛；苞片线形，小苞片生于花梗中部，线状钻形，长3.5 ～ 6.5 mm；萼片蓝色，外面疏被短柔毛或几无毛，上萼片高盔形，侧萼片长 1.3 ～ 1.8 cm；花瓣无毛，唇长约 8 mm，微凹，距长4 ～ 5 mm，向内弯曲；雄蕊无毛，花丝全缘；心皮 3，无毛或子房

疏被短柔毛。9 ~ 10 月开花。

| **生境分布** | 生于海拔 1 000 ~ 2 000 m 的山地林中。分布于湖南张家界（慈利）等。

| **资源情况** | 野生资源稀少。药材来源于野生。

| **采收加工** | 7 ~ 9 月采挖，除去须根，晒干。

| **功能主治** | 辛、苦，热；有大毒。归肝、脾经。祛风胜湿，活血行瘀。用于跌打损伤，风湿痹痛。

| **用法用量** | 内服煎汤，0.9 ~ 1.5 g；或入散剂。未经炮制者不宜内服。外用适量，磨汁涂；或研末调敷。

花葶乌头 *Aconitum scaposum* Franch.

药材名

墨七（药用部位：根。别名：独儿七、活血莲、鞘叶乌头）。

形态特征

多年生草本，高35～67 cm。根圆柱形，长 10 cm。茎密被反曲或开展的淡黄色短毛。基生叶 3～4，具长柄，叶片肾状五角形，基部心形，3 裂稍超过中部，中裂片倒梯状菱形，急尖，不明显 3 浅裂，边缘有粗齿，侧裂片斜扇形，叶柄基部有鞘；茎生叶 2～4，有时无，叶片长达 2 cm，或完全退化，叶柄鞘状。总状花序；苞片披针形或长圆形；花梗被开展的淡黄色长毛；萼片蓝紫色，外面疏被开展的微糙毛，上萼片圆筒形，高 1.3～1.8 cm，外缘近直，与向下斜展的下缘形成尖喙；花瓣的距疏被短毛或无毛，比瓣片长 2～3 倍，拳卷；雄蕊无毛，花丝全缘；心皮 3，子房疏被长毛。蓇葖果不等大；种子倒卵形，长约 1.5 mm，白色，密生横狭翅。8～9 月开花。

生境分布

生于海拔 1 200～2 000 m 的山谷中或林中阴湿处。分布于湖南湘西州（龙山）等。

| **资源情况** | 野生资源稀少。药材来源于野生。

| **采收加工** | 夏、秋季采挖，洗净，晒干。

| **药材性状** | 本品呈不规则圆柱形，多弯曲，有时分枝，长 5 ~ 10 cm，直径 0.5 ~ 1 cm。表面黑棕色，有多数纵皱纹、横皱纹及须根痕。质坚硬，不易折断，断面不平坦。气微，味辛、苦，微麻。

| **功能主治** | 辛、苦，温；有小毒。行气止痛，活血调经。用于咳喘，劳伤，跌打损伤，月经不调，骨折；外用于无名肿毒。

| **用法用量** | 内服煎汤，9 ~ 15 g；或浸酒。外用适量，磨涂。

毛茛科 Ranunculaceae 银莲花属 Anemone

西南银莲花 *Anemone davidii* Franch.

| 药 材 名 | 铜骨七（药用部位：根茎。别名：白接骨连、红接骨连、戛戛羊）。

| 形态特征 | 植株高（10 ~ ）20 ~ 55 cm。根茎横走，直径 0.6 ~ 1 cm，节间缩短。基生叶（0 ~ ）1 ~ 3 cm，有长柄；叶片心状五角形，长（2 ~ ）6 ~ 10 cm，宽（4 ~ ）7 ~ 18 cm，3 全裂，全裂片有短柄或无柄，中全裂片菱形，3 深裂，边缘有不规则小裂片或粗齿，侧全裂片不等 2 深裂，两面疏被短毛；叶柄长 13 ~ 37 cm，无毛或上部有疏毛。花葶直立；苞片 3，有柄，柄长 1.4 ~ 3.5 cm，叶片似基生叶，长达 10 cm；花梗 1 ~ 3，长（2.5 ~ ）5 ~ 17 cm，有短柔毛；萼片 5，白色，倒卵形，长 1 ~ 2（ ~ 3.8）cm，宽 0.6 ~ 1.3（ ~ 2.1）cm，背面有疏柔毛；雄蕊长约为萼片的 1/4，花药狭椭圆形，花丝丝形；

心皮 45 ~ 70，无毛，有稍向外弯的短花柱，柱头小，近球形。瘦果卵球形，稍扁，长约 2.5 mm，先端有不明显的短宿存花柱。5 ~ 6 月开花。

| **生境分布** | 生于山地沟谷杂木林、竹林中或沟边较阴处，常生石上。分布于湖南张家界（桑植）等。

| **资源情况** | 野生资源稀少。药材来源于野生。

| **采收加工** | 春、夏、秋季采收，晒干。

| **药材性状** | 本品呈锥状椭圆形或近条形，少数呈团块状，稍弯曲，长 3 ~ 10 cm。表面棕褐色，有折皱，环节较密集，有的不甚明显，周围着生多数细长须根或圆形根痕，先端有干枯的叶基及茎基，其周围密生灰白色茸毛。质坚实，断面黄棕色，不甚平坦。气微，味苦。

| **功能主治** | 微苦，温。活血，祛瘀，止痛。用于跌打损伤，风湿疼痛，腰肌劳损。

| **用法用量** | 内服煎汤，9 ~ 12 g。外用适量，研末调敷。

毛茛科 Ranunculaceae 银莲花属 Anemone

鹅掌草 *Anemone flaccida* Fr. Schmidt

| 药 材 名 | 地乌（药用部位：根茎。别名：蜈蚣三七、菜乌头、林荫银莲花）。

| 形态特征 | 植株高 15 ～ 40 cm。根茎斜，近圆柱形，直径（2.5 ～）5 ～ 10 mm，节间缩短。基生叶 1 ～ 2，具长柄；叶草质，五角形，长 3.5 ～ 7.5 cm，宽 6.5 ～ 14 cm，基部深心形，3 全裂，中全裂片菱形，3 裂，末回裂片卵形或宽披针形，有 1 ～ 3 齿或全缘，侧全裂片不等 2 深裂，表面有疏毛，背面通常无毛或近无毛，脉平；叶柄长 10 ～ 28 cm，无毛或近无毛。花葶只在上部有疏柔毛；苞片 3，似基生叶，无柄，不等大，菱状三角形或菱形，长 4.5 ～ 6 cm，3 深裂；花梗 2 ～ 3，长 4.2 ～ 7.5 cm，有疏柔毛；萼片 5，白色，倒卵形或椭圆形，长 7 ～ 10 mm，先端钝或圆形，外面有疏柔毛；雄蕊长约为萼片之半，

花药椭圆形，长约 0.8 mm，花丝丝形；心皮约 8，子房密被淡黄色短柔毛，无花柱，柱头近三角形。4 ~ 6 月开花。

| **生境分布** | 生于海拔 1 100 ~ 1 200 m 的山谷草地中或林下。分布于湖南张家界（永定）、湘西州（永顺、保靖、龙山）、常德（石门）等。

| **资源情况** | 野生资源一般。药材来源于野生。

| **采收加工** | 春、夏季采收，洗净，晒干。

| **药材性状** | 本品呈条状圆柱形，或呈块状长圆形，长 2 ~ 8 cm，直径 0.2 ~ 1 cm，节明显或不明显，节间较短。表面棕褐色，粗糙，可见根痕及少数细长的须状根。先端有干枯的茎基及叶基。质坚，断面黄棕色。气微，味辛、苦。

| **功能主治** | 辛、微苦，温。归肝经。祛风湿，壮筋骨。用于跌打损伤，风湿痹痛。

| **用法用量** | 内服煎汤，9 ~ 15 g；或浸酒。

毛茛科 Ranunculaceae 银莲花属 *Anemone*

打破碗花花 *Anemone hupehensis* Lem.

药材名

打破碗花花（药用部位：全草或茎、叶、根。别名：野棉花、霸王草、大头翁）。

形态特征

植株高（20～）30～120 cm。根茎斜或垂直。基生叶3～5，有长柄，通常为三出复叶，有时1～2或全部为单叶；中央小叶有长柄，小叶片卵形或宽卵形，基部圆形或心形，不分裂或3～5浅裂，边缘有锯齿，两面有疏糙毛，侧生小叶较小；叶柄长3～36 cm，疏被柔毛，基部有短鞘。花葶直立，疏被柔毛；聚伞花序2～3回分枝，有较多花，偶尔不分枝，只有3花；苞片3，有柄，为三出复叶，似基生叶；花梗被密或疏柔毛；萼片5，紫红色或粉红色，倒卵形，外面有短绒毛；雄蕊长约为萼片长的1/4，花药黄色，椭圆形，花丝丝形；心皮约400，生于球形的花托上，子房有长柄，有短绒毛，柱头长方形。聚合果球形，直径约1.5 cm；瘦果长约3.5 mm，有细柄，密被绵毛。7～10月开花。

生境分布

生于海拔1500～1600 m的阔叶林、针叶林或灌丛中。湖南各地均有分布。

| 资源情况 | 野生资源丰富。药材来源于野生。

| 采收加工 | 夏、秋季采收，晒干或鲜用。

| 药材性状 | 本品全草长可达 1.2 m。根呈长圆柱形，平直或弯曲，直径 0.5 ~ 2 cm，长 5 ~ 15 cm；表面灰棕色；质坚硬，不易折断；根头部有 1 至数个茎基。基生叶 为三出复叶或单叶，长 10 ~ 40 cm；小叶卵形，长 4 ~ 12 cm，宽 2.5 ~ 12 cm。 茎纤细，长 40 ~ 80 cm，下部较粗，直径约 4 mm；表面密生短柔毛。茎生叶 多为单叶，少数为三出复叶，长 4 ~ 8 cm，宽 1 ~ 8 cm；上表面深绿色，下表 面灰绿色，均被细茸毛，边缘有锯齿。聚伞花序顶生，2 ~ 3 回分枝或为单花。

| 功能主治 | 全草，苦、辛，平，有小毒，归脾、胃、大肠经，清热利湿，解毒杀虫，消肿 散瘀。用于痢疾，泄泻，疟疾，蛔虫病，疮疖痈肿，瘰疬，跌打损伤。茎、叶， 苦、辛，温，有大毒，解毒杀虫。用于顽癣。根，苦、辛，凉，有毒，归脾、 胃、大肠经，清热解毒，排脓生肌，消肿散瘀，消食化积，截疟，杀虫。用于 顽癣，白秃疮，疔疮痈肿，无名肿毒，疟疾，痢疾，疳积，消化不良，肠炎， 蛔虫病，跌打损伤。

| 用法用量 | 全草、根，内服煎汤，3 ~ 9 g；或研末，或入丸、散剂；或浸酒。外用适量， 煎汤洗；或捣敷。茎、叶，外用适量，鲜品绞汁搽。

毛茛科 Ranunculaceae 银莲花属 Anemone

草玉梅

Anemone rivularis Buch.-Ham. ex DC.

| 药 材 名 | 虎掌草（药用部位：根。别名：见风青、见风蓝、乌骨鸡）、虎掌草叶（药用部位：叶。别名：虎掌叶）。

| 形态特征 | 植株高 15 ~ 65 cm。根茎木质，垂直或稍斜。基生叶 3 ~ 5，有长柄；叶片肾状五角形，3 全裂，中央全裂片宽菱形或菱状卵形，有时宽卵形，3 深裂，深裂片上部有少数小裂片和牙齿，侧全裂片不等 2 深裂，两面都有糙伏毛；叶柄长 5 ~ 22 cm，有白色柔毛，基部有短鞘。花葶直立；聚伞花序长 10 ~ 30 cm，2 ~ 3 回分枝；苞片有柄，近等大，似基生叶，宽菱形，3 裂至近基部，1 回裂片多少细裂，柄扁平，膜质；花直径 2 ~ 3 cm；萼片白色，倒卵形或椭圆状倒卵形，外面有疏柔毛，先端密被短柔毛；雄蕊长约为萼片的 1/2，花药椭圆形，花丝丝形；心皮 30 ~ 60，无毛，子房狭长圆形，有拳卷的花柱。

瘦果狭卵球形，稍扁，长 7 ~ 8 mm，宿存花柱钩状弯曲。5 ~ 8 月开花。

| **生境分布** | 生于山地草坡、小溪边或湖边。分布于湖南张家界（桑植）等。

| **资源情况** | 野生资源稀少。药材来源于野生。

| **采收加工** | **虎掌草**：全年均可采收，鲜用或晒干。
虎掌草叶：6 ~ 8 月采收，洗净，多鲜用。

| **药材性状** | **虎掌草**：本品呈长圆柱形或类长圆锥形，稍弯曲，有的扭曲或分枝，长 5 ~ 12 cm，直径 2 ~ 3 cm。表面黑褐色或棕褐色，粗糙，具不规则的裂纹及皱纹。根头部略膨大，有残留的叶基、茎痕及灰白色绒毛，并有许多纤维状的叶迹维管束及纤维束。质硬而脆，易折断，断面不整齐，黄绿色。气微，味微苦。

| **功能主治** | **虎掌草**：苦、辛，温；有小毒。清热解毒，活血舒筋，消肿，止痛。用于咽喉肿痛，疟腮，瘰疬结核，痈疽肿毒，疟疾，咳嗽，湿热黄疸，风湿疼痛，胃痛，牙痛，跌打损伤。
虎掌草叶：辛、微苦，温；有小毒。截疟，止痛。用于疟疾，牙痛。

| **用法用量** | **虎掌草**：内服煎汤，9 ~ 15 g；或浸酒。外用适量，研末调敷；或鲜品捣敷；或煎汤含漱。
虎掌草叶：外用适量，捣敷贴发泡；或搐鼻。

毛茛科 Ranunculaceae 银莲花属 Anemone

大火草

Anemone tomentosa (Maxim.) Péi

药材名

大火草根（药用部位：根及根茎。别名：甘肃白头翁、野棉花根、土白头翁）。

形态特征

植株高 40 ~ 150 cm。根茎直径 0.5 ~ 1.8 cm。基生叶 3 ~ 4，有长柄，为三出复叶，有时 1 ~ 2 叶为单叶；中央小叶有长柄，柄长 5.2 ~ 7.5 cm，小叶片卵形至三角状卵形，长 9 ~ 16 cm，宽 7 ~ 12 cm，先端急尖，基部浅心形、心形或圆形，3 浅裂至 3 深裂，边缘有不规则小裂片和锯齿，表面有糙伏毛，背面密被白色绒毛；侧生小叶稍斜，叶柄长（6 ~）16 ~ 48 cm，与花葶均密被白色或淡黄色短绒毛。花葶直径 3 ~ 9 mm；聚伞花序长 26 ~ 38 cm，2 ~ 3 回分枝；苞片 3，与基生叶相似，不等大，有时 1 苞片为单叶，3 深裂；花梗长 3.5 ~ 6.8 cm，有短绒毛；萼片 5，淡粉红色或白色，倒卵形、宽倒卵形或宽椭圆形，长 1.5 ~ 2.2 cm，宽 1 ~ 2 cm，背面有短绒毛；雄蕊长约为萼片的 1/4；心皮 400 ~ 500，长约 1 mm，子房密被绒毛，柱头斜，无毛。聚合果球形，直径约 1 cm；瘦果长约 3 mm，有细柄，密被绵毛。7 ~ 10 月开花。

| **生境分布** | 生于山地草坡或路边阳处。分布于湖南张家界（桑植）等。

| **资源情况** | 野生资源稀少。药材来源于野生。

| **采收加工** | 春、秋季采挖，去净茎叶，晒干。

| **药材性状** | 本品根茎较粗短；上端可见茎基、干枯的叶基或棕褐色毛状物。根呈不规则锥形或条形，稍弯曲，长 10 ～ 20 cm，直径 0.8 ～ 1.2 cm；表面棕褐色，粗糙，可见不规则的纵直皱纹及少数须根痕；根端常分为数股。质坚脆，易折断，断面棕色。气微，味苦、辛。

| **功能主治** | 苦，温；有小毒。化痰，散瘀，消食化积，截疟，解毒，杀虫。用于劳伤咳喘，跌打损伤，疳积，疟疾，疮疖痈肿，顽癣。

| **用法用量** | 内服煎汤，3 ～ 9 g；或研末。外用适量，捣敷。

毛茛科 Ranunculaceae 星果草属 Asteropyrum

裂叶星果草

Asteropyrum cavaleriei (Lévl. et Vant.) Drumm. et Hutch.

| 药 材 名 | 裂叶星果草（药用部位：根及根茎。别名：鸭脚黄连、水八角）。

| 形态特征 | 多年生草本。根茎短，密生许多黄褐色的细根。叶 2 ~ 7；叶片五角形，宽 4 ~ 14 cm，3 ~ 5 浅裂或近深裂，先端急尖，基部近截形，并常在中央具 1 浅圆缺，裂片三角形，边缘具不规则的浅波状圆缺，表面绿色，稀被贴伏的黄色短硬毛，背面淡绿色，无毛；叶柄长 6 ~ 13 cm，无毛，基部具膜质鞘。花葶 1 ~ 3，通常高 12 ~ 20 cm，无毛或疏被柔毛；苞片生于花下 5 ~ 8 mm 处，卵形至宽卵形，长约 3 mm，近互生或轮生；花直径 1.3 ~ 1.6 cm；萼片椭圆形至倒卵形，先端圆形；花瓣长约为萼片长的 1/2，瓣片近圆形，下部具细爪；雄蕊比花瓣稍长，花药黄色，长约 1 mm；心皮 5 ~ 8。

蓇葖果卵形，长达 8 mm；种子椭圆球形，长约 1.5 mm，直径约 1 mm，棕黄色。5 ~ 6 月开花，6 ~ 7 月结果。

| **生境分布** | 生于海拔 500 ~ 1 600 m 的山地林中。分布于湖南湘西州（永顺）、张家界（桑植）、永州（东安）等。

| **资源情况** | 野生资源稀少。药材来源于野生。

| **采收加工** | 冬初采收全草，除去地上部分，洗净，晒干或烘干。

| **药材性状** | 本品根茎极短，密生细长须根。须根长 5 ~ 20 cm，直径 1 ~ 2 mm；表面鲜时黄色，干后棕褐色，有较短的毛状支根。质柔脆，易折断，断面棕色，无明显木心。气微，味苦。

| **功能主治** | 苦，寒。清热解毒，利湿。用于湿热痢疾，泄泻，黄疸，水肿，目赤肿痛。

| **用法用量** | 内服煎汤，3 ~ 9 g。外用适量，煎汤洗；或研末撒。

| **附   注** | 本种名称在 FOC 中被修订为裂叶星果草 *Asteropyrum peltatum* subsp. *Cavaleriei* Q. Yuan et Q. E. Yang。

毛茛科 Ranunculaceae 铁破锣属 Beesia

铁破锣 *Beesia calthifolia* (Maxim.) Ulbr.

| 药 材 名 |

铁破锣（药用部位：根茎。别名：猴儿七、白细辛）。

| 形态特征 |

根茎斜，长约 10 cm，直径 3 ~ 7 mm。花葶高（14 ~）30 ~ 58 cm，有少数纵沟，下部无毛，上部花序处密被开展的短柔毛。叶 2 ~ 4，长 18 ~ 35 cm；叶片肾形、心形或心状卵形，先端圆形，短渐尖或急尖，基部深心形，边缘密生圆锯齿（锯齿先端具短尖），两面无毛，稀在背面沿脉被短柔毛；叶柄长 10 ~ 26 cm，具纵沟，基部稍变宽，无毛。花序长为花葶的 1/6 ~ 1/4，宽 1.5 ~ 2.5 cm；苞片通常钻形，有时披针形，间或匙形，长 1 ~ 5 mm，无毛；花梗长 5 ~ 10 mm，密被伸展的短柔毛；萼片白色或带粉红色，狭卵形或椭圆形，长 3 ~ 5（~ 8）mm，宽 1.8 ~ 2.5（~ 3）mm，先端急尖或钝，无毛；雄蕊比萼片稍短，花药直径约 0.3 mm；心皮长 2.5 ~ 3.5 mm，基部疏被短柔毛。蓇葖果长 1.1 ~ 1.7 cm，扁，披针状线形，中部稍弯曲，下部宽 3 ~ 4 mm，在近基部处疏被短柔毛，其余无毛，约有 8 斜横脉，喙长 1 ~ 2 mm；种子长约 2.5 mm，种皮具斜的纵折皱。5 ~ 8 月开花。

| **生境分布** | 生于海拔 1 400 ~ 1 800 m 的山地谷中林下阴湿处。分布于湖南常德（石门）、张家界（桑植）、邵阳（洞口、新宁、城步、武冈）等。

| **资源情况** | 野生资源稀少。药材来源于野生。

| **采收加工** | 秋季采挖，去除须根，洗净，晒干。

| **药材性状** | 本品呈条状，斜生，略扁，长可达 10 cm 左右，直径 3 ~ 7 mm，有数个分枝，节明显，节间长 0.5 ~ 1.2 cm；表面黄棕色至棕色，有纵直皱纹。肉质，易折断，断面黄棕色。气微，味苦、辛。

| **功能主治** | 辛、苦，凉。祛风，清热，解毒。用于风热感冒，目赤肿痛，咽喉疼痛，风湿骨痛；外用于疮疖，毒蛇咬伤。

| **用法用量** | 内服煎汤，6 ~ 15 g。外用适量，研末调敷。

毛茛科 Ranunculaceae 升麻属 Cimicifuga

小升麻
Cimicifuga acerina (Sieb. et Zucc.) Tanaka

| 药 材 名 | 小升麻（药用部位：根茎。别名：金丝三七、帽辫七、开喉剑）。

| 形态特征 | 根茎横走，近黑色，生多数细根。茎直立，高 25 ~ 110 cm，下部近无毛或疏被伸展的长柔毛，上部密被灰色的柔毛。叶 1 或 2，近基生，为三出复叶，宽达 35 cm；小叶有长 4 ~ 12 cm 的柄；顶生小叶卵状心形，长 5 ~ 20 cm，宽 4 ~ 18 cm，7 ~ 9 掌状浅裂，浅裂片三角形或斜梯形，边缘有锯齿，侧生小叶比顶生小叶略小并稍斜，表面只在近叶缘处被短糙伏毛，其他部分无毛或偶有毛，背面沿脉被白色柔毛；叶柄长达 32 cm，疏被长柔毛或近无毛。花序顶生，单一或有 1 ~ 3 分枝，长 10 ~ 25 cm；花序轴密被灰色短柔毛；花小，直径约 4 mm，近无梗；萼片白色，椭圆形至倒卵状椭圆形，长 3 ~ 5 mm；退化雄蕊圆卵形，长约 4.5 mm，基部具蜜腺；花药

椭圆形，长 1 ~ 1.5 mm，花丝狭线形，长 4 ~ 7 mm；心皮 1 或 2，无毛。蓇葖果长约 10 mm，宽约 3 mm，宿存花柱向外伸展；种子 8 ~ 12，椭圆状卵球形，长约 2.5 mm，浅褐色，表面有多数横向的短鳞翅，四周无翅。8 ~ 9 月开花，10 月结果。

| 生境分布 | 生于海拔 800 ~ 1 800 m 的山地林下或林缘。分布于湖南常德（石门）、张家界（桑植）、湘西州（龙山）、邵阳（新宁）等。

| 资源情况 | 野生资源稀少。药材来源于野生。

| 采收加工 | 夏、秋季采挖，洗净，晒干。

| 药材性状 | 本品呈不规则块状，分枝多，呈结节状，长 4 ~ 10 cm，直径 0.5 ~ 1.2 cm。表面灰褐色或灰黄色，较平坦，上面有圆洞状或稍凹陷茎基痕，直径 2 ~ 6 cm，高 1.5 ~ 4 cm；下面有坚硬的残存须根。体实，质坚韧，不易折断，断面稍平坦，稀中空，粉性，木部灰褐色或黄褐色，髓部黄绿色。气微香，味微苦、涩。

| 功能主治 | 甘、苦，寒；有小毒。清热解毒，疏风透疹，活血止痛，降血压。用于咽痛，疔肿，斑疹不透，劳伤，腰腿痛，跌打损伤，高血压。

| 用法用量 | 内服煎汤，3 ~ 9 g；或浸酒。外用适量，捣敷。

| 毛茛科 | Ranunculaceae | 升麻属 | Cimicifuga |

升麻 *Cimicifuga foetida* L.

| 药 材 名 |

升麻（药用部位：根茎。别名：周升麻、周麻、鸡骨升麻）。

| 形态特征 |

根茎粗壮，坚实，表面黑色，有许多内陷的圆洞状老茎残迹。茎高 1 ~ 2 m，基部直径达 1.4 cm，微具槽，分枝，被短柔毛。叶为二至三回三出状羽状复叶；下部茎生叶三角形，宽达 30 cm，顶生小叶具长柄，菱形，长 7 ~ 10 cm，宽 4 ~ 7 cm，常浅裂，边缘有锯齿，侧生小叶具短柄或无柄，斜卵形，比顶生小叶略小，表面无毛，背面沿脉疏被白色柔毛，叶柄长达 15 cm；上部茎生叶较小，具短柄或无柄。花序具分枝 3 ~ 20，长达 45 cm，下部的分枝长达 15 cm；花序轴密被灰色或锈色的腺毛及短毛；苞片钻形，比花梗短；花两性；萼片倒卵状圆形，白色或绿白色，长 3 ~ 4 mm；退化雄蕊宽椭圆形，长约 3 mm，先端微凹或 2 浅裂，几膜质；雄蕊长 4 ~ 7 mm，花药黄色或黄白色；心皮 2 ~ 5，密被灰色毛，无柄或有极短的柄。蓇葖果长圆形，长 8 ~ 14 mm，宽 2.5 ~ 5 mm，有伏毛，基部渐狭成长 2 ~ 3 mm 的柄，先端有短喙；种子椭圆形，褐色，长

2.5 ～ 3 mm，有横向的膜质鳞翅，四周有鳞翅。7 ～ 9 月开花，8 ～ 10 月结果。

| 生境分布 | 生于海拔 1 700 ～ 2 000 m 的山地林缘、林中或路旁草丛。分布于湖南常德（石门）等。

| 资源情况 | 野生资源稀少。药材来源于野生。

| 功能主治 | 辛、甘，微寒。归肺、脾、大肠、胃经。清热解毒，发表透疹，升阳举陷。用于时疫火毒，口疮，咽痛，斑疹，头痛寒热，痈肿疮毒，中气下陷，脾虚泄泻，久痢下重，妇女带下，崩中。

| 用法用量 | 内服煎汤，3 ～ 15 g；或入丸、散剂。外用适量，研末调敷；或煎汤含漱；或煎汤淋洗。

| 附　　注 | 本种在 FOC 中被修订为毛茛科 Ranunculaceae 类叶升麻属 *Actaea* 升麻 *Actaea cimicifuga* L.。

毛茛科 Ranunculaceae 铁线莲属 Clematis

钝齿铁线莲
Clematis apiifolia DC. var. *obtusidentata* Rehd. et Wils.

| 药 材 名 | 棉花藤（药用部位：茎。别名：川木通）。

| 形态特征 | 藤本。小枝和花序梗、花梗密生贴伏短柔毛。三出复叶，连叶柄长 5 ~ 17 cm；小叶片长 5 ~ 13 cm，宽 3 ~ 9 cm，通常下面密生短柔毛，边缘有少数钝牙齿。圆锥状聚伞花序多花；花直径约 1.5 cm；萼片 4，开展，白色，狭倒卵形，长约 8 mm，两面有短柔毛，外面毛较密；雄蕊无毛，花丝比花药长 5 倍。瘦果纺锤形或狭卵形，长 3 ~ 5 mm，先端渐尖，不扁，有柔毛，宿存花柱长约 1.5 cm。花期 7 ~ 9 月，果期 9 ~ 10 月。

| 生境分布 | 生于海拔 400 ~ 1 200 m 的针叶林、阔叶林、灌丛、草丛中。湖南

各地均有分布。

| 资源情况 | 野生资源丰富。药材来源于野生。

| 采收加工 | 秋季采集，刮去外皮，切片，晒干。

| 功能主治 | 淡、苦，凉；有小毒。清热，利水，活血，通乳，消食，止痢，利尿，消肿。用于湿热癃闭，泄泻，痢疾，食滞腹胀，湿热淋证，水肿，妇女闭经及乳汁不通。

| 用法用量 | 内服煎汤，6 ~ 15 g。

| 附　　注 | 本种的拉丁学名在 FOC 中被修订为 *Clematis apiifolia* DC. var. *argentilucida* (H. Léveillé et Vaniot) W. T. Wang。

粗齿铁线莲

Clematis argentilucida (Lévl. et Vant.) W. T. Wang

| 药材名 | 粗齿铁线莲根（药用部位：根）、毛木通（药用部位：叶。别名：线木通）、大木通（药用部位：茎。别名：接骨丹、小木通）。

| 形态特征 | 落叶藤本。小枝密生白色短柔毛，老时外皮剥落。一回羽状复叶，有 5 小叶，有时茎端为三出叶；小叶片卵形或椭圆状卵形，长 5 ~ 10 cm，宽 3.5 ~ 6.5 cm，先端渐尖，基部圆形、宽楔形或微心形，常有不明显 3 裂，边缘有粗大锯齿状牙齿，上面疏生短柔毛，下面密生白色短柔毛或近无毛。腋生聚伞花序常有 3 ~ 7 花，顶生圆锥状聚伞花序多花，花较叶短，直径 2 ~ 3.5 cm；萼片 4，开展，白色，近长圆形，长 1 ~ 1.8 cm，宽约 5 mm，先端钝，两面有短柔毛，内面较疏至近无毛；雄蕊无毛。瘦果扁卵圆形，长约 4 mm，有柔毛，

宿存花柱长达 3 cm。花期 5 ~ 7 月，果期 7 ~ 10 月。

| **生境分布** | 生于海拔 500 ~ 1 200 m 的针叶林、阔叶林、灌丛中。湖南有广泛分布。

| **资源情况** | 野生资源较丰富。药材来源于野生。

| **采收加工** | **粗齿铁线莲根：**全年均可采收，洗净，晒干或鲜用。
毛木通：全年均可采收，晒干或鲜用。
大木通：全年均可采收，除去枝、叶及粗皮，切成小段，晒干。

| **功能主治** | **粗齿铁线莲根：**辛，温。行气活血，祛风湿，止痛。用于风湿筋骨痛，跌打损伤，瘀血疼痛，肢体麻木。
毛木通：涩，平。杀虫解毒。用于失音，声嘶，杨梅疮毒，虫疮久烂。
大木通：微苦，平。利尿，解毒，祛风湿。用于小便不利，淋病，乳汁不通，疮疖肿毒，风湿关节痛，肢体麻木。

| **用法用量** | **粗齿铁线莲根：**内服煎汤，15 ~ 18 g。外用适量，捣敷。
毛木通：内服煎汤，15 ~ 18 g。外用适量，捣敷。
大木通：内服煎汤，6 ~ 12 g。外用适量，捣敷；或煎汤洗。

| **附　　注** | 本种的拉丁学名在 FOC 中被修订为 *Clematis grandidentata* (Rehder et E. H. Wilson) W. T. Wang。

毛茛科 Ranunculaceae 铁线莲属 Clematis

小木通 *Clematis armandii* Franch.

药材名

川木通（药用部位：茎。别名：蓑衣藤）。

形态特征

木质藤本，高达 6 m。茎圆柱形，有纵条纹，小枝有棱，有白色短柔毛，后脱落。三出复叶；小叶片革质，卵状披针形、长椭圆状卵形至卵形，先端渐尖，基部圆形、心形或宽楔形，全缘，两面无毛。聚伞花序或圆锥状聚伞花序，腋生或顶生，花序通常比叶长或与叶近等长；腋生花序基部有多数宿存芽鳞，芽鳞为三角状卵形、卵形至长圆形，长 0.8 ~ 3.5 cm；花序下部苞片近长圆形，常 3 浅裂，上部苞片渐小，披针形至钻形；萼片 4（~ 5），开展，白色，偶带淡红色，长圆形或长椭圆形，大小变异极大，外面边缘密生或疏生短绒毛；雄蕊无毛。瘦果扁，卵形至椭圆形，长 4 ~ 7 mm，疏生柔毛，宿存花柱长达 5 cm，有白色长柔毛。花期 3 ~ 4 月，果期 4 ~ 7 月。

生境分布

生于海拔 300 ~ 1 600 m 的针叶林、阔叶林、灌丛或草丛中。湖南各地均有分布。

| **资源情况** | 野生资源丰富。药材来源于野生。

| **采收加工** | 秋季割取较老的茎，截成长段，刮去外皮，阴干。

| **药材性状** | 本品长短不一，直径一般为 0.5 ~ 2.5 cm。表面棕黄色或黄褐色，有的扭曲，有细纵棱，棱粗细均匀。粗皮呈长条状，层层纵向撕裂。节膨大，有 2 个对生的枝痕。质硬，不易折断，断面不整齐。皮部薄，黄棕色；木部占大部分，浅黄色，车轮纹明显，有的有裂隙，导管孔大小不一，散在；髓部小，黄白色，有的呈空洞状。气微，味淡。以条粗、断面色黄白者为佳。

| **功能主治** | 淡、苦，寒。归心、肺、小肠、膀胱经。清热利尿，通经下乳。用于水肿，淋证，关节痹痛，闭经，乳少。

| **用法用量** | 内服煎汤，3 ~ 6 g。

毛莨科 Ranunculaceae 铁线莲属 Clematis

短尾铁线莲 *Clematis brevicaudata* DC.

| **药 材 名** | 红钉耙藤（药用部位：茎、根。别名：石通、铜脚灵仙、山木通）。

| **形态特征** | 藤本。枝有棱，小枝疏生短柔毛或近无毛。一至二回羽状复叶或二回三出复叶，有 5 ~ 15 小叶，有时茎上部为三出叶；小叶片长卵形、卵形至宽卵状披针形或披针形，长（1 ~ ）1.5 ~ 6 cm，宽 0.7 ~ 3.5 cm，先端渐尖或长渐尖，基部圆形、截形至浅心形，有时楔形，边缘疏生粗锯齿或牙齿，有时 3 裂，两面近无毛或疏生短柔毛。圆锥状聚伞花序腋生或顶生，常比叶短；花梗长 1 ~ 1.5 cm，有短柔毛；花直径 1.5 ~ 2 cm；萼片 4，开展，白色，狭倒卵形，长约 8 mm，两面均有短柔毛，内面毛较疏或近无毛；雄蕊无毛，花药长 2 ~ 2.5 mm。瘦果卵形，长约 3 mm，宽约 2 mm，密生柔毛，宿存

花柱长 1.5 ~ 2（~ 3）cm。花期 7 ~ 9 月，果期 9 ~ 10 月。

| **生境分布** | 生于海拔 460 ~ 2 000 m 的山地灌丛或疏林中。分布于湖南邵阳（隆回）、湘西州（龙山）、张家界（慈利）等。

| **资源情况** | 野生资源稀少。药材来源于野生。

| **采收加工** | 茎，全年均可采收。根，夏、秋季采挖，除去泥土及须根，晒干。

| **药材性状** | 本品茎藤长达数米，缠绕或呈段状，细长圆柱形，直径 2 ~ 5 mm；表面绿褐色或褐紫色，具纵棱，嫩藤可见柔毛；质脆，易折断，断面类白色。有的茎具叶，叶对生，二回三出复叶，完整的小叶先端渐尖，基部圆形，边缘疏生粗锯齿，有时 3 裂，枯绿色；叶柄长可达 4 cm。气微，味微苦、涩。

| **功能主治** | 苦，凉。归肝、膀胱经。除湿热，通血脉，利小便，祛风湿，通经下乳。用于五淋，风湿痹痛，腹中胀满，产妇乳汁不通。

| **用法用量** | 内服煎汤，6 ~ 10 g。

毛茛科 Ranunculaceae 铁线莲属 *Clematis*

威灵仙

Clematis chinensis Osbeck

药材名

威灵仙叶（药用部位：叶）、威灵仙（药用部位：根及根茎。别名：白线草、铁丝威灵仙、青龙须）。

形态特征

木质藤本。干后变黑色。茎、小枝近无毛或疏生短柔毛。一回羽状复叶通常有 5 小叶，有时有 3 或 7 叶，偶尔基部第 1 对和第 2 对叶 2 ～ 3 裂或有 2 ～ 3 小叶；小叶片纸质，卵形至卵状披针形，或为线状披针形、卵圆形，长 1.5 ～ 10 cm，宽 1 ～ 7 cm，先端锐尖至渐尖，偶微凹，基部圆形、宽楔形至浅心形，全缘，两面近无毛或疏生短柔毛。常为圆锥状聚伞花序，多花，腋生或顶生；花直径 1 ～ 2 cm；萼片 4（～ 5），开展，白色，长圆形或长圆状倒卵形，长 0.5 ～ 1（～ 1.5）cm，先端常凸尖，外面边缘密生绒毛或中间有短柔毛，雄蕊无毛。瘦果扁，3 ～ 7 个，卵形至宽椭圆形，长 5 ～ 7 mm，有柔毛，宿存花柱长 2 ～ 5 cm。花期 6 ～ 9 月，果期 8 ～ 11 月。

生境分布

生于海拔 80 ～ 1 500 m 的草丛、灌丛、针叶林、阔叶林或混生林中。湖南各地均有分布。

| 资源情况 | 野生资源丰富。药材来源于野生。

| 采收加工 | **威灵仙叶：** 夏、秋季采收，鲜用或晒干。

威灵仙： 秋季茎叶枯萎时，挖取根及根茎，除去泥土，晒干。

| 药材性状 | **威灵仙叶：** 本品鲜时呈绿色，干后呈绿褐色。小叶多破碎。完整叶片呈狭卵状或三角状卵形，长 3 ~ 7 cm，宽 1.5 ~ 3 cm，先端尖，基部圆形或宽楔形，全缘，主脉 3。微呈革质。气微，味淡。

| 功能主治 | **威灵仙叶：** 辛、苦，平。归肺、肝经。利咽，解毒，活血消肿。用于咽喉肿痛，喉痹，喉蛾，鹤膝风，睑腺炎，结膜炎等。

威灵仙： 辛、咸，温。归膀胱经。祛风除湿，通络止痛。用于风湿痹痛，筋脉拘挛，骨鲠咽喉。

| 用法用量 | **威灵仙叶：** 内服煎汤，15 ~ 30 g；或浸酒。外用鲜品适量，捣敷，敷 30 分钟左右，至局部有轻度辣感时去掉药物，约 1 天后局部起小水疱。

威灵仙： 内服煎汤，5 ~ 15 g。

毛茛科 Ranunculaceae 铁线莲属 Clematis

两广铁线莲 Clematis chingii W. T. Wang

| 药 材 名 | 两广铁线莲（药用部位：根、花。别名：百色威灵仙、老虎师藤、康壳藤）。

| 形态特征 | 灌木状藤本，小枝、叶柄及花序梗均密生淡黄褐色短柔毛。一回羽状复叶，有 5 小叶，有时为三出叶；小叶片卵形或宽卵形，长

5.5 ~ 10 cm，宽 4 ~ 6.5 cm，先端锐尖或渐尖，基部通常为心形或圆形，边缘疏生缺刻状牙齿或牙齿不明显，牙齿三角状卵形，不等，先端锐尖或有尖头，有时在中部以上 3 浅裂，上面密生刚伏毛，下面密生短柔毛。圆锥状聚伞花序多花，腋生，通常比叶长或与叶近等长；花梗细，密生短柔毛；花直径约 1.5 cm；萼片 4，开展，白色，长卵形或倒卵状长圆形，外面有淡黄色短绒毛，内面无毛；雄蕊无毛，花丝比花药长 5 倍。瘦果卵形，稍扁，有柔毛，宿存花柱长约 4 cm。花期 7 ~ 9 月，果期 10 ~ 12 月。

| **生境分布** | 生于山坡灌丛。分布于湖南湘西州（凤凰）等。

| **资源情况** | 野生资源稀少。药材来源于野生。

| **功能主治** | 用于风湿骨痛，咳嗽。

毛茛科 Ranunculaceae 铁线莲属 Clematis

大花威灵仙 Clematis courtoisii Hand.-Mazz.

| **药 材 名** | 大花威灵仙（药用部位：根、藤茎）。

| **形态特征** | 木质攀缘藤本，长 2 ~ 4 m。须根黄褐色。茎圆柱形，表面棕红色或深棕色。叶为三出复叶至二回三出复叶；叶片薄纸质或亚革质，长圆形或卵状披针形；先端 3 小叶具短小叶柄或无柄，侧生小叶柄被紧贴的稀疏柔毛。花单生于叶腋；花梗被紧贴的浅柔毛，在花梗的中部着生 1 对叶状苞片；苞片卵圆形或宽卵形；花大，直径 5 ~ 8 cm；萼片常 6，白色，先端锐尖，内面无毛，具褐色脉纹，外面沿 3 条直的中脉形成 1 青紫色的带，被稀疏柔毛，外侧密被浅绒毛；雄蕊暗紫色；心皮长 4 ~ 5 mm，子房及花柱基部被紧贴的长柔毛，花柱上部被浅柔毛，柱头膨大，无毛。瘦果倒卵圆形，棕红色，

被稀疏柔毛，宿存花柱被黄色柔毛，膨大的柱头宿存，无毛。花期 5 ～ 6 月，果期 6 ～ 7 月。

| **生境分布** | 生于海拔 200 ～ 500 m 的灌丛中，攀缘于树上。分布于湖南常德（津市）、益阳（沅江）等。

| **资源情况** | 野生资源一般。药材来源于野生。

| **采收加工** | 全年均可采收，鲜用或晒干。

| **药材性状** | 本品藤茎长达 4 m，缠绕或呈断状，直径 2 ～ 6 mm，具纵棱，表面棕红色或深棕色，质硬。有的可见对生叶，完整叶为二回三出复叶，具长柄，小叶卵状披针形，先端渐尖，基部阔楔形，全缘，枯绿色，薄纸质。气微辛、涩。

| **功能主治** | 辛、苦，平。归肝、脾、肾经。清热利湿，理气通便，解毒。用于小便不利，腹胀，大便秘结，风火牙痛，目生星翳，蛇虫咬伤。

| **用法用量** | 内服煎汤，15 ～ 30 g。外用适量，鲜品捣敷。

毛茛科 Ranunculaceae 铁线莲属 Clematis

厚叶铁线莲 *Clematis crassifolia* Benth.

| 药 材 名 | 厚叶铁线莲（药用部位：根及根茎）。

| 形态特征 | 藤本，全株除心皮及萼片外，其余部位无毛。茎紫红色，圆柱形，有纵条纹。三出复叶；小叶片革质，长椭圆形、椭圆形或卵形，长5 ~ 12 cm，宽2.5 ~ 6.5 cm，先端锐尖或钝，基部楔形至近圆形，全缘，上面深绿色，下面浅绿色。圆锥状聚伞花序腋生或顶生，多花，长而舒展；花直径2.5 ~ 4 cm；萼片4，开展，白色或略带水红色，披针形或倒披针形，长1.2 ~ 2 cm，外面近无毛，边缘密生短绒毛，内面有较密短柔毛；雄蕊无毛，花药椭圆形或长椭圆形，长1 ~ 2 mm，花丝干时明显皱缩，比花药长3 ~ 5倍。瘦果镰状狭卵形，有柔毛，长4 ~ 6 mm。花期12月至翌年1月，果期翌年2月。

| **生境分布** | 生于海拔 300 ～ 1 100 m 的针叶林中。分布于湖南衡阳（衡山）、株洲（渌口）、郴州（北湖、汝城）、永州（江永、冷水滩）等。 |

| **资源情况** | 野生资源较少。药材来源于野生。 |

| **采收加工** | 全年均可采收，鲜用或晒干。 |

| **功能主治** | 用于风湿关节痛，小儿惊风，咽喉肿痛。 |

| **用法用量** | 内服煎汤，5 ～ 15 g。 |

毛茛科 Ranunculaceae 铁线莲属 Clematis

山木通 *Clematis finetiana* Lévl. et Vant.

| 药 材 名 | 山木通根（药用部位：根）、山木通（药用部位：茎、叶。别名：过山照、冲倒山、蓑衣藤）。

| 形态特征 | 木质藤本，无毛。茎圆柱形，有纵条纹，小枝有棱。三出复叶，基部有时为单叶；小叶片薄革质或革质，卵状披针形、狭卵形至卵形，先端锐尖至渐尖，基部圆形、浅心形或斜肾形，全缘，两面无毛。花常单生，或为聚伞花序、总状聚伞花序，腋生或顶生，有 1 ~ 3花，少数具 7 以上花而成圆锥状聚伞花序，通常花序比叶长或与叶近等长；在叶腋分枝处常有多数长三角形至三角形宿存芽鳞，芽鳞长 5 ~ 8 mm；苞片小，钻形，有时下部苞片为宽线形至三角状披针形，先端 3 裂；萼片 4（~ 6），开展，白色，狭椭圆形或披针形，

外面边缘密生短绒毛；雄蕊无毛，药隔明显。瘦果镰状狭卵形，长约 5 mm，有柔毛，宿存花柱长达 3 cm，有黄褐色长柔毛。花期 4 ~ 6 月，果期 7 ~ 11 月。

| 生境分布 | 生于海拔 300 ~ 1 200 m 的山坡疏林、溪边、路旁灌丛、山谷石缝中。湖南各地均有分布。

| 资源情况 | 野生资源丰富。药材来源于野生。

| 采收加工 | 全年均可采收，鲜用或晒干。

| 功能主治 | **山木通根**：辛、苦，温。归肝、膀胱经。祛风利湿，活络止痛，解毒。用于风湿痹痛，跌打损伤，骨鲠咽喉，走马牙疳，目生星翳。

山木通：辛、苦，温。归肝、膀胱经。祛风活血，利尿通淋。用于关节肿痛，跌打损伤，小便不利，乳汁不通。

| 用法用量 | **山木通根**：内服煎汤，3 ~ 15 g；或研末。外用适量，鲜品捣敷；或捣烂，布包塞鼻。

山木通：内服煎汤，15 ~ 30 g，鲜品可用 60 g。外用适量，鲜品捣敷发疱。

毛茛科 Ranunculaceae 铁线莲属 Clematis

铁线莲 *Clematis florida* Thunb.

| 药 材 名 | 铁线莲（药用部位：全草或根。别名：铜威灵仙、龙须草）。

| 形态特征 | 草质藤本，长 1 ~ 2 m。茎棕色或紫红色，具 6 纵纹，节部膨大，被稀疏短柔毛。二回三出复叶，连叶柄长达 12 cm；小叶片狭卵形至披针形，先端钝尖；叶柄长 4 cm。花单生于叶腋；花梗近无毛，在中下部生 1 对叶状苞片；苞片宽卵圆形或卵状三角形，基部无柄或具短柄，被黄色柔毛；花开展，直径约 5 cm；萼片 6，白色，倒卵圆形或匙形，外面沿 3 条直的中脉形成 1 线状披针形的带，密被绒毛；雄蕊紫红色，花丝宽线形，无毛；子房狭卵形，被淡黄色柔毛，花柱短，上部无毛，柱头膨大成头状，微 2 裂。瘦果倒卵形，扁平，边缘增厚，宿存花柱伸长，呈喙状，细瘦，下部有开展的短柔毛，

上部无毛，膨大的柱头 2 裂。花期 1 ～ 2 月，果期 3 ～ 4 月。

| **生境分布** | 生于低山灌丛、山谷、路旁及小溪边。湖南各地均有分布。

| **资源情况** | 野生资源丰富。药材来源于野生。

| **采收加工** | 根，秋、冬季采挖，洗净泥土，晒干。全草，7 ～ 8 月采收，切段，鲜用或晒干。

| **功能主治** | 辛、苦，温；有小毒。归肝、脾、肾经。利尿通经，活血止痛，解毒。用于风湿性关节炎，小便淋痛，闭经，便秘，腹胀，风火牙痛，目生星翳，蛇虫咬伤，黄疸。

| **用法用量** | 内服煎汤，15 ～ 30 g；研末吞服，3 ～ 5 g。外用适量，鲜草加酒或食盐捣敷。

毛茛科 Ranunculaceae 铁线莲属 Clematis

扬子铁线莲 *Clematis ganpiniana* (Lévl. et Vant.) Tamura

| 药 材 名 |

湄潭木通（药用部位：茎。别名：小肥猪藤）。

| 形态特征 |

藤本。枝有棱，小枝近无毛或稍有短柔毛。一至二回羽状复叶，或二回三出复叶，有5 ~ 21 小叶，基部 2 对复叶常有 3 小叶或2 ~ 3 裂，茎上部复叶有时为三出叶；小叶片长卵形、卵形或宽卵形，有时呈卵状披针形，长 1.5 ~ 10 cm，宽 0.8 ~ 5 cm，先端锐尖、短渐尖至长渐尖，基部圆形、心形或宽楔形，边缘有粗锯齿、牙齿或为全缘，两面近无毛或疏生短柔毛。圆锥状聚伞花序或单聚伞花序，多花或少至 3 花，腋生或顶生，常比叶短；花梗长 1.5 ~ 6 cm；花直径 2 ~ 2.5（ ~ 3.5 ）cm；萼片 4，开展，白色，干时变为褐色至黑色，狭倒卵形或长椭圆形，外面边缘密生短绒毛，内面无毛；雄蕊无毛。瘦果常为扁卵圆形，无毛，宿存花柱长达3 cm。花期 7 ~ 9 月，果期 9 ~ 10 月。

| 生境分布 |

生于海拔 600 ~ 1 250 m 的针叶林、灌丛。分布于湖南长沙（岳麓）、常德（安乡）、永州（道县）、怀化（中方）、湘西州

（花垣、吉首）、张家界（桑植）等。

| 资源情况 |　野生资源一般。药材来源于野生。

| 采收加工 |　全年均可采收，鲜用或晒干。

| 功能主治 |　用于四肢麻木，风湿关节痛，小便淋痛。

| 用法用量 |　内服煎汤，6 ~ 10 g。

| 附　　注 |　本种的拉丁学名在 FOC 中被修订为 *Clematis puberula* J. D. Hooker et Thomson var. *ganpiniana* (H. Léveillé et Vaniot) W. T. Wang。

毛茛科 Ranunculaceae 铁线莲属 Clematis

小蓑衣藤
Clematis gouriana Roxb. ex DC.

| 药 材 名 | 小花木通（药用部位：藤茎。别名：小木通）。

| 形态特征 | 藤本。一回羽状复叶，通常有 5 小叶，偶有 3 或 7 小叶，偶尔基部 1 对叶有 2 ~ 3 小叶；小叶片纸质，卵形、长卵形至披针形，长（4 ~ ）7 ~ 11 cm，宽（1.5 ~ ）3 ~ 5 cm，先端渐尖或长渐尖，基部圆形或浅心形，常全缘，偶尔疏生锯齿状牙齿，两面无毛或近无毛，有时下面疏生短柔毛。圆锥状聚伞花序多花；花序梗、花梗密生短柔毛；萼片 4，开展，白色，椭圆形或倒卵形，长 5 ~ 9 mm，先端钝，两面有短柔毛；雄蕊无毛；子房有柔毛。瘦果纺锤形或狭卵形，不扁，先端渐尖，有柔毛，长 3 ~ 5 mm，宿存花柱长达 3 cm。花期 9 ~ 10 月，果期 11 ~ 12 月。

| 生境分布 | 生于海拔 350 ～ 1 000 m 的山坡、山谷灌丛中或沟边、路旁。湖南有广泛分布。

| 资源情况 | 野生资源一般。药材来源于野生。

| 采收加工 | 全年均可采收，切段，晒干。

| 药材性状 | 本品表面黄褐色至黄棕色，有 6 深纵沟，使茎呈六棱形。栓皮多已脱落，残留的皮部深棕色，疏松，有裂隙。断面黄褐色，可见花瓣状的大裂瓣 6，但每个大裂瓣的次生射线纹理为 2。

| 功能主治 | 辛，温。行气活血，祛风湿，止痛。用于跌打损伤，瘀滞疼痛，风湿筋骨痛，水肿。

| 用法用量 | 内服煎汤，9 ～ 12 g。

毛茛科 Ranunculaceae 铁线莲属 Clematis

金佛铁线莲 *Clematis gratopsis* W. T. Wang

| 药 材 名 | 绿木通（药用部位：藤、根。别名：小木通、山木通、藤通）。

| 形态特征 | 藤本，小枝、叶柄及花序梗、花梗均有伸展的短柔毛。一回羽状复叶，有 5 小叶，偶基部 1 对 3 全裂至有 3 小叶；小叶片卵形至卵状披针形或宽卵形，长 2 ~ 6 cm，宽 1.5 ~ 4 cm，基部心形，常在中部以下 3 浅裂至深裂，中间裂片卵状椭圆形至卵状披针形，先端锐尖至渐尖，侧裂片先端圆或锐尖，边缘有少数锯齿状牙齿，两面密生贴伏短柔毛。聚伞花序常有 3 ~ 9 花，腋生或顶生，或成顶生圆锥状聚伞花序；花梗上小苞片显著，卵形、椭圆形至披针形；花直径 1.5 ~ 2 cm；萼片 4，开展，白色，倒卵状长圆形，先端钝，长 7 ~ 10 mm，外面密生绢状短柔毛，内面无毛；雄蕊无毛，花丝比花药长 5 倍。瘦果卵形，密生柔毛。花期 8 ~ 10 月，果期 10 ~ 12 月。

| **生境分布** | 生于低山坡、山谷或沟边、路旁灌丛。分布于湖南常德（石门）、张家界（桑植）等。

| **资源情况** | 野生资源稀少。药材来源于野生。

| **功能主治** | 行气活血，祛风湿，止痛。

毛茛科 Ranunculaceae 铁线莲属 Clematis

单叶铁线莲
Clematis henryi Oliv.

| 药 材 名 | 雪里开（药用部位：根。别名：地雷）。

| 形态特征 | 木质藤本。主根下部膨大成瘤状或地瓜状，直径 1.5 ~ 2 cm，表面淡褐色，内部白色。单叶；叶片卵状披针形，长 10 ~ 15 cm，宽 3 ~ 7.5 cm，先端渐尖，基部浅心形，边缘具刺头状的浅齿，基出弧形中脉 3 ~ 5；叶柄长 2 ~ 6 cm。聚伞花序腋生，常只有 1 花，稀有 2 ~ 5 花，花序梗细瘦，与叶柄近等长，无毛，下部有 2 ~ 4 对交叉对生的线状苞片；花钟状，直径 2 ~ 2.5 cm；萼片 4，较肥厚，白色或淡黄色，卵圆形或长方卵圆形，长 1.5 ~ 2.2 cm，宽 7 ~ 12 mm，先端钝尖，外面疏生紧贴的绒毛，边缘具白色绒毛，内面无毛；雄蕊长 1 ~ 1.2 cm，花药长椭圆形，花丝线形，具 1 脉，两边有长柔毛；心皮被短柔毛，花柱被绢状毛。瘦果狭卵形，长

3 mm，直径 1 mm，被短柔毛，宿存花柱长达 4.5 cm。花期 11 ~ 12 月，果期翌年 3 ~ 4 月。

| 生境分布 |　生于海拔 600 ~ 1 200 m 的低山、中山草丛、阔叶林、针叶林下。湖南各地均有分布。

| 资源情况 |　野生资源较少。药材来源于野生。

| 采收加工 |　秋、冬季采挖，除去杂质，晒干或晾干。

| 药材性状 |　本品纺锤形，长 6 ~ 12 cm，直径 0.6 ~ 1.5 cm，多弯曲。表面黄褐色，有纵皱纹。不易折断，断面白色，粉性，具稀疏的放射状纹理。气微，味微甘。

| 功能主治 |　清热解毒，祛痰镇咳，行气活血，止痛。用于小儿高热惊风，咳嗽，咽喉肿痛，头痛，胃痛，腹痛，跌打损伤，腮腺炎，疔毒疔疮，蛇咬伤。

| 用法用量 |　内服煎汤，9 ~ 15 g；或研末，每次 1 ~ 3 g。外用适量，磨汁涂；或鲜品捣敷。

大叶铁线莲 *Clematis heracleifolia* DC.

| 药 材 名 | 草牡丹（药用部位：全株）。

| 形态特征 | 直立草本或半灌木。主根粗大，木质化。茎粗壮，有明显的纵条纹，密生白色糙绒毛。三出复叶；小叶亚革质或厚纸质，宽卵形或近圆形，长 6 ~ 10 cm，先端短尖，基部圆形或楔形，有时偏斜，边缘有不整齐的粗锯齿，上面无毛，下面有柔曲毛，下面网脉稀疏、隆起；叶柄长达 15 cm。聚伞花序顶生或腋生，每花下有 1 线状披针形苞片；花杂性，雄花与两性花异株；花直径 2 ~ 3 cm，花萼下半部呈管状，先端常反卷；萼片 4，蓝紫色，长 1.5 ~ 2 cm，宽 5 mm，内面无毛，外面有白色厚绢状短柔毛，边缘密生白色绒毛；雄蕊长约 1 cm，花丝线形；心皮被白色绢状毛。瘦果卵圆形，两面凸起，

长约 4 mm，红棕色，被短柔毛，宿存花柱丝状，长达 3 cm，有白色长柔毛。花期 8 ~ 9 月，果期 10 月。

| 生境分布 | 生于低山、山坡沟谷、林边及路旁灌丛中。分布于湖南张家界（慈利）、郴州（桂东）等。

| 资源情况 | 野生资源较少。药材来源于野生。

| 采收加工 | 夏、秋季采收。洗净泥沙，切段，晒干，储藏在干燥的密闭容器内，以防霉变。

| 药材性状 | 本品根粗大，木质化；表面棕黄色。茎圆柱形，多切成段，直径 5 ~ 8 mm，下段茎木化，上段茎草质，黄绿色或绿褐色，具纵棱。叶对生，完整叶为三出复叶；先端小叶较大，宽卵形，先端短尖，基部楔形，边缘有粗锯齿，侧生小叶近无柄，较小。聚伞花序顶生或腋生。气微，味微苦。

| 功能主治 | 辛，平。归肝、大肠经。祛风除湿，解毒消肿。用于风湿关节痛，结核性溃疡；外用于疮疖肿毒，痔瘘。

| 用法用量 | 内服煎汤，9 ~ 15 g；或浸酒。外用适量，煎汤熏洗。

毛茛科 Ranunculaceae 铁线莲属 Clematis

吴兴铁线莲

Clematis huchouensis Tamura

| 药 材 名 | 金剪刀草（药用部位：全草或根）。

| 形态特征 | 草质藤本。茎六棱形。奇数羽状复叶，长 8 ~ 10 cm，有 5 ~ 9 小叶；小叶片薄纸质或草质，先端叶片较小，基部 1 对小叶较大，2 ~ 3 深裂，小叶片和裂片卵圆形或卵状椭圆形至椭圆状披针形，长 4 ~ 5 cm，宽 2 ~ 3 cm，先端钝圆，有小尖头状突起，全缘，上面微被柔毛，下面密被紧贴的柔毛。聚伞花序具 1 ~ 3 花，腋生；花开展，直径 2.5 ~ 3 cm；萼片 4，白色，长 1.5 ~ 2 cm，宽约 6 mm，先端反卷，内面无毛，外面被短柔毛；雄蕊长仅为萼片之半或更短，花药线形，侧生，花丝较花药短而宽，长约 2 mm，药隔在先端延长；心皮（6 ~）12（~ 14），被白色柔毛，子房狭卵形，花柱棒状。瘦果卵圆形，

扁平，长约 7 mm，宽 5 mm。

| **生境分布** | 生于海拔 50 ~ 1 200 m 的岗地、丘陵灌丛或阔叶林下。分布于湖南岳阳（岳阳）、常德（澧县）、张家界（武陵源）等。

| **资源情况** | 野生资源较少。药材来源于野生。

| **采收加工** | 夏、秋季采收，鲜用。

| **药材性状** | 本品藤茎缠绕或呈段状，茎具 6 纵棱，表面黄色或淡黄色，有茸毛；质脆，易折断。叶对生，完整叶片奇数羽状复叶，小叶 5 ~ 9，卵圆形，顶部小叶较小，基部 1 对小叶较大，2 ~ 3 深裂，先端钝圆，基部圆形，全缘；质脆，易碎。有时可见腋生的花或瘦果。花淡黄色，果实长约 7 mm，宽约 5 mm，具宿存的喙状花柱。气微，味微苦。

| **功能主治** | 辛、咸、微苦，温。祛风湿，解毒消肿。用于风湿关节痛。

| **用法用量** | 外用适量，捣敷。

毛茛科 Ranunculaceae 铁线莲属 Clematis

毛蕊铁线莲
Clematis lasiandra Maxim

| 药 材 名 | 小木通（药用部位：全草）。

| 形态特征 | 攀缘草质藤本。老枝近无毛，当年生枝具开展的柔毛。三出复叶、羽状复叶或二回三出复叶，连叶柄长 9 ~ 15 cm，小叶 3 ~ 9（~ 15）；小叶片卵状披针形或窄卵形，长 3 ~ 6 cm，宽 1.5 ~ 2.5 cm；叶柄长 3 ~ 6 cm，无毛，基部膨大，隆起。聚伞花序腋生，常具 1 ~ 3 花；花钟状，先端反卷，直径 2 cm；萼片 4，粉红色至紫红色，直立，卵圆形至长方椭圆形，长 1 ~ 1.5 cm，宽 5 ~ 8 mm，两面无毛，边缘及反卷的先端被绒毛；雄蕊微短于萼片，花丝线形，外面及两侧被紧贴的柔毛，长超过花药，内面无毛，花药内向，长方椭圆形，药隔的外面被毛；心皮在开花时短于雄蕊，被绢状毛。

瘦果卵形或纺锤形，棕红色，长 3 mm，被疏短柔毛，宿存花柱纤细，长 2 ~ 3.5 cm，被绢状毛。花期 10 月，果期 11 月。

| 生境分布 | 生于海拔 500 ~ 1 250 m 的针叶林、阔叶林、灌丛、沟边、荒地。湖南各地均有分布。

| 资源情况 | 野生资源丰富。药材来源于野生。

| 采收加工 | 秋季采收，切段，晒干或鲜用。

| 药材性状 | 本品藤茎细长缠绕，表面枯绿色或绿褐色，有细棱。叶对生，有长柄，基部膨大，隆起，完整叶为一至二回三出复叶，小叶片卵状披针形；气微，味淡。根茎呈不规则圆柱形，表面灰棕色至棕褐色，有隆起的节，先端常残留木质茎，两侧及下方着生多数细长的根。根呈长圆柱形，长 5 ~ 20 cm，直径 1 ~ 2 mm，表面褐色或棕褐色，有细皱纹；质坚脆，易折断，皮部灰白色，木部类方形，淡黄色；气微，味微苦。

| 功能主治 | 淡，平。舒筋活血，祛湿止痛，解毒。用于筋骨疼痛，四肢麻木，腹胀，无名肿毒。

| 用法用量 | 内服煎汤，20 ~ 50 g。外用适量，煎汤洗。

毛茛科 Ranunculaceae 铁线莲属 Clematis

锈毛铁线莲
Clematis leschenaultiana DC.

| 药 材 名 | 滇淮木通（药用部位：全株）。

| 形态特征 | 木质藤本。茎圆柱形，有纵沟纹，密被开展的金黄色长柔毛。三出复叶；小叶片纸质，卵圆形、卵状椭圆形至卵状披针形，长 7～11 cm，宽 3.5～8 cm，表面绿色，被紧贴的稀疏柔毛，背面淡绿色，被平伏的厚柔毛，尤以叶脉上毛为多，基出主脉 3～5；小叶柄和叶柄均密被开展的黄色柔毛。聚伞花序腋生，密被黄色柔毛，常只有 3 花，稀多或少；花萼直立，呈壶状，先端反卷；萼片 4，黄色，外面密被金黄色柔毛，内面除先端被稀疏柔毛外，其余部位无毛；花丝扁平，除基部无毛外，上部被开展的稀疏长柔毛，花药线形，长 3 mm；心皮被绢状柔毛，子房卵形。瘦果狭卵形，长 5 mm，宽

1 mm，被棕黄色短柔毛，宿存花柱长 3 ~ 3.5 cm，具黄色长柔毛。花期 1 ~ 2 月，
果期 3 ~ 4 月。

| 生境分布 | 生于海拔 200 ~ 600 m 的阔叶林下、山坡灌丛中。分布于湖南永州（东安、
冷水滩）、娄底（新化、涟源）、怀化（麻阳、通道）、湘西州（永顺、花垣、
吉首）等。

| 资源情况 | 野生资源较少。药材来源于野生。

| 采收加工 | 秋季采收，切段，晒干或鲜用。

| 功能主治 | 淡，平。舒筋活血，祛湿止痛，解毒。用于风湿关节痛，毒蛇咬伤，目赤肿痛，
小便淋沥。

| 用法用量 | 内服煎汤，9 ~ 15 g。外用适量，煎汤洗。

毛茛科 Ranunculaceae 铁线莲属 Clematis

绣球藤
Clematis montana Buch.-Ham. ex DC.

| 药 材 名 | 绣球藤（药用部位：藤茎）。

| 形态特征 | 木质藤本。茎圆柱形，有纵条纹；小枝初有短柔毛，后无毛，老时外皮剥落。三出复叶，数叶与花簇生，或与花对生；小叶片卵形、宽卵形至椭圆形，长 2 ~ 7 cm，宽 1 ~ 5 cm，边缘缺刻状锯齿由多而锐至粗而钝，先端 3 裂或不明显，两面疏生短柔毛，有时下面毛较密。花 1 ~ 6，与叶簇生，直径 3 ~ 5 cm；萼片 4，开展，白色或外面带淡红色，长圆状倒卵形至倒卵形，长 1.5 ~ 2.5 cm，宽 0.8 ~ 1.5 cm，外面疏生短柔毛，内面无毛；雄蕊无毛。瘦果扁，卵形或卵圆形，长 4 ~ 5 mm，宽 3 ~ 4 mm，无毛。花期 4 ~ 6 月，果期 7 ~ 9 月。

| **生境分布** | 生于海拔 1 600 ～ 1 800 m 的山坡、山谷灌丛、林边或沟旁。湖南各地均有分布。

| **资源情况** | 野生资源较少。药材来源于野生。

| **采收加工** | 秋季采集，刮去外皮，切片，晒干。

| **药材性状** | 本品呈圆柱形，长 60 ～ 100 cm，直径 1.5 ～ 3 cm。外皮黄棕色，常有剥落、起层的皮片，并有纵条纹；节部稍膨大。体轻，质坚韧，断面有放射状纹理及多数排列整齐的导管孔。气微弱，味微苦。

| **功能主治** | 淡、苦，寒。清热利尿，通经下乳。用于水肿，淋证，关节痹痛，闭经，乳少。

| **用法用量** | 内服煎汤，5 ～ 15 g。外用适量，煎汤洗。

毛茛科 Ranunculaceae 铁线莲属 Clematis

大花绣球藤

Clematis montana Buch.-Ham. ex DC. var. *grandiflora* Hook.

| 药 材 名 |

大花绣球（药用部位：藤茎。别名：柴木通、四川木通、川木通）。

| 形态特征 |

小叶片为长圆状椭圆形、狭卵形至卵形，少数为椭圆形或宽卵形，长 3 ~ 9 cm，宽 1 ~ 3.5（~ 5）cm，叶缘疏生粗锯齿至两侧各有 1 牙齿以至全缘（少数云南标本锯齿锐而多）。花大，直径 5 ~ 11 cm；萼片长圆形至倒卵圆形，长 2.5 ~ 5.5 cm，宽 1.5 ~ 3.5 cm，先端圆钝或凸尖，少数微凹，外面沿边缘密生短绒毛，中间无毛或少毛部分呈披针形至椭圆形或不明显，宽 0.8 ~ 1.5 cm。花期 4 ~ 8 月，果期 7 ~ 8 月。

| 生境分布 |

生于山坡灌丛中、山谷沟边。分布于湖南常德（石门）、湘西州（龙山）等。

| 资源情况 |

野生资源稀少。药材来源于野生。

| 功能主治 |

清热利尿，通经下乳。

| 附　注 |　本种在 FOC 中被修订为毛茛科 Ranunculaceae 铁线莲属 *Clematis* 大花绣球藤 *Clematis montana* var. *longipes* W. T. Wang。

宽柄铁线莲

Clematis otophora Franch. ex Finet et Gagnep.

| 药 材 名 | 宽柄铁线莲（药用部位：藤茎）。

| 形态特征 | 攀缘草质藤本。茎圆柱形，有6浅纵沟纹。三出复叶；小叶片幼时呈纸质，老后呈亚革质，长方状披针形，长7～11 cm，宽1.5～4 cm，两面均无毛，基出主脉3，在上面平坦，在背面凸起，侧脉不明显；叶柄基部扁平且宽，与对生的叶柄结合，抱茎。聚伞花序腋生，常具1～3花；萼片4，黄色，先端有小尖头，内面顶部有疏柔毛，其余部位无毛，边缘密被短绒毛；雄蕊微短于萼片，花丝线形，花药内向着生，长方状椭圆形，药隔先端微有尖头状突起，花丝基部无毛，其余全体被黄色柔毛；花期心皮长仅为雄蕊之半，且被黄色绢状毛。瘦果狭倒卵形或柱状菱形，长5 mm，宽1～2 mm，

被黄色短柔毛，宿存花柱长达 3.5 cm，被淡黄色长柔毛。花期 7 ~ 8 月，果期 9 ~ 10 月。

| **生境分布** | 生于海拔 1 200 ~ 1 500 m 的山沟林边、灌丛中、针叶林下。分布于湖南永州（双牌）等。

| **资源情况** | 野生资源稀少。药材来源于野生。

| **采收加工** | 秋季采收，切段，晒干。

| **功能主治** | 淡，平。通经，利尿，镇痛。

| **用法用量** | 内服煎汤，20 ~ 50 g。外用适量，煎汤洗。

毛茛科 Ranunculaceae 铁线莲属 Clematis

裂叶铁线莲

Clematis parviloba Gardn. et Champ.

| **药 材 名** | 苦瓜藤通（药用部位：藤茎）。

| **形态特征** | 藤本。枝有棱，有柔毛。一至二回羽状复叶，或二回三出复叶，基部 2 对复叶常 2～3 裂或有 3 小叶，茎上部有时为三出叶；小叶片卵状披针形、长卵形至卵形，长 1.5～8.5 cm，宽 1～3 cm，先端渐尖，基部圆形，全缘或有粗锯齿、牙齿，上面干时呈灰褐色，下面灰绿色，两面有贴伏柔毛，下面较密。聚伞花序或圆锥状聚伞花序，3 花至多花，偶有花单生，腋生或顶生，花与叶近等长；花梗上小苞片显著，卵形、椭圆形或披针形；花直径 1.5～3.5 cm；萼片 4，开展，白色，近长圆形至狭倒卵形，长 0.8～2 cm，宽 3～7 mm，外面有绢状毛，内面近无毛；雄蕊无毛，花药长 2 mm 左右。瘦果

卵形，长约 5 mm，宽约 3 mm，有柔毛，宿存花柱长达 4 cm。花期 5 ～ 7 月，果期 7 ～ 9 月。

| **生境分布** | 生于海拔 500 ～ 800 m 的山坡、山谷灌丛、林边、路边或沟旁。分布于湖南怀化（洪江）等。

| **资源情况** | 野生资源稀少。药材来源于野生。

| **采收加工** | 全年均可采收，切段，晒干。

| **功能主治** | 辛，温。行气活血，祛风湿，止痛。用于跌打损伤，筋骨痛，肢体麻木。

| **用法用量** | 内服煎汤，6 ～ 12 g；或捣汁。外用适量，煎汤洗；或捣敷。

毛茛科 Ranunculaceae 铁线莲属 Clematis

钝萼铁线莲
Clematis peterae Hand.-Mazz.

| **药 材 名** | 木通藤（药用部位：藤茎）。

| **形态特征** | 藤本。一回羽状复叶，有 5 小叶，偶尔基部 1 对复叶有 3 小叶；小叶片卵形或长卵形，少数呈卵状披针形，长（2 ~）3 ~ 9 cm，宽（1 ~）2 ~ 4.5 cm，先端常锐尖或短渐尖，少数长渐尖，基部圆形或浅心形，边缘疏生 1 至多个锯齿状牙齿或全缘，两面疏生短柔毛至近无毛。圆锥状聚伞花序多花；花序梗、花梗密生短柔毛，花序梗基部常有 1 对叶状苞片；花直径 1.5 ~ 2 cm，萼片 4，开展，白色，倒卵形至椭圆形，长 0.7 ~ 1.1 cm，先端钝，两面有短柔毛，外面边缘密生短绒毛；雄蕊无毛；子房无毛。瘦果卵形，稍扁平，无毛或近花柱处稍有柔毛，长约 4 mm，宿存花柱长达 3 cm。花期 6 ~ 8

月，果期 9 ～ 12 月。

| **生境分布** | 生于海拔 1 800 m 以下的丘陵、岗地、低山、山坡、沟边林中。湖南各地均有分布。

| **资源情况** | 野生资源一般。药材来源于野生。

| **采收加工** | 全年均可采收，切段，晒干。

| **药材性状** | 本品藤茎草黄色或褐色，有条纹，嫩枝有时被毛。羽状复叶对生；叶柄长达 7 cm，有条纹及淡褐色毛；小叶 3 ～ 5，卵形，两面疏生短毛至近无毛。气微，味稍苦。

| **功能主治** | 辛，温。归肺、肝经。祛风除湿。用于风湿痹痛，感冒发热。

| **用法用量** | 内服煎汤，6 ～ 12 g；或捣汁。外用适量，煎汤洗；或捣敷。

毛茛科 Ranunculaceae 铁线莲属 *Clematis*

须蕊铁线莲 *Clematis pogonandra* Maxim.

| 药 材 名 | 黄花大淮通（药用部位：藤茎。别名：花木通、木通）。

| 形态特征 | 草质藤本，长 2 ~ 3 cm。老枝圆柱形，棕红色，幼枝淡黄色，有 6 浅的纵沟纹，除节上有时被柔毛外，其余无毛，当年生枝基部芽鳞宿存；鳞片三角形，长达 8 mm，仅边缘有毛。三出复叶；叶片薄纸质，3 基出主脉在表面平坦，在背面隆起；叶柄长 2 ~ 6 cm，无毛。单花腋生，花梗细瘦，长 4 ~ 7.5 cm，不具苞片，光滑无毛；花钟状，直径 2 ~ 3 cm；萼片 4，淡黄色，长椭圆形或卵状披针形，先端渐尖，微黄绿色，仅先端内面微被柔毛，边缘密被黄色绒毛，其余无毛；雄蕊与萼片近等长，花丝宽线形，比花药宽 2 ~ 3 mm，上部的两侧及背面被长柔毛，基部及腹面无毛，花药内向着生，窄线形，长 5 ~ 7 mm，药隔密被短柔毛；心皮被短柔毛，花柱被绢状毛。瘦

果倒卵形，被短柔毛，宿存花柱长达 3 cm，被黄色长柔毛。花期 6 ~ 7 月，果期 7 ~ 8 月。

| **生境分布** | 生于海拔约 1 900 m 的山坡林边及灌丛中。分布于湖南常德（石门）等。

| **资源情况** | 野生资源稀少。药材来源于野生。

| **功能主治** | 清热利尿，通经下乳。

毛茛科 Ranunculaceae 铁线莲属 Clematis

华中铁线莲

Clematis pseudootophora M. Y. Fang

| 药 材 名 | 华中铁线莲（药用部位：藤茎）。

| 形态特征 | 攀缘草质藤本。茎圆柱形，有6浅纵沟纹。三出复叶；小叶片纸质，长椭圆状披针形或卵状披针形，长7~11 cm，宽2~5 cm，表面绿色，背面灰白色，基出主脉3，稀5。聚伞花序腋生，常具1~3花，无毛；花钟状，下垂，直径2~3.5 cm，萼片4，淡黄色，卵圆形或卵状椭圆形，长2.5~3 cm，宽1~1.2 cm，先端急尖，外面无毛，内面微被紧贴的短柔毛，边缘密被淡黄色绒毛；雄蕊比萼片短，长1.5~2 cm，花丝线形，基部无毛，上部背面及两侧被开展的稀疏柔毛，花药及药隔密被短柔毛，药隔在先端有尖头状突起；心皮被短柔毛，花柱细瘦，被绢状毛。瘦果棕色，纺锤形或倒

卵形，长 5 mm，宽约 2 mm，被短柔毛，宿存花柱长 4 ~ 5 cm，丝状，被黄色长柔毛。花期 8 ~ 9 月，果期 9 ~ 10 月。

| 生境分布 | 生于海拔 1 100 ~ 1 800 m 的沟边、林下及灌丛中。分布于湖南邵阳（绥宁）、张家界（武陵源）等。

| 资源情况 | 野生资源较少。药材来源于野生。

| 采收加工 | 全年均可采收，切段，晒干。

| 功能主治 | 辛，温。行气活血，祛湿止痛。用于风湿关节痛，跌打损伤。

| 用法用量 | 内服煎汤，6 ~ 12 g；或捣汁。外用适量，煎汤洗；或捣敷。

毛茛科 Ranunculaceae 铁线莲属 Clematis

五叶铁线莲
Clematis quinquefoliolata Hutch.

| 药 材 名 | 柳叶见血飞（药用部位：全株或根）。

| 形态特征 | 木质藤本。茎、枝有纵条纹，小枝有短柔毛，后变无毛。一回羽状复叶有 5 小叶；小叶片薄革质，长圆状披针形、卵状披针形至长卵形或卵形，长 4 ~ 9 cm，宽 1 ~ 3.5 cm，先端凸尖至渐尖，基部圆形至浅心形，或为楔形，全缘，两面无毛，或下面略被柔毛。聚伞花序或总状、圆锥状聚伞花序，腋生或顶生，有 3 至 10 余花；花序梗、花梗疏生短柔毛；萼片 4，开展，白色，近长圆形或倒卵状椭圆形，长 1 ~ 2 cm，外面有短柔毛，边缘密生绒毛，内面无毛。瘦果扁，卵形或椭圆形，长约 5 mm，有柔毛，宿存花柱长达 6 cm。花期 6 ~ 8 月，果期 7 ~ 10 月。

| **生境分布** | 生于海拔 450 ~ 750 m 的丘陵、岗地、低山、山坡、路旁灌丛中或水沟边。湖南有广泛分布。 |

| **资源情况** | 野生资源一般。药材来源于野生。 |

| **采收加工** | 秋、冬季采集，洗净，切碎，晒干。 |

| **药材性状** | 本品根呈细长圆柱形，直径约 1 mm，数条簇生在不规则根茎上。藤茎缠绕或呈段状，表面绿褐色或枯绿色，具纵棱。叶对生，羽状复叶，具长柄；小叶 5，卵状披针形，先端渐尖，基部楔形，全缘，两面光滑，枯绿色；小叶柄常扭曲；质地薄脆，易破碎。有时可见花序。气微，味微辛、苦。 |

| **功能主治** | 辛，温。祛风除湿，温中理气，散瘀止痛。用于风湿关节痛，跌打损伤，扭挫伤，胃痛，痛经，偏头痛，神经痛，面神经麻痹，鱼骨鲠喉。 |

| **用法用量** | 内服煎汤，10 ~ 15 g；或浸酒。 |

毛茛科 Ranunculaceae 铁线莲属 Clematis

圆锥铁线莲
Clematis terniflora DC.

| 药 材 名 |

铜脚威灵仙（药用部位：根）。

| 形 态 特 征 |

木质藤本。茎、小枝有短柔毛，后近无毛。一回羽状复叶通常有 5 小叶，茎基部为单叶或三出复叶；小叶片狭卵形至宽卵形，有时呈卵状披针形，先端钝或锐尖，有时微凹或短渐尖，基部圆形、浅心形或楔形，全缘，两面或沿叶脉疏生短柔毛或近无毛，上面网脉不明显或明显，下面网脉凸出。圆锥状聚伞花序腋生或顶生，多花，较开展；花序梗、花梗有短柔毛；花直径 1.5 ～ 3 cm；萼片通常 4，开展，白色，狭倒卵形或长圆形，先端锐尖或钝，外面有短柔毛，边缘密生绒毛。瘦果 5 ～ 7，橙黄色，扁，倒卵形至宽椭圆形，长 5 ～ 9 mm，宽 3 ～ 6 mm，边缘凸出，有贴伏柔毛，宿存花柱长达 4 cm。花期 6 ～ 8 月，果期 8 ～ 11 月。

| 生 境 分 布 |

生于海拔 400 m 以下的岗地、丘陵、路旁草丛中。分布于湖南长沙（长沙）、邵阳（邵阳）、永州（零陵、江华）等。

| **资源情况** | 野生资源较少。药材来源于野生。

| **采收加工** | 全年均可采挖，洗净，鲜用或晒干。

| **功能主治** | 苦，平；有毒。凉血，降火，消肿，解毒，通经络，利关节。用于跌打损伤，筋骨痹痛，肢体麻木。

| **用法用量** | 内服煎汤，9～15 g。外用适量，捣敷。

毛茛科 Ranunculaceae 铁线莲属 Clematis

柱果铁线莲 *Clematis uncinata* Champ.

| 药 材 名 | 南方威灵仙（药用部位：根）、南方威灵仙叶（药用部位：叶）。

| 形态特征 | 藤本，干时常呈黑色，除花柱有羽状毛及萼片外面边缘有短柔毛外，其余部位光滑。茎圆柱形，有纵条纹。一至二回羽状复叶有 5 ~ 15 小叶，基部 2 对复叶常有 2 ~ 3 小叶，茎基部为单叶或三出叶；小叶片纸质或薄革质，宽卵形、卵形、长圆状卵形至卵状披针形，先端渐尖至锐尖，偶微凹，基部圆形或宽楔形，有时呈浅心形或截形，全缘，上面亮绿色，下面灰绿色，网脉在两面均凸出。圆锥状聚伞花序腋生或顶生，多花；萼片 4，开展，白色，干时呈褐色至黑色，线状披针形至倒披针形，长 1 ~ 1.5 cm。瘦果圆柱状钻形，干后呈黑色，长 5 ~ 8 mm，宿存花柱长 1 ~ 2 cm。花期 6 ~ 7 月，果期 7 ~

9 月。

| **生境分布** | 生于海拔 100 ~ 1 050 m 的山地、山谷、溪边灌丛、林边或石灰岩灌丛中。湖南有广泛分布。

| **资源情况** | 野生资源一般。药材来源于野生。

| **采收加工** | 夏、秋季采集，晒干。

| **功能主治** | **南方威灵仙：** 用于风湿关节痛，牙痛，骨鲠。
南方威灵仙叶： 外用于外伤出血。

| **用法用量** | **南方威灵仙：** 内服煎汤，15 ~ 25 g；或浸酒。

皱叶铁线莲

Clematis uncinata Champ. var. *coriacea* Pamp.

| 药 材 名 | 皱叶铁线莲（药用部位：根、叶。别名：灵仙）。

| 形态特征 | 藤本，干时常带黑色，除花柱有羽状毛及萼片外面边缘有短柔毛外，其余光滑。茎圆柱形，有纵条纹。一至二回羽状复叶，有 5 ~ 15 小叶，基部 2 对常为 2 ~ 3 小叶，茎基部为单叶或三出叶；小叶片较厚，革质，干后上面微皱，下面叶脉不明显。圆锥状聚伞花序腋生或顶生，多花；萼片 4，开展，白色，干时变褐色至黑色，线状披针形至倒披针形，长 1 ~ 1.5 cm；雄蕊无毛。瘦果圆柱状钻形，干后变黑色，长 5 ~ 8 mm，宿存花柱长 1 ~ 2 cm。花期 6 ~ 7 月，果期 8 ~ 9 月。

| 生境分布 | 生于山坡、山谷林下、河边、沟旁灌丛或草丛。分布于湖南衡阳

（衡山）、邵阳（洞口、新宁）、常德（石门）、张家界（慈利）、怀化（沅陵、芷江）等。

| **资源情况** | 野生资源稀少。药材来源于野生。

| **功能主治** | 根，祛风除湿，舒筋活络，镇痛。叶，用于外伤出血。

毛茛科 Ranunculaceae 铁线莲属 Clematis

尾叶铁线莲
Clematis urophylla Franch.

| 药 材 名 | 尾叶铁线莲（药用部位：藤茎）。

| 形态特征 | 木质藤本，长 1 ~ 3 m。茎有 6 棱，淡灰色或灰棕色，被短柔毛。三出复叶；小叶片狭卵形或卵状披针形，尖端有尖尾，基部宽楔形、圆形或亚心形，边缘有整齐的锯齿，基部全缘，两面无毛或微被紧贴的稀疏短柔毛，基出主脉 3 ~ 5，在表面平坦，在背面显著隆起；叶柄长 5 ~ 7 cm，上面有浅沟。聚伞花序腋生，常具 1 ~ 3 花，在花序的分枝处生 1 对线状披针形的苞片；花序梗长 1 ~ 2 cm，无毛；花梗密生紧贴的短柔毛，花钟状，微开展；萼片 4，白色，直立而不反卷，卵状椭圆形或长方状椭圆形，外面及边缘具紧贴的短柔毛，内面仅先端被绒毛，其余部位无毛。瘦果纺锤形，被短柔毛，宿存

花柱被长柔毛。花期 11 ～ 12 月，果期翌年 3 ～ 4 月。

| **生境分布** | 生于海拔 1 200 ～ 1 300 m 的林边、路旁及灌丛中。分布于湖南怀化（洪江、溆浦）、张家界（桑植）、郴州（桂东）等。

| **资源情况** | 野生资源较少。药材来源于野生。

| **采收加工** | 秋季采收，切段，晒干或鲜用。

| **功能主治** | 淡，平。祛风利湿，活血解毒。用于风湿关节痛，毒蛇咬伤，目赤肿痛，小便淋沥。

| **用法用量** | 内服煎汤，9 ～ 15 g。外用适量，煎汤洗。

毛茛科 Ranunculaceae 黄连属 Coptis

黄连
Coptis chinensis Franch.

| 药 材 名 | 黄连（药用部位：根茎）。

| 形态特征 | 根茎黄色，常分枝，密生多数须根。叶有长柄；叶片稍带革质，卵状三角形，3 全裂，中央全裂片卵状菱形，先端急尖，具长 0.8 ~ 1.8 cm 的细柄，3 对或 5 对羽状深裂，下面分裂最深，边缘生具细刺尖的锐锯齿，侧全裂片具长 1.5 ~ 5 mm 的柄，斜卵形，比中央全裂片短，不等 2 深裂，叶脉在两面均隆起，除表面沿脉部分被短柔毛外，其余部分无毛；叶柄无毛。花葶 1 ~ 2，高 12 ~ 25 cm；二歧或多歧聚伞花序有 3 ~ 8 花；苞片披针形，3 或 5 羽状深裂；萼片黄绿色，长椭圆状卵形，长 9 ~ 12.5 mm，宽 2 ~ 3 mm；花瓣线形或线状披针形，长 5 ~ 6.5 mm，先端渐尖，中央有蜜槽。蓇葖果

长 6 ~ 8 mm，与果柄约等长；种子 7 ~ 8，长椭圆形，褐色。花期 2 ~ 3 月，果期 4 ~ 6 月。

| **生境分布** | 生于海拔 1 000 ~ 1 600 m 的山地林中或山谷阴处。栽培于高山林下，喜阴湿、肥沃的土壤。湖南各地均有分布。

| **资源情况** | 野生资源较少。栽培资源较少。药材来源于栽培。

| **采收加工** | 秋季采挖，除去须根和泥沙，干燥，撞去残留须根。

| **药材性状** | 本品多集聚成簇，常弯曲，形如鸡爪，单枝根茎长 3 ~ 6 cm，直径 0.3 ~ 0.8 cm。表面灰黄色或黄褐色，粗糙，有呈不规则结节状隆起的须根及须根残基，有的节间表面平滑如茎秆，习称"过桥"。上部多残留褐色鳞叶，先端常留有残余的茎或叶柄。质硬，断面不整齐，皮部橙红色或暗棕色，木部鲜黄色或橙黄色，呈放射状排列，髓部有时中空。气微，味极苦。

| **功能主治** | 苦，寒。归心、脾、胃、肝、胆、大肠经。清热燥湿，泻火解毒。用于湿热痞满，呕吐吞酸，泻痢，黄疸，高热神昏，心火亢盛，心烦不寐，心悸不宁，血热吐衄，目赤，牙痛，消渴，痈肿疔疮；外用于湿疹，耳道流脓。

| **用法用量** | 内服煎汤，2 ~ 5 g。外用适量，煎汤涂抹。

毛茛科 Ranunculaceae 黄连属 Coptis

短萼黄连
Coptis chinensis Franch. var. *brevisepala* W. T. Wang et Hsiao

| 药 材 名 | 土黄连（药用部位：根茎）。

| 形态特征 | 根茎黄色，常分枝，密生多数须根。叶有长柄；叶片略呈革质，卵状三角形，3 全裂，中央全裂片卵状菱形，先端急尖，具长 0.8 ～ 1.8 cm 的细柄，3 对或 5 对羽状深裂，下面分裂最深，边缘生具细刺尖的锐锯齿，侧全裂片具长 1.5 ～ 5 mm 的柄，斜卵形，比中央全裂片短，不等 2 深裂，叶脉在两面均隆起，除表面沿脉部分被短柔毛外，其余部分无毛；叶柄无毛。花葶 1 ～ 2，高 12 ～ 25 cm；二歧或多歧聚伞花序有 3 ～ 8 花；苞片披针形，3 或 5 羽状深裂；萼片黄绿色，长椭圆状卵形，较短，长约 6.5 mm，仅比花瓣长 1/5 ～ 1/3；花瓣线形或线状披针形，长 5 ～ 6.5 mm，先端渐尖，中

央有蜜槽。蓇葖果长 6 ~ 8 mm，与果柄约等长；种子 7 ~ 8，长椭圆形，褐色。花期 2 ~ 3 月，果期 4 ~ 6 月。

| **生境分布** | 生于海拔 600 ~ 1 600 m 的山地林下或山谷阴湿处。分布于湖南永州（蓝山）等。

| **资源情况** | 野生资源稀少。药材来源于野生。

| **采收加工** | 秋季采挖，除去须根和泥沙，干燥，撞去残留须根。

| **功能主治** | 苦，寒。归心、脾、胃、肝、胆、大肠经。清热燥湿，泻火解毒。用于湿热痞满，呕吐吞酸，泻痢，黄疸，高热神昏，心火亢盛，心烦不寐，心悸不宁，血热吐衄，目赤，牙痛，消渴，痈肿疔疮；外用于湿疹，耳道流脓。

| **用法用量** | 内服煎汤，2 ~ 5 g。外用适量，煎汤涂抹。

| 毛茛科 Ranunculaceae | 翠雀属 Delphinium |

还亮草 *Delphinium anthriscifolium* Hance

药材名

还亮草（药用部位：全草）。

形态特征

茎无毛或上部疏被反曲的短柔毛，等距地生叶，分枝。叶为二至三回羽状复叶，或为三出复叶，有较长柄或短柄；叶片菱状卵形或三角状卵形，羽片 2 ~ 4 对，对生，稀互生，下部羽片有细柄，狭卵形，长渐尖，通常分裂至近中脉，末回裂片狭卵形或披针形，表面疏被短柔毛，背面无毛或近无毛；叶柄无毛或近无毛。总状花序；基部苞片叶状，其他苞片小，披针形至披针状钻形；花长 1 ~ 1.8（~ 2.5）cm；萼片堇色或紫色，椭圆形至长圆形；花瓣紫色，无毛，上部变宽；退化雄蕊与萼片同色，无毛，瓣片斧形，2 深裂近基部。蓇葖果长 1.1 ~ 1.6 cm；种子扁球形，上部有螺旋状生长的横膜翅，下部约有同心的横膜翅 5。花期 3 ~ 5 月。

生境分布

生于丘陵、低山草丛或溪边草地。湖南各地均有分布。

| 资源情况 | 野生资源丰富。药材来源于野生。

| 采收加工 | 夏、秋季采收，洗净，切段，鲜用或晒干。

| 药材性状 | 本品根呈长圆锥形，表面棕黄色至棕黑色，具细密纵纹，支根较多；根头密被叶柄残基；断面黄色。茎断面中空，纤维性。叶灰绿色，展平后为二至三回羽状复叶；叶片菱状卵形或三角状卵形，长 2.3 ～ 9 cm，宽 3.5 ～ 8 cm，两面疏被短柔毛。总状花序；小苞片披针状线形，多碎落；萼片 5，紫色，被短柔毛；花瓣 2，不等 3 裂，紫色；退化雄蕊 2，花瓣状，斧形，2 深裂。蓇葖果长 1.1 ～ 1.6 cm；种子扁球形，有横膜翅。气微，味辛、苦。

| 功能主治 | 辛，温。归肝、心、胃经；有毒。祛风除湿，止痛活络。用于风湿痹痛，半身不遂，食积胀满，咳嗽；外用于痈疮癣疥。

| 用法用量 | 内服煎汤，3 ～ 6 g。外用适量，捣敷；或煎汤洗。

毛茛科 Ranunculaceae 翠雀属 Delphinium

卵瓣还亮草

Delphinium anthriscifolium Hance var. *calleryi* (Franch.) Finet et Gagnep.

| 药 材 名 | 还魂草（药用部位：全草）。

| 形态特征 | 茎无毛或上部疏被反曲的短柔毛，等距地生叶，分枝。叶为二至三回近羽状复叶，或为三出复叶，有较长柄或短柄；叶片菱状卵形或三角状卵形，羽片 2 ~ 4 对，对生，稀互生，下部羽片有细柄，狭卵形，长渐尖，通常分裂至近中脉，末回裂片狭卵形或披针形，表面疏被短柔毛，背面无毛或近无毛；叶柄无毛或近无毛。总状花序；基部苞片叶状，其他苞片小，披针形至披针状钻形；花长 1 ~ 1.8（~ 2.5）cm；萼片堇色或紫色，椭圆形至长圆形；花瓣紫色，无毛，上部变宽；退化雄蕊的瓣片卵形，先端微凹或 2 浅裂，稀不分裂或分裂达中部。蓇葖果长 1.1 ~ 1.6 cm；种子扁球形，上部有螺旋状

生长的横膜翅，下部有同心的横膜翅 5。花期 3 ~ 5 月。

| **生境分布** | 生于丘陵、低山林边、灌丛或草坡较阴湿处。湖南有广泛分布。

| **资源情况** | 野生资源一般。药材来源于野生。

| **采收加工** | 夏、秋季采收，洗净，切段，鲜用或晒干。

| **药材性状** | 本品根呈长圆锥形，表面棕黄色至棕黑色，具细密纵纹，支根较多；根头密被叶柄残基；断面黄色。茎断面中空，纤维性。叶灰绿色，展平后为二至三回羽状复叶；叶片菱状卵形或三角状卵形，长 2.3 ~ 9 cm，宽 3.5 ~ 8 cm，两面疏被短柔毛。总状花序；小苞片披针状线形，多碎落；萼片 5，紫色，被短柔毛；花瓣 2，不等 3 裂，紫色；退化雄蕊 2，瓣片卵形。蓇葖果长 1.1 ~ 1.6 cm；种子扁球形，有横膜翅。气微，味辛、苦。

| **功能主治** | 清热解毒，止痛活络。用于便秘，痈疮肿毒，跌打损伤。

| **用法用量** | 内服煎汤，3 ~ 6 g。外用适量，捣敷；或煎汤洗。

| **附　注** | 本种的拉丁学名在 FOC 中被修订为 *Delphinium anthriscifolium* Hance var. *savatieri* (Franchet) Munz。

毛茛科 Ranunculaceae 翠雀属 Delphinium

大花还亮草

Delphinium anthriscifolium Hance var. *majus* Pamp.

| 药 材 名 |

土黄连（药用部位：全草）。

| 形态特征 |

茎无毛或上部疏被反曲的短柔毛，等距地生叶，分枝。叶为二至三回近羽状复叶，或为三出复叶，有较长柄或短柄；叶片菱状卵形或三角状卵形，羽片 2 ~ 4 对，对生，稀互生，下部羽片有细柄，狭卵形，长渐尖，通常分裂至近中脉，末回裂片狭卵形或披针形，表面疏被短柔毛，背面无毛或近无毛；叶柄无毛或近无毛。总状花序；基部苞片叶状，其他苞片小，披针形至披针状钻形；花较大，长 2.3 ~ 3.4 cm，萼距长 1.7 ~ 2.4 cm；花瓣紫色，无毛，上部变宽；退化雄蕊的瓣片卵形，2 裂至本身长度的 1/4 ~ 1/3 处，偶尔达中部。蓇葖果长 1.1 ~ 1.6 cm；种子扁球形，上部有螺旋状生长的横膜翅，下部有同心的横膜翅 5。3 ~ 5 月开花。

| 生境分布 |

生于海拔 80 ~ 1 740 m 的山地。湖南有广泛分布。

| **资源情况** | 野生资源一般。药材来源于野生。

| **采收加工** | 夏、秋季采收，洗净，切段，鲜用或晒干。

| **药材性状** | 本品根呈长圆锥形，表面棕黄色至棕黑色，具细密纵纹，支根较多；根头密被叶柄残基；断面黄色。茎断面中空，纤维性。叶灰绿色，展平后为二至三回羽状复叶；叶片菱状卵形或三角状卵形，长 2.3 ~ 9 cm，宽 3.5 ~ 8 cm，两面疏被短柔毛。总状花序；小苞片披针状线形，多碎落；萼片 5，紫色，被短柔毛；花瓣 2，不等 3 裂，紫色；退化雄蕊 2，退化雄蕊的瓣片卵形，2 裂至本身长度的 1/4 ~ 1/3 处，偶尔达中部。蓇葖果长 1.1 ~ 1.6 cm；种子扁球形，有横膜翅。气微，味辛、苦。

| **功能主治** | 清热解毒，祛痰止咳。用于痈疮肿毒，痰多咳喘。

| **用法用量** | 内服煎汤，3 ~ 6 g。外用适量，捣敷；或煎汤洗。

毛茛科 Ranunculaceae 人字果属 Dichocarpum

蕨叶人字果

Dichocarpum dalzielii (Drumm. et Hutch.) W. T. Wang et Hsiao

| 药 材 名 | 岩节连（药用部位：根茎）。

| 形态特征 | 多年生草本，无毛。根茎较短，密生黄褐色须根。鸟趾状复叶 3 ~ 11，基生；草质，宽 3.5 ~ 10 cm；叶柄长 3.5 ~ 11.5 cm。花葶 3 ~ 11，高 20 ~ 28 cm；复单歧聚伞花序长 5 ~ 10 cm，有 3 ~ 8 花；花梗长 2 ~ 3 cm；苞片通常无柄，3 全裂；花直径 1.4 ~ 1.8 cm；萼片白色，倒卵状椭圆形，长 8 ~ 10 mm，宽 3.8 ~ 4 mm，先端钝尖；花瓣金黄色，长 2.8 ~ 4.5 mm，瓣片近圆形，先端微凹或全缘，常在凹缺中央具 1 小短尖；雄蕊多数，长 3.5 ~ 4.5 mm，花药宽椭圆形，长约 0.8 mm；子房狭倒卵形，长 7 ~ 8 mm，花柱长约 2 mm。蓇葖果倒"人"字状叉开，狭倒卵状披针形，连同细喙共长 11 ~ 12 mm；

种子约 8，近圆球形，直径约 1 mm，褐色，光滑。花期 4 ~ 5 月，果期 5 ~ 6 月。

| 生境分布 | 生于海拔 1 500 m 以上的密林、溪旁及沟边等阴湿处。分布于湖南张家界（武陵源）、郴州（宜章、临武、汝城）、永州（蓝山、道县）等。

| 资源情况 | 野生资源较少。药材来源于野生。

| 采收加工 | 冬季采收，除去地上部分，洗净，晒干或烘干。

| 功能主治 | 辛、微苦，寒。清热解毒，消肿止痛。用于痈疮肿毒，外伤肿痛。

| 用法用量 | 外用适量，捣敷。

毛茛科 Ranunculaceae 人字果属 Dichocarpum

纵肋人字果
Dichocarpum fargesii (Franch.) W. T. Wang et Hsiao

| 药 材 名 | 野黄瓜（药用部位：全草）。

| 形态特征 | 植物全体无毛。茎中部以上分枝。根茎粗而不明显，生多数须根。叶基生及茎生；基生叶少数，具长柄，为一回三出复叶，叶片草质，卵圆形，中央小叶肾形或扇形，先端具 5 浅牙齿，牙齿先端微凹，叶脉明显，侧生小叶斜卵形，具 2 不等大的小叶，上面小叶斜倒卵形，下面小叶卵圆形，叶柄长 3 ~ 8 cm，基部具鞘；茎生叶似基生叶，渐变小，对生，最下面 1 对的叶柄长 2 cm。花小，直径 6 ~ 7.5 mm；苞片无柄，3 全裂；花梗纤细，长 1 ~ 3.5 cm；萼片白色，倒卵状椭圆形，长 4 ~ 5 mm，先端钝；花瓣金黄色，长约为萼片的 1/2，瓣片近圆形，中部合生成漏斗状，先端近截形或近圆形，下面有细长的爪；雄蕊 10，花药宽椭圆形，黄白色，长约 0.3 mm，花丝长

3 ~ 4 mm，中部微变宽。蓇葖果线形，长 1.2 ~ 1.5 cm，先端急尖，喙极短而不明显；种子约 9，椭圆球形，长 1.5 ~ 1.8 mm，具纵肋。5 ~ 6 月开花，7 月结果。

| 生境分布 | 生于海拔 1 300 ~ 1 600 m 的山谷阴湿处。分布于湖南张家界（桑植）、邵阳（武冈）等。

| 资源情况 | 野生资源稀少。药材来源于野生。

| 采收加工 | 夏、秋季采集，洗净，晒干。

| 功能主治 | 微甘、苦，凉。健脾化湿，清热明目。用于消化不良，风火赤眼，无名肿毒。

| 用法用量 | 内服煎汤，15 ~ 30 g。外用适量，捣敷。

毛茛科 Ranunculaceae 人字果属 Dichocarpum

小花人字果

Dichocarpum franchetii (Finet et Gagnep.) W. T. Wang et Hsiao

| 药 材 名 | 小花人字果（药用部位：全草或根）。

| 形态特征 | 草本，无毛。根茎横走，密生多数细根。茎 1 ~ 5，直立。基生叶少数，为鸟趾状复叶，草质，长 1.5 ~ 3.3 cm，宽 1.2 ~ 3.2 cm；叶柄长 2.5 ~ 7 cm。茎生叶通常 1 或无。复单歧聚伞花序长 5 ~ 11 cm，有 3 ~ 7 花；花梗纤细；下部苞片叶状，具细柄，上部苞片无柄或具短柄，3 ~ 5 全裂；花小，直径 4.2 ~ 6 mm；萼片白色，倒卵形，长 3.5 ~ 4.5 mm，宽约 2 mm，先端钝；花瓣金黄色，长 1 ~ 1.2 mm，瓣片近圆形，先端微凹或全缘，爪与瓣片近等长或较瓣片略长；雄蕊长 2 ~ 3 mm，花药长约 0.3 mm；心皮长约 3 mm。蓇葖果长 7 ~ 9（~ 10）mm，倒"人"字状广叉开，喙长约 0.5 mm；种子 7 ~ 8，

圆球形，淡黄褐色，直径约 1 mm，光滑。花期 4 ~ 5 月，果期 5 ~ 6 月。

| **生境分布** | 生于海拔 1 300 ~ 1 600 m 的山地密林或疏林中，或生于沟底潮湿处。分布于湖南湘西州（保靖）、永州（东安）等。

| **资源情况** | 野生资源较少。药材来源于野生。

| **采收加工** | 冬季采收，洗净，晒干或烘干。

| **功能主治** | 全草，用于消化不良，目赤肿痛。根，清热解毒。用于红肿疮毒。

| **用法用量** | 外用适量，捣敷。

毛茛科 Ranunculaceae 人字果属 Dichocarpum

人字果
Dichocarpum sutchuenense (Franch.) W. T. Wang et Hsiao

| 药 材 名 | 人字果（药用部位：根茎）。

| 形态特征 | 草本，无毛。根茎横走。茎单一。基生叶少数，为鸟趾状复叶，草质，长 1.5 ~ 4 cm，宽 1.9 ~ 4.5 cm；茎生叶 1 或无，宽 3 ~ 6（~ 9）cm，叶柄长达 5 cm。复单歧聚伞花序长达 10 cm，有（1 ~ ）3 ~ 8 花；下部和中部苞片似茎生叶，最上部苞片 3 全裂，无柄；花梗长达 7 cm；萼片白色，倒卵状椭圆形，长 6 ~ 11 mm，宽 3 ~ 6 mm，先端钝；花瓣金黄色，长 3 mm，瓣片近圆形，长约 0.7 mm，先端通常微凹，有时全缘；雄蕊 20 ~ 45，长约 7 mm，花药宽椭圆形，长约 0.8 mm；心皮与雄蕊约等长，子房倒披针形，花柱长约 2 mm。蓇葖果狭倒卵状披针形，连同 2 mm 长的细喙共长 1.2 ~ 1.5 cm；种

子 8 ~ 10，圆球形，黄褐色，直径约 1 mm，光滑。花期 4 ~ 5 月，果期 5 ~ 6 月。

| **生境分布** | 生于海拔 1 450 ~ 2 100 m 的山地林下湿润处或溪边岩石旁。分布于湖南张家界（武陵源）、郴州（宜章）、永州（道县）、湘西州（吉首、古丈、永顺、保靖）等。

| **资源情况** | 野生资源较少。药材来源于野生。

| **采收加工** | 冬季采收，除去地上部分，洗净，晒干或烘干。

| **功能主治** | 辛、微苦，寒。清热解毒，消肿。用于劳伤腰痛，红肿疮毒。

| **用法用量** | 外用适量，捣敷。

毛茛科 Ranunculaceae 獐耳细辛属 Hepatica

川鄂獐耳细辛

Hepatica henryi (Oliv.) Steward

| 药 材 名 | 三角海棠（药用部位：全草）、水黄连（药用部位：根及根茎）。

| 形态特征 | 植株在开花时高 4 ~ 6 cm，以后高达 12 cm。根茎长约 2.5 cm，直径约 3 mm，密生须根。基生叶约 6，有长柄；叶片宽卵形或圆肾形，长 1.5 ~ 5.5 cm，宽 2 ~ 8.5 cm，基部心形，不明显 3 浅裂或 3 裂近中部，裂片先端急尖，边缘有 1 ~ 2 牙齿，两面初有长柔毛，后无毛；叶柄长 4 ~ 12 cm，稍密被柔毛。花葶 1 ~ 2，近直立，有柔毛；苞片 3，卵形，长 5 ~ 11 mm，宽 3 ~ 6 mm，先端急尖，全缘或有 3 小齿，有疏柔毛；萼片 6，倒卵状长圆形或狭椭圆形，长 8 ~ 12 mm，宽 3 ~ 5.5 mm，外面有疏柔毛；雄蕊长 2 ~ 3.5 mm，花药椭圆形，长约 0.5 mm，花丝近丝形；心皮约 10，子房有长柔毛，花

柱短，稍向外弯。4~5 月开花。

| 生境分布 | 生于海拔约 1 500 m 的山地杂木林内或草坡石下阴处。分布于湖南常德（石门）等。

| 资源情况 | 野生资源稀少。药材来源于野生。

| 药材性状 | 本品圆柱形，长 1 ~ 2 cm，直径 2 ~ 8 mm。表面棕褐色，环节密集，状如僵蚕，节上有不定根。先端残留纤维性叶柄残基。不定根长可达 10 cm，直径约 0.5 mm。质脆，易折断，断面棕黄色。气微，味苦、辛。

| 功能主治 | **三角海棠：**清热，止血。用于外伤出血，劳伤，筋骨酸痛。
水黄连：清热，解毒，泻火。用于目赤肿痛。

毛茛科 Ranunculaceae 黑种草属 Nigella

黑种草 *Nigella damascena* L.

药 材 名

黑种草子（药用部位：种子）。

形态特征

草本。植株全部无毛。茎高 25 ~ 50 cm，不分枝或上部分枝。叶为二至三回羽状复叶，末回裂片狭线形或丝形，先端锐尖。花直径约 2.8 cm，下面有叶状总苞；萼片蓝色，卵形，先端锐渐尖，基部有短爪；花瓣约 8，长约 5 mm，有短爪，上唇小，比下唇稍短，披针形，下唇 2 裂超过中部，裂片宽菱形，先端近球状，基部有蜜槽，边缘有少数柔毛；心皮通常 5，子房合生至花柱基部。蒴果椭圆球形，长约 2 cm；种子三棱状卵形，长 2.5 ~ 3 mm，宽约 1.5 mm，表面黑色，粗糙，具不规则突起。

生境分布

栽培于公园、路边、屋旁。分布于湖南长沙（宁乡）、娄底（娄星）等。

资源情况

栽培资源较少。药材来源于栽培。

采收加工	8 月初当大部分蓇葖果由绿变黄时采收，晒干，碾去果壳，取种子，簸去杂质。
药材性状	本品三棱状卵形，长 2.5 ～ 3 mm，宽约 1.5 mm。表面黑色，粗糙，具不规则突起，先端狭尖。质坚硬，断面灰白色，具油性。气微香，味辛。
功能主治	辛，温。归肝、肾经。活血通经，利尿排石，补肾健脑。用于月经不调，经闭，乳少，水肿，尿路结石，头晕，耳鸣，须发早白，咳喘，疥疮。
用法用量	内服煎汤，6 ～ 15 g。外用适量，捣敷；或研末撒。

毛茛科 Ranunculaceae 芍药属 Paeonia

芍药

Paeonia lactiflora Pall.

| **药 材 名** | 白芍（药用部位：根）。

| **形态特征** | 多年生草本。根粗壮，分枝黑褐色。茎高 40 ~ 70 cm，无毛。下部茎生叶为二回三出复叶，上部茎生叶为三出复叶；小叶狭卵形、椭圆形或披针形，先端渐尖，基部楔形或偏斜，边缘具呈白色的骨质细齿，两面无毛，背面沿叶脉疏生短柔毛。花数朵，生于茎顶和叶腋，直径 8 ~ 11.5 cm，有时仅先端 1 花开放，而近先端叶腋处有发育不好的花芽；苞片 4 ~ 5，披针形，大小不等；萼片 4，宽卵形或近圆形，长 1 ~ 1.5 cm，宽 1 ~ 1.7 cm；花瓣 9 ~ 13，倒卵形，长 3.5 ~ 6 cm，宽 1.5 ~ 4.5 cm，白色，有时基部具深紫色斑块；花丝长 0.7 ~ 1.2 cm，黄色；花盘浅杯状，包裹心皮基部，先端裂片钝圆；

心皮（2 ~ ）4 ~ 5，无毛。蓇葖果长 2.5 ~ 3 cm，直径 1.2 ~ 1.5 cm，先端具喙。花期 5 ~ 6 月，果期 8 月。

| **生境分布** | 栽培于海拔 1 800 m 以下的山坡、公园、庭院。湖南各地均有栽培。

| **资源情况** | 栽培资源丰富。药材来源于栽培。

| **采收加工** | 夏、秋季采挖，洗净，除去头尾和细根，置沸水中煮，除去外皮后再煮，晒干。

| **药材性状** | 本品呈圆柱形，平直或稍弯曲，两端平截，长 5 ~ 18 cm，直径 1 ~ 2.5 cm。表面类白色或淡棕红色，光洁或有纵皱纹及细根痕，偶有残存的棕褐色外皮。质坚实，不易折断，断面较平坦，类白色或微带棕红色，形成层环明显，射线放射状。气微，味微苦、酸。

| **功能主治** | 苦、酸，微寒。归肝、脾经。养血调经，敛阴止汗，柔肝止痛，平抑肝阳。用于血虚面色萎黄，月经不调，自汗，盗汗，胁痛，腹痛，四肢挛痛，头痛眩晕。

| **用法用量** | 内服煎汤，6 ~ 15 g。

毛茛科 Ranunculaceae 芍药属 Paeonia

毛果芍药
Paeonia lactiflora Pall. var. *trichocarpa* (Bung.) Stern

| 药 材 名 |

芍药（药用部位：根）。

| 形态特征 |

多年生草本。根粗壮，分枝黑褐色。茎高 40 ~ 70 cm，无毛。下部茎生叶为二回三出复叶，上部茎生叶为三出复叶；小叶狭卵形、椭圆形或披针形，先端渐尖，基部楔形或偏斜，边缘具白色、骨质细齿，两面无毛，背面沿叶脉疏生短柔毛。花数朵，生于茎顶和叶腋，直径 8 ~ 11.5 cm，有时仅先端 1 花开放，而近先端叶腋处有发育不好的花芽；苞片 4 ~ 5，披针形，大小不等；萼片 4，宽卵形或近圆形，长 1 ~ 1.5 cm，宽 1 ~ 1.7 cm；花瓣 9 ~ 13，倒卵形，长 3.5 ~ 6 cm，宽 1.5 ~ 4.5 cm，白色，有时基部具深紫色斑块；花丝长 0.7 ~ 1.2 cm，黄色；花盘浅杯状，包裹心皮基部，先端裂片钝圆；心皮 4 ~ 5，密生柔毛。蓇葖果长 2.5 ~ 3 cm，直径 1.2 ~ 1.5 cm，先端具喙。花期 5 ~ 6 月，果期 8 月。

| 生境分布 |

生于低山灌丛中。分布于湖南张家界（桑植）等。

| **资源情况** | 野生资源稀少。药材来源于野生。 |

| **采收加工** | 秋季采挖，除去地上茎及泥土，水洗，置开水中煮至无硬心，刮去外皮，晒干或切片后晒干。 |

| **药材性状** | 本品呈圆柱形，平直或稍弯曲，两端平截，长 5 ~ 18 cm，直径 1 ~ 2.5 cm。表面类白色或淡棕红色，光洁或有纵皱纹及细根痕，偶有残存的棕褐色外皮。质坚实，不易折断，断面较平坦，类白色或微带棕红色，形成层环明显，射线放射状。气微，味微苦、酸。 |

| **功能主治** | 苦、酸，微寒。归肝、脾经。养血柔肝，缓中止痛。用于血虚肝旺所致头晕、头痛，痢疾，月经不调，崩漏，带下，肠痈，腹痛，手足拘挛、疼痛。 |

| **用法用量** | 内服煎汤，6 ~ 15 g。 |

| **附　注** | FOC 将本变种合并到芍药 *Paeonia lactiflora* Pall. 中。 |

毛茛科 Ranunculaceae 芍药属 Paeonia

草芍药 *Paeonia obovata* Maxim.

| **药 材 名** | 赤芍（药用部位：根）。

| **形态特征** | 多年生草本。根粗壮。茎无毛，基部生数枚鞘状鳞片。茎下部叶为二回三出复叶，叶片长 14 ~ 28 cm，顶生小叶倒卵形或宽椭圆形，长 9.5 ~ 14 cm，宽 4 ~ 10 cm，先端短尖，基部楔形，全缘，表面深绿色，背面淡绿色，无毛或沿叶脉疏生柔毛，小叶柄长 1 ~ 2 cm，侧生小叶比顶生小叶小，与顶生小叶同形，具短柄或近无柄；茎上部叶为三出复叶或单叶，叶柄长 5 ~ 12 cm。单花顶生，直径 7 ~ 10 cm；萼片 3 ~ 5，宽卵形，长 1.2 ~ 1.5 cm，淡绿色，花瓣 6，白色、红色或紫红色，倒卵形，长 3 ~ 5.5 cm，宽 1.8 ~ 2.8 cm；雄蕊长 1 ~ 1.2 cm，花丝淡红色，花药长圆形；花盘浅杯状，包住

心皮基部；心皮 2 ~ 3，无毛。蓇葖果卵圆形，长 2 ~ 3 cm，成熟时果皮反卷，呈红色。花期 5 月至 6 月中旬，果期 9 月。

| **生境分布** | 生于海拔 800 ~ 2 100 m 的山坡草地及林缘。分布于湖南衡阳（石鼓）、常德（石门）、张家界（桑植、永定）、湘西州（龙山）等。

| **资源情况** | 野生资源较少。药材来源于野生。

| **采收加工** | 秋季采挖，除去根茎、须根及泥沙，晒干。

| **药材性状** | 本品呈圆柱状，直径约 1.5 cm。表面棕褐色或棕红色，有细密纵皱纹。质硬脆，断面皮部类白色，木部色较深，有放射状纹理。

| **功能主治** | 苦，微寒。归肝、脾经。清热凉血，活血祛瘀。用于温毒发斑，吐血，衄血，肠风下血，目赤肿痛，痈肿疮疡，闭经，痛经，带下，淋浊，瘀滞胁痛，疝瘕积聚，跌扑损伤。

| **用法用量** | 内服煎汤，4 ~ 10 g；或入丸、散剂。

毛茛科 Ranunculaceae 芍药属 Paeonia

牡丹
Paeonia suffruticosa Andr.

| 药 材 名 | 牡丹皮（药用部位：根皮）。

| 形 态 特 征 | 落叶灌木。茎高达 2 m。叶通常为二回三出复叶，偶尔近枝顶的叶为 3 小叶，顶生小叶宽卵形，3 裂至中部，裂片不裂或 2 ~ 3 浅裂，侧生小叶狭卵形或长圆状卵形；叶柄长 5 ~ 11 cm。花单生于枝顶，直径 10 ~ 17 cm；花梗长 4 ~ 6 cm；苞片 5，长椭圆形，大小不等；萼片 5，绿色，宽卵形，大小不等；花瓣 5，或为重瓣，玫瑰色、红紫色、粉红色至白色，通常花瓣数量和颜色变异很大，倒卵形，长 5 ~ 8 cm，宽 4.2 ~ 6 cm，先端呈不规则波状；雄蕊长 1 ~ 1.7 cm，花丝紫红色、粉红色，上部白色，长约 1.3 cm，花药长圆形，长 4 mm；花盘革质，杯状，紫红色，先端有数个锐齿或裂片，花盘完

全包住心皮，在心皮成熟时开裂；心皮 5，密生柔毛。蓇葖果长圆形，密生黄褐色硬毛。花期 5 月，果期 6 月。

| **生境分布** | 栽培于岗地、丘陵、公园、屋旁。湖南各地均有栽培。

| **资源情况** | 栽培资源丰富。药材来源于栽培。

| **采收加工** | 秋季采挖根，除去细根和泥沙，剥取根皮，晒干；或刮去粗皮，除去木心，晒干。前者习称"连丹皮"，后者习称"刮丹皮"。

| **药材性状** | 连丹皮呈筒状或半筒状，有纵剖的裂缝，略向内卷曲或张开，长 5 ～ 20 cm，直径 0.5 ～ 1.2 cm，厚 0.1 ～ 0.4 cm；外表面灰褐色或黄褐色，有多数横长皮孔样突起和细根痕，栓皮脱落处呈粉红色，内表面淡灰黄色或浅棕色，有明显的细纵纹，常见发亮的结晶；质硬而脆，易折断，断面较平坦，淡粉红色，粉性；气芳香，味微苦而涩。刮丹皮外表面有刮刀削痕，红棕色或淡灰黄色，有时可见残存的灰褐色斑点状外皮。

| **功能主治** | 苦、辛，微寒。归心、肝、肾经。清热凉血，活血化瘀。用于热入营血，温毒发斑，吐血，衄血，夜热早凉，无汗骨蒸，经闭，痛经，跌扑伤痛，痈肿疮毒。

| **用法用量** | 内服煎汤，6 ～ 12 g。

| **附　注** | 湖南邵阳等地种植有凤丹 *Paeonia ostii* T. Hong et J. X. Zhang。

毛茛科 Ranunculaceae 毛茛属 *Ranunculus*

禺毛茛

Ranunculus cantoniensis DC.

| 药 材 名 |

禺毛茛（药用部位：全草）。

| 形态特征 |

多年生草本。茎直立，密生开展的黄白色糙毛。三出复叶；基生叶和下部叶有长达15 cm的叶柄，叶片宽卵形至肾圆形，长3～6 cm，宽3～9 cm，小叶卵形至宽卵形，2～3中裂，两面贴生糙毛，侧生小叶柄具开展糙毛，基部有膜质耳状宽鞘；上部叶渐小，3全裂。花序有较多花，疏生；花梗长2～5 cm，与萼片均生糙毛；花生于茎顶和分枝先端，直径1～1.2 cm；萼片卵形，长3 mm，开展；花瓣5，椭圆形，长5～6 mm，长约为宽的2倍，基部狭窄成爪，蜜槽上有倒卵形小鳞片；花托长圆形，生白色短毛。聚合果近球形，直径约1 cm；瘦果扁平，长约3 mm，宽约2 mm，宽为厚的5倍以上，无毛，边缘有宽约0.3 mm的棱翼，喙基部宽扁，先端弯钩状，长约1 mm。花果期4～7月。

| 生境分布 |

生于海拔500～2 100 m的田边、沟旁湿地。湖南各地均有分布。

| 资源情况 | 野生资源较丰富。药材来源于野生。

| 采收加工 | 春末夏初采收，洗净，晒干。

| 药材性状 | 本品长 25 ～ 60（～ 80）cm。须根簇生。茎和叶柄密被黄白色糙毛。叶为三出复叶，基生叶及下部叶叶柄长达 14 cm；叶片宽卵形，黄绿色，长、宽均约 5 cm，中央小叶椭圆形或菱形，3 裂，边缘具密锯齿，侧生小叶不等 2 或 3 深裂。花序具疏花；萼片 5，卵形，长约 3 mm，有糙毛；花瓣 5，椭圆形，棕黄色。聚合果球形，直径约 1 cm；瘦果扁，狭倒卵形，长约 3 mm。气微，味微苦。

| 功能主治 | 苦、辛，温；有毒。归肝经。清肝明目，除湿解毒，截疟。用于眼翳，目赤，黄疸，痈肿，风湿性关节炎，疟疾。

| 用法用量 | 外用适量，捣敷；或捣汁涂。

茴茴蒜

Ranunculus chinensis Bunge

| 药 材 名 | 回回蒜（药用部位：全草）。

| 形态特征 | 一年生草本。茎直立，粗壮，中空，有纵条纹，密生开展的淡黄色糙毛。基生叶与下部叶有长达 12 cm 的叶柄，为三出复叶，叶片宽卵形至三角形，长 3 ~ 8（~ 12）cm，小叶 2 ~ 3 深裂，裂片倒披针状楔形，两面伏生糙毛；上部叶较小，3 全裂。花序有较多疏生的花；花梗贴生糙毛；花直径 6 ~ 12 mm；萼片狭卵形，长 3 ~ 5 mm，外面生柔毛；花瓣 5，宽卵圆形，与萼片近等长或较萼片稍长，黄色或上面白色，基部有短爪，蜜槽有卵形小鳞片；花药长约 1 mm；花托在果期显著伸长，圆柱形，长达 1 cm，密生白短毛。聚合果长圆形，直径 6 ~ 10 mm；瘦果扁平，长 3 ~ 3.5 mm，宽约 2 mm，宽为厚

的 5 倍以上，无毛，边缘有宽约 0.2 mm 的棱，喙极短，呈点状，长 0.1 ～ 0.2 mm。花果期 5 ～ 9 月。

| **生境分布** | 生于海拔 700 ～ 2 000 m 的溪边、田旁湿草地。湖南各地均有分布。

| **资源情况** | 野生资源丰富。药材来源于野生。

| **采收加工** | 夏季采收，鲜用或晒干。

| **药材性状** | 本品长 15 ～ 50 cm。茎及叶柄均有伸展的淡黄色糙毛。三出复叶，黄绿色，基生叶及下部叶具长柄；叶片宽卵形，长 3 ～ 12 cm；小叶 2 ～ 3 深裂，上部具少数锯齿，两面被糙毛。花疏生；花梗贴生糙毛；萼片 5，狭卵形；花瓣 5，宽卵圆形。聚合果长圆形，直径 6 ～ 10 mm；瘦果扁平，长 3 ～ 3.5 mm，无毛。气微，味淡。

| **功能主治** | 辛、苦，温；有毒。解毒，退黄，截疟，定喘，镇痛。用于肝炎，黄疸，肝硬化腹水，疮癞，牛皮癣，疟疾，哮喘，牙痛，胃痛，风湿关节痛。

| **用法用量** | 内服煎汤，3 ～ 9 g。外用适量，捣敷，至皮肤变赤、起疱时除去；或鲜品绞汁涂搽；或煎汤洗。

毛茛科 Ranunculaceae 毛茛属 Ranunculus

西南毛茛

Ranunculus ficariifolius Lévl. et Vaniot

| 药材名 | 卵叶毛茛（药用部位：茎叶）。

| 形态特征 | 一年生草本。茎倾斜上升，贴生柔毛或无毛。基生叶与茎生叶相似，不分裂，宽卵形或近菱形，长 0.5 ~ 2（~ 3）cm，宽 5 ~ 15（~ 25）mm，边缘有 3 ~ 9 浅齿或近全缘，无毛或贴生柔毛，叶柄长 1 ~ 4 cm，基部鞘状；茎生叶多数，最上部叶较小，披针形，叶柄短或无。花直径 8 ~ 10 mm；花梗与叶对生，长 2 ~ 5 cm，细而下弯，贴生柔毛；萼片卵圆形，长 2 ~ 3 mm，常无毛，开展；花瓣 5，长圆形，长 4 ~ 5 mm，长为宽的 2 倍，有 5 ~ 7 脉，先端圆或微凹，基部有长 0.5 ~ 0.8 mm 的窄爪，蜜槽点状，位于爪上端；花药长约 0.6 mm；花托生细柔毛。聚合果近球形，直径 3 ~ 4 mm；

瘦果卵球形，长约 1.5 mm，宽 1.2 mm，两面较扁，有疣状小突起，喙短直或弯，长约 0.5 mm。花果期 4 ～ 7 月。

| **生境分布** | 生于海拔 1 000 ～ 2 100 m 的林缘湿地和水沟旁。分布于湖南湘西州（龙山）等。

| **资源情况** | 野生资源稀少。药材来源于野生。

| **采收加工** | 夏、秋季采集，切段，鲜用或晒干。

| **功能主治** | 利湿消肿，止痛杀虫，截疟。用于疟疾。

| **用法用量** | 外用适量，捣敷。

| 毛茛科 | Ranunculaceae | 毛茛属 | Ranunculus |

毛茛

Ranunculus japonicus Thunb.

| **药 材 名** | 毛茛（药用部位：带根全草）。

| **形态特征** | 多年生草本。茎直立，中空，有槽，生柔毛。基生叶多数，叶片圆心形或五角形，长、宽均为 3 ~ 10 cm，3 深裂不达基部，中裂片倒卵状楔形、宽卵圆形或菱形，3 浅裂，侧裂片不等 2 裂，叶柄长 15 cm，生柔毛；下部叶似基生叶，渐向上叶柄变短，叶片较小，最上部叶线形。聚伞花序有多数花，疏散；花直径 1.5 ~ 2.2 cm；花梗长达 8 cm，贴生柔毛；萼片椭圆形，长 4 ~ 6 mm，生白柔毛；花瓣 5，倒卵状圆形，长 6 ~ 11 mm，宽 4 ~ 8 mm，基部有长约 0.5 mm 的爪，蜜槽鳞片长 1 ~ 2 mm；花药长约 1.5 mm；花托短小，无毛。聚合果近球形，直径 6 ~ 8 mm；瘦果扁平，长 2 ~ 2.5 mm，上部

最宽处宽与长近相等，宽约为厚的 5 倍以上，边缘有棱，无毛，喙短直或外弯。花果期 4 ～ 9 月。

| **生境分布** | 生于海拔 1 300 m 以下的田沟旁和林缘、路边湿草地。湖南各地均有分布。

| **资源情况** | 野生资源丰富。药材来源于野生。

| **采收加工** | 夏、秋季采集，切段，鲜用或晒干。

| **药材性状** | 本品茎与叶柄均有伸展的柔毛。叶片五角形，基部心形。萼片 5，椭圆形，长 4 ～ 6 mm，有白柔毛；花瓣 5，倒卵形，长 6 ～ 11 mm。聚合果近球形，直径 6 ～ 8 mm。

| **功能主治** | 辛，温；有毒。退黄，定喘，截疟，镇痛，消翳。用于黄疸，哮喘，疟疾，偏头痛，牙痛，鹤膝风，风湿关节痛，目生翳膜，瘰疬，痈疮肿毒。

| **用法用量** | 外用适量，捣敷，至皮肤变赤、起疱时除去；或煎汤洗。

刺果毛茛
Ranunculus muricatus L.

| 药 材 名 | 刺果毛茛（药用部位：全草）。

| 形态特征 | 一年生草本。须根扭转，伸长。茎高 10 ～ 30 cm，自基部多分枝，倾斜上升，近无毛。基生叶和茎生叶均有长柄；叶片近圆形，3 中裂至 3 深裂，裂片宽卵状楔形，常无毛；叶柄基部有膜质宽鞘，上部叶叶柄较短。花多，直径 1 ～ 2 cm；花梗与叶对生，散生柔毛；萼片长椭圆形，长 5 ～ 6 mm，膜质，有时被柔毛；花瓣 5，狭倒卵形，长 5 ～ 10 mm，先端圆，基部狭窄成爪，蜜槽上有小鳞片；花药长圆形，长约 2 mm；花托疏生柔毛。聚合果球形，直径达 1.5 cm；瘦果扁平，椭圆形，长约 5 mm，宽约 3 mm，宽为厚的 5 倍以上，周围有宽约 0.4 mm 的棱翼，两面各生 10 余刺，刺直伸或钩曲，有疣基，

喙基部宽厚，先端稍弯，长达 2 mm。花果期 4 ～ 6 月。

| **生境分布** | 生于道旁、田野杂草丛中。分布于湖南湘西州（凤凰）等。

| **资源情况** | 野生资源稀少。药材来源于野生。

| **采收加工** | 春、夏季采集，洗净，鲜用或晒干。

| **功能主治** | 用于疮疖，堕胎。

毛茛科 Ranunculaceae 毛茛属 *Ranunculus*

肉根毛茛

Ranunculus polii Franch. ex Hemsl.

| 药 材 名 | 肉根毛茛（药用部位：全草）。

| 形态特征 | 一年生草本。须根伸长，肉质，呈圆柱形。茎高 5 ~ 15 cm，自基部多分枝，铺散，或下部节着土生根，倾斜上升，无毛。基生叶多数，三出复叶；小叶卵状菱形，一至二回 3 深裂达基部，末回裂片披针形至线形；小叶柄光滑，长 1 ~ 3 cm；叶柄长 2 ~ 6 cm，无毛。花单生于茎顶和分枝先端，直径 1 ~ 1.2 cm；花梗长 1 ~ 4 cm，无毛；萼片卵圆形，长约 4 mm，有 3 脉，边缘宽，膜质，无毛；花瓣 5，黄色，或上面呈白色，倒卵形，长 6 ~ 7 mm，有 5 ~ 9 脉，下部渐窄成短爪，蜜槽点状；花药长约 1 mm；花托棒状，无毛，有多数果柄残留。聚合果球形，直径 4 ~ 6 mm；瘦果长圆状球形，长 2 ~

3 mm，宽 1 ~ 1.4 mm，稍扁，生细毛，有纵肋，喙短，长约 0.2 mm。花果期 4 ~ 6 月。

| **生境分布** | 生于低海拔的田野。分布于湖南长沙（望城）、常德（汉寿）、湘西州（吉首）等。

| **资源情况** | 野生资源较少。药材来源于野生。

| **采收加工** | 春、夏季采集，洗净，鲜用或晒干。

| **功能主治** | 消暑解热，疏风解痒。

毛茛科 Ranunculaceae 毛茛属 Ranunculus

石龙芮

Ranunculus sceleratus L.

药材名

石龙芮（药用部位：全草）。

形态特征

一年生草本。须根簇生。茎直立，高 10 ~ 50 cm。基生叶多数，叶片肾状圆形，长 1 ~ 4 cm，宽 1.5 ~ 5 cm，3 深裂不达基部，无毛，叶柄长 3 ~ 15 cm，近无毛；茎生叶多数，下部叶似基生叶，上部叶 3 全裂，基部扩大成膜质宽鞘，抱茎。聚伞花序有多数花；花小，直径 4 ~ 8 mm；花梗长 1 ~ 2 cm，无毛；萼片椭圆形，长 2 ~ 3.5 mm，外面有短柔毛；花瓣 5，倒卵形，与花萼等长或稍长于花萼，基部有短爪，蜜槽为棱状袋穴；雄蕊 10 余，花药卵形，长约 0.2 mm；花托在果期伸长、增大，呈圆柱形，长 3 ~ 10 mm，直径 1 ~ 3 mm，具短柔毛。聚合果长圆形，长 8 ~ 12 mm；瘦果近百枚，紧密排列，倒卵球形，稍扁，长 1 ~ 1.2 mm，无毛，喙短至近无。花果期 5 ~ 8 月。

生境分布

生于低海拔的河沟边及湿地。湖南各地均有分布。

| **资源情况** | 野生资源丰富。药材来源于野生。

| **采收加工** | 开花末期采收，洗净，鲜用或阴干。

| **药材性状** | 本品长 10 ~ 45 cm，疏生短柔毛或无毛。基生叶及下部叶具长柄，叶片肾状圆形，棕绿色，长 0.7 ~ 3 cm，3 深裂，中央裂片 3 浅裂；茎上部叶变小。聚伞花序有多数小花，花托被毛；萼片 5，椭圆形，外面被短柔毛；花瓣 5，狭倒卵形。聚合果距圆形；瘦果小而极多，倒卵形，稍扁，长约 1.2 mm。气微，味苦、辛。

| **功能主治** | 苦、辛，寒；有毒。归心、肺经。清热解毒，消肿散结，止痛，截疟。用于痈疽肿毒，毒蛇咬伤，痰核瘰疬，风湿关节痛，牙痛，疟疾。

| **用法用量** | 内服煎汤，干品 3 ~ 9 g；亦可炒，研为散，每次服 1 ~ 1.5 g。外用适量，捣敷；或煎膏涂。

毛茛科 Ranunculaceae 毛茛属 Ranunculus

扬子毛茛
Ranunculus sieboldii Miq.

| 药 材 名 | 毛茛（药用部位：全草）。

| 形态特征 | 多年生草本。须根伸长，簇生。茎铺散，斜升，高 20 ~ 50 cm，密生柔毛。基生叶似茎生叶，三出复叶，叶片圆肾形至宽卵形，长 2 ~ 5 cm，宽 3 ~ 6 cm，叶柄长 2 ~ 5 cm，密生开展的柔毛，基部扩大成褐色、膜质的宽鞘，抱茎；上部叶较小。花与叶对生，直径 1.2 ~ 1.8 cm；花梗密生柔毛；萼片狭卵形，长 4 ~ 6 mm，长为宽的 2 倍，外面生柔毛，花期向下反折，迟落；花瓣 5，黄色，或上面呈白色，狭倒卵形至椭圆形，长 6 ~ 10 mm，宽 3 ~ 5 mm，有深色脉纹 5 ~ 9，下部渐窄成长爪，蜜槽小鳞片位于爪的基部；雄蕊 20 余，花药长约 2 mm；花托短粗，密生白柔毛。聚合果圆球形，

直径约 1 cm；瘦果扁平，长 3 ~ 4（~ 5）mm，宽 3 ~ 3.5 mm，宽为厚的 5 倍以上，无毛。花果期 5 ~ 10 月。

| **生境分布** | 生于海拔 300 ~ 2 100 m 的山坡林边及湿地。湖南各地均有分布。

| **资源情况** | 野生资源丰富。药材来源于野生。

| **采收加工** | 春、夏季采集，洗净，鲜用或晒干。

| **药材性状** | 本品茎下部节常生根，表面密生伸展的白色或淡黄色柔毛。叶片圆肾形至宽卵形，长 2 ~ 5 cm，宽 3 ~ 6 cm，下面密生柔毛；叶柄长 2 ~ 5 cm。花与叶对生，具长梗；萼片 5，反曲；花瓣 5，近椭圆形，长达 7 mm。气微，味辛、微苦。

| **功能主治** | 辛、苦，热；有毒。归心经。除痰截疟，解毒消肿。用于疟疾，瘰肿，毒疮，跌打损伤。

| **用法用量** | 内服煎汤，3 ~ 9 g。外用适量，捣敷。

毛茛科 Ranunculaceae 毛茛属 Ranunculus

猫爪草

Ranunculus ternatus Thunb.

| 药 材 名 | 猫爪草（药用部位：块根。别名：小毛茛）。

| 形态特征 | 一年生草本。簇生多数肉质小块根，块根形似猫爪，直径 3 ~ 5 mm。茎铺散，高 5 ~ 20 cm，多分枝，较柔软，大多无毛。基生叶有长柄，叶片形状多变，单叶或三出复叶，宽卵形至圆肾形，长 5 ~ 40 mm，宽 4 ~ 25 mm，小叶 3 浅裂至 3 深裂或多次细裂，末回裂片倒卵形至线形，无毛，叶柄长 6 ~ 10 cm；茎生叶无柄，叶片较小，全裂或细裂。花单生于茎顶或分枝先端，直径 1 ~ 1.5 cm；萼片 5 ~ 7，长 3 ~ 4 mm，外面疏生柔毛；花瓣 5 ~ 7 或更多，初呈黄色，后变为白色，倒卵形，长 6 ~ 8 mm，基部有长约 0.8 mm 的爪，蜜槽棱形；花药长约 1 mm；花托无毛。聚合果近球形，直径约 6 mm；瘦果卵

球形，长约 1.5 mm，无毛，边缘有纵肋，喙细短，长约 0.5 mm。花期 3 月，果期 4 ~ 7 月。

| **生境分布** | 生于低海拔的湿草地或田边荒地。湖南各地均有分布。

| **资源情况** | 野生资源丰富。药材来源于野生。

| **采收加工** | 春季采挖，除去须根和泥沙，晒干。

| **药材性状** | 本品由数个至数十个纺锤形的块根簇生而成，形似猫爪，长 3 ~ 5 mm，直径 2 ~ 3 mm，先端有黄褐色残茎或茎痕。表面黄褐色或灰黄色，久存色泽变深，微有纵皱纹，并有点状须根痕和残留的须根。质坚实，断面类白色或黄白色，空心或实心，粉性。气微，味微甘。

| **功能主治** | 甘、辛，温。归肝、肺经。化痰散结，解毒消肿。用于瘰疬痰核，疔疮肿毒，蛇虫咬伤。

| **用法用量** | 内服煎汤，15 ~ 30 g，单味药可用至 120 g。外用适量，研末敷。

毛茛科 Ranunculaceae 天葵属 Semiaquilegia

天葵 *Semiaquilegia adoxoides* (DC.) Makino

| 药 材 名 | 天葵子（药用部位：块根）。

| 形态特征 | 草本。茎 1 ~ 5，被稀疏的白色柔毛。基生叶多数，为掌状三出复叶，叶片卵圆形至肾形，长 1.2 ~ 3 cm，小叶扇状菱形或倒卵状菱形，3 深裂，无毛，叶柄基部扩大，呈鞘状；茎生叶似基生叶，较小。花小，直径 4 ~ 6 mm；苞片小，倒披针形至倒卵圆形；花梗纤细，长 1 ~ 2.5 cm，被伸展的白色短柔毛；萼片白色，常带淡紫色，狭椭圆形，长 4 ~ 6 mm，宽 1.2 ~ 2.5 mm，先端急尖；花瓣匙形，长 2.5 ~ 3.5 mm，先端近截形，基部凸起，呈囊状；雄花中退化雄蕊约 2，线状披针形，膜质，与花丝近等长；心皮无毛。蓇葖果卵状长椭圆形，长 6 ~ 7 mm，宽约 2 mm，表面具凸起的横向脉纹；

种子卵状椭圆形，褐色至黑褐色，长约 1 mm，表面有许多小瘤状突起。花期 3 ~ 4
月，果期 4 ~ 5 月。

| **生境分布** | 生于海拔 800 m 以下的疏林、路旁或山谷阴处。湖南各地均有分布。

| **资源情况** | 野生资源丰富。药材来源于野生。

| **采收加工** | 夏初采挖，洗净，干燥，除去须根。

| **药材性状** | 本品呈不规则短柱状、纺锤状或块状，略弯曲，长 1 ~ 3 cm，直径 0.5 ~ 1 cm。
表面暗褐色至灰黑色，具不规则的皱纹及须根或须根痕。先端常有茎叶残基，
外被数层黄褐色鞘状鳞片。质较软，易折断，断面皮部类白色，木部黄白色或
黄棕色，略呈放射状。气微，味甘、微苦、辛。

| **功能主治** | 甘、苦，寒。归肝、胃经。清热解毒，消肿散结。用于痈肿疔疮，乳痈，瘰疬，
蛇虫咬伤。

| **用法用量** | 内服煎汤，9 ~ 15 g。

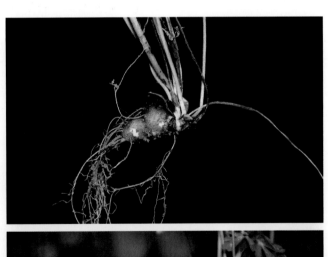

毛茛科 Ranunculaceae 唐松草属 Thalictrum

尖叶唐松草
Thalictrum acutifolium (Hand.-Mazz.) Boivin

| 药 材 名 | 尖叶唐松草（药用部位：全草）。

| 形态特征 | 草本，无毛。根肉质，形似胡萝卜。茎高25 ~ 65 cm，中部之上分枝。基生叶2 ~ 3，有长柄，二回三出复叶，叶片长7 ~ 18 cm，小叶草质，顶生小叶有较长柄，卵形，先端急尖或钝，基部圆形、圆楔形或心形，不分裂或不明显3浅裂，脉在背面稍隆起，叶柄长10 ~ 20 cm；茎生叶较小，有短柄。花序稀疏；花梗长3 ~ 8 mm；萼片4，白色或带粉红色，早落，卵形，长约2 mm；雄蕊多数，长达5 mm，花药长圆形，长0.8 ~ 1.3 mm，花丝上部倒披针形，比花药宽约3倍，下部丝形；心皮6 ~ 12，有细柄，花柱短，腹面生柱头组织。瘦果扁，狭长圆形，稍不对称，有时略呈镰状弯曲，长3 ~ 3.8 mm，宽

0.6 ~ 0.8 mm，有 8 细纵肋，心皮柄长 1 ~ 2.5 mm。花期 4 ~ 7 月。

| 生境分布 | 生于海拔 1 300 m 以下的山谷坡地或林边湿润处。湖南有广泛分布。

| 资源情况 | 野生资源一般。药材来源于野生。

| 采收加工 | 夏、秋季采收，洗净，切段，鲜用或晒干。

| 功能主治 | 苦，寒。归大肠、肝经。清热解毒。用于黄肿病。

| 用法用量 | 内服煎汤，9 ~ 15 g。

毛茛科 Ranunculaceae 唐松草属 Thalictrum

唐松草
Thalictrum aquilegifolium L. var. *sibiricum* Regel et Tiling

| 药 材 名 | 小金花（药用部位：根及根茎）。

| 形态特征 | 草本。无毛。茎粗壮，高 60 ～ 150 cm，直径达 1 cm，分枝。基生叶花期枯萎，茎生叶为三至四回三出复叶；叶片长 10 ～ 30 cm；小叶草质，顶生小叶倒卵形或扁圆形，先端圆或微钝，基部圆楔形或不明显心形，3 浅裂，两面脉平或在背面脉稍隆起；叶柄长 4.5 ～ 8 cm，有鞘，托叶膜质，不裂。圆锥花序伞房状，有多数密集的花；花梗长 4 ～ 17 mm；萼片白色或外面带紫色，宽椭圆形，长 3 ～ 3.5 mm，早落；雄蕊多数，长 6 ～ 9 mm，花药长圆形，长约 1.2 mm，先端钝，上部倒披针形，比花药宽或稍窄，下部丝形；心皮 6 ～ 8，有长心皮柄，花柱短，柱头侧生。瘦果倒卵形，长 4 ～ 7 mm，

有 3 宽纵翅，基部突变狭，心皮柄长 3 ~ 5 mm，宿存柱头长 0.3 ~ 0.5 mm。花期 7 月。

| **生境分布** | 生于海拔 500 ~ 1 800 m 的草原、山地林边或林中。湖南各地均有分布。

| **资源情况** | 野生资源一般。药材来源于野生。

| **采收加工** | 春、秋季采挖，洗去泥土，晒干。

| **药材性状** | 本品根茎上端有多个芦头，芦头直径约 4 mm，基上残留茎苗痕迹，并常包有鳞叶薄片。根茎长，外表面棕褐色，腹面密生成束的须根，形如马尾；须根长 13 ~ 25 cm，直径 2 ~ 3 mm，外表面红黄色或金黄色，有光泽，具纵向细纹，老栓皮及皮层往往呈环节状脱落，尚未剥落者以手搓之即脱。体轻，质脆易断。根茎断面外圈棕褐色，内有黄色的木质心；须根断面深黄色，有金黄色的薄层外皮。气微，味微苦。

| **功能主治** | 苦，寒。归心、肝、大肠经。清热泻火，燥湿解毒。用于热病心烦，湿热泻痢，肺热咳嗽，目赤肿痛，痈肿疮疖。

| **用法用量** | 内服煎汤，5 ~ 10 g；或制成糖浆。外用适量，研末调敷。

毛茛科 Ranunculaceae 唐松草属 *Thalictrum*

大叶唐松草 *Thalictrum faberi* Ulbr.

| 药 材 名 | 大叶马尾莲（药用部位：根及根茎）。

| 形态特征 | 草本，无毛。根茎短，下部密生细长须根。茎高（35 ~）45 ~ 110 cm，上部分枝。基生叶花期枯萎；茎下部叶为二至三回三出复叶，叶片长达 30 cm，小叶大，坚纸质，顶生小叶宽卵形，长 5 ~ 10 cm，宽 3.5 ~ 9 cm，先端急尖或微钝，基部圆形、浅心形或截形，背面叶脉隆起，网脉明显，叶柄基部有鞘，托叶狭，全缘。花序圆锥状，长 20 ~ 40 cm；花梗细，长 3 ~ 7 mm；萼片白色，宽椭圆形，长 3 ~ 3.5 mm，早落；雄蕊多数，花药长圆形，长 1 ~ 2 mm，花丝比花药窄或与花药等宽，长 5 ~ 7 mm，上部倒披针形，下部丝形；心皮 3 ~ 6，花柱与子房等长，稍拳卷，沿腹面生柱头组织。瘦果

狭卵形，长 5 ～ 6 mm，约有 10 细纵肋，宿存花柱长约 1 mm，拳卷。花期 7 ～ 8 月。

| **生境分布** | 生于海拔 600 ～ 1 300 m 的山地林下。分布于湖南衡阳（衡阳、衡山）、邵阳（绥宁）、郴州（临武）、怀化（麻阳）、娄底（新化）、湘西州（花垣、永顺）等。

| **资源情况** | 野生资源较少。药材来源于野生。

| **采收加工** | 春、秋季采挖，鲜用或晒干。

| **药材性状** | 本品根茎短，下部密生数十条细根，细根长约 10 cm，直径约 1 mm。表面棕褐色，皮部较疏松。质硬而脆，易折断。味苦。

| **功能主治** | 苦，寒。归大肠、肝经。清热，泻火，解毒。用于痢疾，腹泻，目赤肿痛，湿热黄疸。

| **用法用量** | 内服煎汤，3 ～ 10 g。外用适量，研末调敷。

毛茛科 Ranunculaceae 唐松草属 Thalictrum

西南唐松草
Thalictrum fargesii Franch. ex Finet et Gagn.

| 药 材 名 | 西南唐松草（药用部位：全草）。

| 形态特征 | 草本。无毛。茎高达 50 cm，纤细，分枝。基生叶开花时枯萎；茎中部叶有较长柄，为三至四回三出复叶，叶片长 8 ~ 14 cm，小叶草质或纸质，顶生小叶菱状倒卵形、宽倒卵形或近圆形，先端钝，基部宽楔形或圆形，上部 3 浅裂，裂片全缘或有 1 ~ 3 圆齿，脉在背面隆起，网脉明显，小叶柄长 0.3 ~ 2 cm，叶柄长 3.5 ~ 5 cm，托叶小，膜质。单歧聚伞花序生于分枝先端；花梗细，长 1 ~ 3.5 cm；萼片 4，白色或带淡紫色，脱落，椭圆形，长 3 ~ 6 mm；雄蕊多数，花药狭长圆形，长约 1 mm，花丝上部倒披针形，比花药稍宽，下部丝形；心皮 2 ~ 5，花柱直，柱头狭椭圆形或近线形。瘦果纺锤形，

长 4 ~ 5 mm，基部有极短的心皮柄，宿存花柱长 0.8 ~ 2 mm。花期 5 ~ 6 月。

| 生境分布 | 生于海拔 1 300 ~ 2 100 m 的山地林中、草地、陡崖旁或沟边。分布于湖南张家界（永定）、怀化（中方）等。

| 资源情况 | 野生资源一般。药材来源于野生。

| 采收加工 | 夏、秋季采收，洗净，切段，鲜用或晒干。

| 功能主治 | 苦，寒。清热解毒，泻火燥湿。用于牙痛，皮炎，湿疹。

毛茛科 Ranunculaceae 唐松草属 Thalictrum

华东唐松草 *Thalictrum fortunei* S. Moore

| 药 材 名 | 华东马尾连（药用部位：全草或根）。

| 形态特征 | 草本，无毛。茎高 20 ~ 66 cm，自下部或中部分枝。基生叶有长柄，为二至三回三出复叶；叶片宽 5 ~ 10 cm；小叶草质，背面粉绿色，顶生小叶近圆形，不明显 3 浅裂，侧生小叶基部斜心形，脉在下面隆起；叶柄细，有细纵槽，长约 6 cm，基部有短鞘；托叶膜质，半圆形，全缘。复单歧聚伞花序圆锥状；花梗丝形，长 0.6 ~ 1.6 cm；萼片 4，白色或淡堇色，倒卵形，长 3 ~ 4.5 mm；花药椭圆形，长 0.5 ~ 1.2 mm，先端钝，花丝比花药宽或窄，上部倒披针形；心皮（3 ~）4 ~ 6，子房长圆形，长 2 ~ 2.5 mm，花柱短，直或先端弯曲，沿腹面生柱头组织。瘦果无柄，圆柱状长圆形，长 4 ~ 5 mm，

有 6 ～ 8 纵肋，宿存花柱长 1 ～ 1.2 mm，先端通常拳卷。花期 3 ～ 5 月。

| **生境分布** | 生于海拔 100 ～ 1 500 m 的丘陵、山地林下或阴湿处。分布于湖南永州（东安、双牌）、怀化（辰溪）等。

| **资源情况** | 野生资源稀少。药材来源于野生。

| **采收加工** | 春季至秋季采收，鲜用或晒干。

| **功能主治** | 苦，寒。归大肠、肝经。清热，泻火，解毒。用于痢疾，腹泻，目赤肿痛，湿热黄疸。

| **用法用量** | 内服煎汤，3 ～ 10 g。外用适量，研末调敷。

毛茛科 Ranunculaceae 唐松草属 Thalictrum

盾叶唐松草
Thalictrum ichangense Lecoy. ex Oliv.

| 药 材 名 | 盾叶唐松草（药用部位：全草）。

| 形态特征 | 草本，无毛。根茎斜，密生须根；须根有纺锤形小块根。茎高 14 ~ 32 cm，不分枝或上部分枝。基生叶长 8 ~ 25 cm，有长柄，为一至三回三出复叶，叶片长 4 ~ 14 cm，小叶草质，顶生小叶卵形、宽卵形、宽椭圆形或近圆形，长 2 ~ 4 cm，宽 1.5 ~ 4 cm，先端微钝至圆形，基部圆形或近截形，3 浅裂，小叶柄盾状着生，长 1.5 ~ 2.5 cm，叶柄长 5 ~ 12 cm；茎生叶 1 ~ 3，渐变小。复单歧聚伞花序有稀疏分枝；花梗丝形，长 0.3 ~ 2 cm；萼片白色，卵形，长约 3 mm，早落；雄蕊长 4 ~ 6 mm，花药椭圆形，长约 0.6 mm，花丝上部倒披针形，比花药宽，下部丝形；心皮 5 ~ 12（~ 16），

有细子房柄，柱头近球形，无柄。瘦果近镰形，长约 4.5 mm，有细纵肋约 8，果柄长约 1.5 mm。

| **生境分布** | 生于海拔 1 300 ～ 1 900 m 的山地。分布于湘西北、湘北、湘南等。

| **资源情况** | 野生资源一般。药材来源于野生。

| **采收加工** | 秋季采收，晒干。

| **药材性状** | 本品须根细如发丝，长 5 ～ 10 cm，直径 0.3 ～ 0.5 mm；表面棕褐色；质脆，易折断；味微涩。茎紫褐色，有细皱纹。羽状复叶多皱缩，展平后小叶片呈宽椭圆形至近圆形，盾状着生；叶正面绿色，叶背面暗红色或淡绿色。花序梗细长，无花瓣。气微，味微苦。

| **功能主治** | 苦、寒。归肝、胃、大肠经。清热解毒，燥湿。用于湿热黄疸，湿热痢疾，小儿惊风，目赤肿痛，丹毒游风，鹅口疮，跌打损伤。

| **用法用量** | 内服煎汤，10 ～ 15 g；或研末，1.5 ～ 2 g。外用适量，煎汤洗。

毛茛科 Ranunculaceae 唐松草属 Thalictrum

爪哇唐松草 *Thalictrum javanicum* Bl.

| 药 材 名 | 马尾连根（药用部位：根）、马尾连（药用部位：全草）。

| 形态特征 | 草本，无毛。茎高（30 ～）50 ～ 100 cm，中部以上分枝。基生叶花期枯萎；茎生叶 4 ～ 6，为三至四回三出复叶，叶片长 6 ～ 25 cm，小叶纸质，顶生小叶倒卵形、椭圆形或近圆形，长 1.2 ～ 2.5 cm，宽 1 ～ 1.8 cm，基部宽楔形、圆形或浅心形，3 浅裂，有圆齿，背面脉隆起，网脉明显，小叶柄长 0.5 ～ 1.4 cm，叶柄长达 5.5 cm，托叶棕色，膜质，边缘流苏状分裂，宽 2 ～ 3 mm。花序近二叉分枝，伞房状或圆锥状，有少数或多数花；花梗长 3 ～ 7（～ 10）mm；萼片 4，长 2.5 ～ 3 mm，早落；雄蕊多数，长 2 ～ 5 mm，花药长 0.6 ～ 1 mm，花丝上部倒披针形，比花药稍宽，下部丝形；心皮

8 ～ 15。瘦果狭椭圆形，长 2 ～ 3 mm，有 6 ～ 8 纵肋，宿存花柱长 0.6 ～ 1 mm，先端拳卷。花期 4 ～ 7 月。

| **生境分布** | 生于海拔 1 500 ～ 2 100 m 的山地林中、沟边或陡崖边阴湿处。湖南有广泛分布。

| **资源情况** | 野生资源一般。药材来源于野生。

| **采收加工** | 春、秋季采收，洗净，晒干。

| **功能主治** | 苦，寒。归大肠、肝经。清热解毒，燥湿。用于痢疾，关节炎，跌打损伤。

| **用法用量** | 内服煎汤，3 ～ 9 g。

毛茛科 Ranunculaceae 唐松草属 Thalictrum

小果唐松草
Thalictrum microgynum Lecoy. ex Oliv.

| 药 材 名 |

石黄草（药用部位：根）。

| 形态特征 |

植株全部无毛。根茎短。须根有斜倒圆锥形的小块根。茎高 20 ~ 42 cm，上部分枝。基生叶 1，为二至三回三出复叶，叶片长 10 ~ 15 cm，小叶薄草质，顶生小叶有长柄，楔状倒卵形、菱形或卵形，长 2 ~ 6.4（~ 9.5）cm，宽 1.5 ~ 3.8（~ 4.8）cm，3 浅裂，边缘有粗圆齿，叶柄长 8 ~ 15 cm；茎生叶 1 ~ 2，形似基生叶，但较小。花序似复伞形花序；苞片近匙形，长约 1.5 mm；花梗丝形，长达 1.5 cm；萼片白色，狭椭圆形，长约 1.5 mm，早落；雄蕊长 3.5 ~ 6.5 mm，花药长圆形，长约 1 mm，先端有短尖，花丝上部倒披针形，比花药宽，下部丝形；心皮 6 ~ 15，有细子房柄，柱头小，无花柱。瘦果下垂，狭椭圆球形，长约 1.8 mm，有 6 细纵肋，心皮柄长约 1.2 mm。花期 4 ~ 7 月。

| 生境分布 |

生于海拔 700 ~ 2 100 m 的山地林下、草坡和岩石边阴湿处。分布于湖南湘西州（吉首、花垣、保靖）、永州（道县）、怀化（麻阳）等。

| **资源情况** | 野生资源较少。药材来源于野生。

| **采收加工** | 夏、秋季采挖，洗净，晒干。

| **功能主治** | 苦、寒。归肝经。清热解毒，利湿。用于黄肿病，眼睛发黄，跌打损伤。

| **用法用量** | 内服煎汤，3 ~ 9 g。

东亚唐松草 *Thalictrum minus* L. var. *hypoleucum* (Sieb. et Zucc.) Miq.

| 药 材 名 | 烟锅草（药用部位：根）。

| 形态特征 | 草本，无毛。茎下部叶有长柄或短柄，茎中部叶有短柄或近无柄，为四回 3 出羽状复叶，叶片长达 20 cm，小叶纸质或薄革质，顶生小叶楔状倒卵形、宽倒卵形、近圆形或狭菱形，长和宽均为 1.5 ～ 4（～ 5）cm，背面有白粉，粉绿色，脉隆起，网脉明显；叶柄长达 4 cm，基部有狭鞘。圆锥花序长达 30 cm；花梗长 3 ～ 8 mm；萼片 4，淡黄绿色，脱落，狭椭圆形，长约 3.5 mm；雄蕊多数，长约 6 mm，花药狭长圆形，长约 2 mm，先端有短尖头，花丝丝形；心皮 3 ～ 5，无柄，柱头正三角状箭头形。瘦果狭椭圆状球形，稍扁，长约 3.5 mm，有 8 纵肋。6 ～ 7 月开花。

| 生境分布 | 生于丘陵、山地林边或山谷沟边。分布于湖南怀化（沅陵）等。

| 资源情况 | 野生资源稀少。药材来源于野生。

| 采收加工 | 夏、秋季采收，洗净，晒干。

| 药材性状 | 本品由数个至十数个节结连生，常中空。细根数十条至百余条密生于根茎下面，长 10 ~ 20（ ~ 30）cm，直径 1 ~ 1.5 mm，软而扭曲，常缠绕成团。表面浅棕色，疏松，皮层常脱落，皮层脱落处可见棕黄色木心。断面纤维性。气微，味稍苦。

| 功能主治 | 苦，寒；有小毒。清热解毒，燥湿。用于百日咳，痈疮肿毒，牙痛，湿疹。

| 用法用量 | 内服煎汤，6 ~ 9 g。外用适量，焙干研末，撒敷；或煎汤洗；或捣敷。

毛茛科 Ranunculaceae 唐松草属 Thalictrum

长柄唐松草

Thalictrum przewalskii Maxim.

| 药 材 名 |

青海马尾连（药用部位：根及根茎）。

| 形 态 特 征 |

茎高 50 ~ 120 cm，无毛，通常分枝，约
有 9 叶。基生叶和近基部的茎生叶在开花时
枯萎；茎下部叶长达 25 cm，为四回三出复
叶，叶片长达 28 cm，小叶薄草质，顶生小
叶卵形、菱状椭圆形、倒卵形或近圆形，长
1 ~ 3 cm，宽 0.9 ~ 2.5 cm，先端钝或圆形，
基部圆形、浅心形或宽楔形，3 裂常达中部，
有粗齿，背面脉稍隆起，有短毛，叶柄长约
6 cm，基部具鞘；托叶膜质，半圆形，边缘
不规则开裂。圆锥花序多分枝，无毛；花梗
长 3 ~ 5 mm；萼片白色或稍带黄绿色，狭
卵形，长 2.5 ~ 5 mm，宽约 1.5 mm，有 3 脉，
早落；雄蕊多数，长 4.5 ~ 10 mm，花药长
圆形，长约 0.8 mm，比花丝宽，花丝白色，
上部线状倒披针形，下部丝形；心皮 4 ~ 9，
有子房柄，花柱与子房等长。瘦果扁，斜倒
卵形，长 0.6 ~ 1.2 cm（包括柄），有 4 纵
肋，子房柄长 0.8 ~ 3 mm，宿存花柱长约
1 mm。6 ~ 8 月开花。

| **生境分布** | 生于山地灌丛边、林下或草坡上。分布于湖南常德（石门）等。

| **资源情况** | 野生资源稀少。药材来源于野生。

| **采收加工** | 全年均可采收，洗净泥土，晒干。

| **药材性状** | 本品由数个结节连生。细根数十条，密生于根茎下，长 5 ~ 10 cm，直径 0.5 ~ 1.5 mm；表面灰棕色。质较软，断面纤维性。气浓，味甜。

| **功能主治** | 苦，寒。归肝、大肠经。清热燥湿，泻火解毒。用于痢疾，肠炎，黄疸，肝炎，目赤肿痛。

| **用法用量** | 内服煎汤，3 ~ 9 g。

多枝唐松草 *Thalictrum ramosum* Boivin

| 药 材 名 |

软水黄连（药用部位：全草）。

| 形态特征 |

草本，无毛。茎高 12 ~ 45 cm，有细纵槽，自基部之上分枝。基生叶为二至三回三出复叶；叶片长 7 ~ 15 cm；小叶草质，宽卵形、近圆形或宽倒卵形，不明显 3 浅裂，边缘有疏钝齿，脉在正面平坦，在背面稍隆起，网脉明显；叶柄长 7 ~ 9 cm，基部有膜质短鞘。复单歧聚伞花序圆锥状；花梗丝形，长 5 ~ 10 mm；萼片 4，淡堇色或白色，卵形，长约 2 mm，早落；花药淡黄色，长圆形，长约 0.7 mm，花丝长为花药的 4 ~ 6 倍，比花药窄，上部狭倒披针形，下部丝形；心皮 8 ~ 16，长约 2 mm，花柱细，比子房稍长，向外弯曲，沿腹面生柱头组织。瘦果无柄，狭卵形或披针形，长 3.5 ~ 4.5 mm，有 8 细纵肋，宿存花柱长 0.3 ~ 0.5 mm，拳卷。花期 4 月，果期 5 ~ 6 月。

| 生境分布 |

生于海拔 540 ~ 950 m 的低山灌丛中。分布于湖南邵阳、怀化（中方、麻阳、新晃）、湘西州（吉首、花垣）、益阳（安化）等。

| **资源情况** | 野生资源较少。药材来源于野生。

| **采收加工** | 夏季采收，洗净，晒干，扎把。

| **药材性状** | 本品根茎极短。细根数十条生于根茎下，长 6 ~ 10 cm，直径 1 ~ 3 mm；表面灰褐色；质脆，易折断，断面可见浅黄色木心。茎多分枝，纤细柔软。叶薄，边缘具圆齿。

| **功能主治** | 苦，寒。归大肠、肝经。清热燥湿，解毒。用于痢疾，黄疸，目赤，痈肿疮疖。

| **用法用量** | 内服煎汤，9 ~ 15 g。外用适量，捣敷；或煎汤熏洗。

毛茛科 Ranunculaceae 唐松草属 Thalictrum

阴地唐松草 *Thalictrum umbricola* Ulbr.

| 药 材 名 |

阴地唐松草（药用部位：根）。

| 形态特征 |

植株全部无毛。茎高 15 ～ 50 cm，纤细，分枝。基生叶长达 30 cm，为二回或三回三出复叶；小叶薄草质，近圆形、圆菱形或宽倒卵形，长和宽均为 1 ～ 2.5 cm，基部圆形、浅心形或钝，3 浅裂，裂片有 1 ～ 2 圆齿，叶脉平或在背面稍隆起，网脉不明显或稍明显；叶柄长达 12 cm。茎生叶小，为一回或二回三出复叶。花序有少数花，伞房状；花梗细，长 1 ～ 2.4 cm；萼片 4，白色，早落，卵形，长 2 mm；雄蕊多数，长 4 ～ 5 mm，花药黄色，椭圆形或长圆形，长 0.5 ～ 0.8 mm，花丝上部狭倒披针形，比花药宽，下部丝状；心皮 6 ～ 9，有柄，柱头盘状，无柄。瘦果纺锤形，扁，不包括果柄长约 3 mm，宽 0.6 ～ 0.8 mm，有 8 细纵肋，心皮柄长 1 ～ 2 mm。3 ～ 4 月开花。

| 生境分布 |

生于海拔 1 000 ～ 1 500 m 的山地林中、沟边或陡崖较阴湿处。分布于湖南张家界（永定、武陵源）、怀化（通道）、邵阳（新宁）、郴州（宜章）等。

| **资源情况** | 野生资源稀少。药材来源于野生。

| **功能主治** | 清热，解毒，利湿。

毛茛科 Ranunculaceae 尾囊草属 Urophysa

尾囊草
Urophysa henryi (Oliv.) Ulbr.

| 药 材 名 | 岩萝卜（药用部位：根茎、叶）。

| 形态特征 | 根茎木质，粗壮。叶多数；叶片宽卵形，长 1.4 ~ 2.2 cm，宽 3 ~ 4.5 cm，基部心形，中全裂片无柄或有长达 4 mm 的柄，扇状倒卵形或扇状菱形，宽 1.7 ~ 3 cm，上部 3 裂，2 回裂片有少数钝齿，侧全裂片较大，斜扇形，不等 2 浅裂，两面疏被短柔毛；叶柄长 3.6 ~ 12 cm，有开展的短柔毛。花葶与叶近等长；聚伞花序长约 5 cm，通常有 3 花；苞片楔形、楔状倒卵形或匙形，长 1 ~ 2.2 cm，不分裂或 3 浅裂；小苞片对生或近对生，线形；花直径 2 ~ 2.5 cm；萼片天蓝色或粉红白色，倒卵状椭圆形，外面有疏柔毛，内面无毛；花瓣长约 5 mm，宽 1.3 mm，长椭圆状船形，爪长 1 mm；雄蕊长 3.5 ~ 5.5 mm；退化雄蕊长椭圆形，长 2.5 ~ 3.5 mm，渐尖；心皮

5（~ 8）。蓇葖果长 4 ~ 5 mm，密生横脉，有短柔毛，宿存花柱长 2 mm；种子狭肾形，长约 1.2 mm，密生小疣状突起。3 ~ 4 月开花。

| **生境分布** | 生于山地岩石旁或陡崖上。分布于湖南常德（石门）、张家界（桑植）等。

| **资源情况** | 野生资源稀少。药材来源于野生。

| **采收加工** | 全年均可采挖根茎，春、夏季采摘叶，鲜用或阴干。

| **药材性状** | 本品根茎圆柱形，直径约 9 mm。表面褐色，具大小不等的孔穴，环节密集；先端残留叶柄残基及中空的茎基。体轻质脆，易折断，断面片状不整齐。气微，味辛、微苦。

| **功能主治** | 甘、微苦，平。活血散瘀，生肌止血。用于跌打瘀肿疼痛，创伤出血，冻疮。

| **用法用量** | 外用适量，研末调敷；或鲜品捣敷。

小檗科 Berberidaceae 小檗属 Berberis

华东小檗
Berberis chingii Cheng

| 药 材 名 | 华东小檗（药用部位：根及根茎。别名：罗氏岩蕨）。

| 形态特征 | 常绿灌木，高 1 ~ 2 m。老枝暗灰色，幼枝淡黄色，圆柱形或微具条棱，具黑色疣点；茎刺粗壮，与枝同色，3 叉，长 1 ~ 2.5 cm。叶薄革质，长圆状倒披针形或长圆状狭椭圆形，长 2 ~ 8 cm，宽0.8 ~ 2.5 cm，先端急尖，基部楔形，上面暗绿色，有时有光泽，中脉明显凹陷，侧脉 5 ~ 10 对，微显，背面被白粉，中脉隆起，侧脉不显，两面网脉不显，叶缘平展，中部以上每边具 2 ~ 10 刺齿或偶全缘，齿间距 3 ~ 20 mm；叶柄长 2 ~ 4 mm。4 ~ 14 花簇生；花梗长 7 ~ 18 mm；花黄色；小苞片三角形；萼片 2 轮，外萼片椭圆形，长 5 ~ 5.5 mm，先端钝，内萼片倒卵状长圆形，长约 6.5 mm；

花瓣倒卵形，长约 5.5 mm，宽约 3 mm，先端缺裂，基部缢缩成爪，具腺体 2；雄蕊长约 4.5 mm，药隔先端延伸，钝形；胚珠 2 ～ 3。浆果椭圆状或倒卵状椭圆形，长 6 ～ 8 mm，直径 4 ～ 5 mm，先端具明显宿存花柱，被白粉。花期 4 ～ 5 月，果期 6 ～ 9 月。

| **生境分布** | 生于海拔 250 ～ 2 000 m 的山区、山沟杂木林下、水沟边、山坡灌丛中、石灰岩山坡旁。分布于湖南张家界（桑植）、郴州（桂东）等。

| **资源情况** | 野生资源较少。药材来源于野生。

| **采收加工** | 秋季采挖，洗净，切段，晒干。

| **功能主治** | 苦，寒。清热燥湿，泻火解毒。用于急性肠炎，痢疾，黄疸，热痹，瘰疬，肺炎，结膜炎，痈肿疮疖，血崩。

| **用法用量** | 内服煎汤，5 ～ 15 g。外用适量，煎汤热敷；或研末撒。

小檗科 Berberidaceae 小檗属 Berberis

湖北小檗

Berberis gagnepainii Schneid.

| **药材名** | 湖北小檗（药用部位：根及根茎。别名：黄花刺）。

| **形态特征** | 常绿灌木，高 1 ~ 2 m。茎圆柱形，老枝暗灰色，幼枝黄色，具条棱和稀疏的细小疣点；茎刺长 1 ~ 4 cm，腹面下部扁平或具槽，与枝同色，老枝无刺。叶披针形，长 3.5 ~ 14 cm，宽 0.4 ~ 2.5 cm，先端渐尖，基部楔形，上面暗绿色，有时灰绿色，中脉微凹陷，侧脉和网脉显著，背面黄绿色，中脉明显隆起，侧脉微隆起，网脉不显，不被白粉，叶缘有时呈微波状，每边具 6 ~ 20 刺齿；近无柄。2 ~ 8 花簇生，有时花可达 15；花梗长（4 ~ ）10 ~ 20 mm，棕褐色，无毛；花淡黄色；小苞片长圆状卵形，长约 3 mm；萼片 3 轮，外萼片长圆状卵形，长约 4.5 mm，宽约 4 mm，先端急尖，中萼片椭圆形至卵形，

长 6.5 mm，宽 5.5 mm，内萼片倒卵形，长 8 mm，宽 7 mm；花瓣倒卵形，长约 7 mm，宽约 6 mm，先端缺裂或微凹，裂片先端圆形，基部楔形，具分离的腺体 2；胚珠 4 ~ 5。浆果红色，长圆状卵形，长 8 ~ 10 mm，直径约 6 mm，先端无明显宿存花柱，微被蓝粉。花期 5 ~ 6 月，果期 6 ~ 10 月。

| **生境分布** | 生于海拔 700 ~ 2 000 m 的山区、山地灌丛中、石山旁、云杉林下或林缘。分布于湖南张家界（桑植）等。

| **资源情况** | 野生资源较少。药材来源于野生。

| **采收加工** | 秋季采挖，洗净，切段，晒干。

| **功能主治** | 苦，寒。清热燥湿，泻火解毒。用于急性肠炎，痢疾，黄疸，热痹，瘰疬，肺炎，结膜炎，痈肿疮疖，血崩。

| **用法用量** | 内服煎汤，5 ~ 15 g；或炖肉。外用适量，煎汤热敷或滴眼；或研末撒。

小檗科 Berberidaceae 小檗属 Berberis

川鄂小檗
Berberis henryana Schneid.

| **药 材 名** | 川鄂小檗（药用部位：根皮、果实）。

| **形态特征** | 落叶灌木，高2~3m。老枝灰黄色或暗褐色，幼枝红色，近圆柱形，具不明显条棱；茎刺单生或3分叉，与枝同色，长1~3cm，有时缺如。叶坚纸质，椭圆形或倒卵状椭圆形，长1.5~3cm，偶长达6cm，宽8~18mm，偶宽达3cm，先端圆钝，基部楔形，上面暗绿色，中脉微凹陷，侧脉和网脉微显，下面灰绿色，常微被白粉，中脉隆起，侧脉和网脉显著，两面无毛，叶缘平展，每边具10~20不明显的细刺齿；叶柄长4~15mm。总状花序具10~20花，长2~6cm（包括长1~2cm的总梗）；花梗长5~10mm，无毛；苞片长1~1.5mm；花黄色；小苞片披针形，先端渐尖，长1~1.5mm；萼片2轮，外萼片长圆状倒卵形，长2.5~3.5mm，宽1.5~2mm，内萼片倒卵形，

长 5 ~ 6 mm，宽 4 ~ 5 mm；花瓣长圆状倒卵形，长 5 ~ 6 mm，宽 4 ~ 5 mm，先端锐裂，基部具 2 分离腺体；雄蕊长 3.5 ~ 4.5 mm，药隔不延伸，先端平截；胚珠 2。浆果椭圆形，长约 9 mm，直径约 6 mm，红色，先端具短宿存花柱，不被白粉。花期 5 ~ 6 月，果期 7 ~ 9 月。

| 生境分布 |　生于山坡灌丛中、林缘、林下或草地。分布于湖南常德（石门）等。

| 资源情况 |　野生资源稀少。药材来源于野生。

| 功能主治 |　清热，解毒。用于痢疾。

南岭小檗
Berberis impedita Schneid.

| 药 材 名 | 南岭小檗（药用部位：根、茎皮）。

| 形态特征 | 常绿灌木，高 0.5 ～ 1.5 m。枝具条棱，暗灰色，无疣点，幼枝淡黄色；茎刺缺如或极细弱，3 分叉，长约 1 cm，淡黄色。叶革质，椭圆形、长圆形或狭椭圆形，长 4 ～ 9 cm，宽 1.8 ～ 3.5 cm，先端钝或急尖，基部渐狭，上面暗绿色，中脉凹陷，侧脉微隆起，网脉不显，下面灰绿色或黄绿色，中脉和侧脉明显隆起，网脉不显著，叶缘平展，每边具 8 ～ 12 刺齿；叶柄长 5 ～ 8 mm。花 2 ～ 4 簇生；花梗长 8 ～ 18 mm；小苞片卵形，长约 2.5 mm，先端急尖；花黄色；萼片 2 轮，外萼片椭圆状长圆形，长 3.5 ～ 4.5 mm，宽 1.8 ～ 2.5 mm，内萼片椭圆形，长 5 ～ 5.5 mm，宽 3 ～ 3.5 mm，先端圆形；花瓣

倒卵形，长约 4 mm，宽约 2.5 mm，先端缺裂；雄蕊长约 3 mm，药隔先端稍膨大，具 2 细小牙齿；胚珠 4 ~ 6。果柄常带红色；浆果长圆形，成熟时黑色，长 8 ~ 9 mm，直径 5 ~ 6 mm，先端无宿存花柱，有时具极短宿存花柱，不被白粉。花期 4 ~ 5 月，果期 6 ~ 10 月。

| 生境分布 | 生于山顶阳处、林地、路边、灌丛中、疏林下或沟边。分布于湖南怀化（洪江）、邵阳（城步）、郴州（宜章）等。

| 资源情况 | 野生资源稀少。药材来源于野生。

| 功能主治 | 清热解毒，利小便。

小檗科 Berberidaceae 小檗属 Berberis

豪猪刺
Berberis julianae Schneid.

药材名

鸡脚刺（药用部位：根。别名：三颗针、九连小檗）。

形态特征

常绿灌木，高 2 ~ 3 m。多分枝，幼枝淡黄色，具明显棱，老枝灰黄色，表面散布黑色细小疣点，刺粗壮，具 3 叉，长 1 ~ 4 cm。叶常 5 簇生，革质；叶柄长 1 ~ 4 mm；叶片椭圆形或广倒披针形，长 3 ~ 8 cm，宽 2 ~ 3 cm，先端急尖，基部楔形，边缘具细长的针状锯齿 10 ~ 20，上面深绿色，有光泽，下面灰白色。花约 15 簇生于叶腋，花梗长 18 ~ 15 mm；小苞片 3，卵圆形或披针形；萼片 6，花瓣状，排成 2 轮；花黄色，直径 6 ~ 7 mm，花瓣 6，先端微缺，近基部具圆形腺体 2；雄蕊 6，成熟时瓣裂；雌蕊 1，内含胚珠 1 ~ 2，柱头头状，扁平。浆果椭圆形，长 8 ~ 9 cm，成熟时呈蓝黑色，表面被淡蓝色粉，柱头宿存，具明显短花柱；种子通常 1。花期 5 ~ 6 月，果期 8 ~ 10 月。

生境分布

生于海拔 1 100 ~ 2 000 m 的山区、向阳杂木林中。湖南有广泛分布。

| 资源情况 | 野生资源丰富。栽培资源较少。药材来源于野生和栽培。

| 采收加工 | 全年均可采挖，秋季采挖最佳，鲜用或晒干。

| 药材性状 | 本品甚粗壮，圆柱形，微弯曲。外表土褐色，有细密纵皱纹，四周丛生多数硬须根。断面白黄色，木质部坚硬。

| 功能主治 | 苦，平。清热，解毒。用于湿热泻痢，热淋，目赤肿痛，牙龈红肿，咽喉肿痛，疟腮，丹毒，湿疹，热毒疮疡。

| 用法用量 | 内服煎汤，9～15 g。外用适量，研末调敷。

小檗科 Berberidaceae 小檗属 Berberis

细叶小檗

Berberis poiretii Schneid.

| 药 材 名 | 细叶小檗（药用部位：根、茎。别名：钢针刺）。

| 形态特征 | 落叶灌木，高 1 ～ 2 m。老枝灰黄色，幼枝紫褐色，生黑色疣点，具条棱；茎刺缺如或单一，有时具 3 叉，长 4 ～ 9 mm。叶纸质，倒披针形至狭倒披针形，偶为披针状匙形，长 1.5 ～ 4 cm，宽 5 ～ 10 mm，先端渐尖或急尖，具小尖头，基部渐狭，上面深绿色，中脉凹陷，背面淡绿色或灰绿色，中脉隆起，侧脉和网脉明显，两面无毛，叶缘平展，全缘，偶尔中上部边缘具数枚细小刺齿；近无柄。穗状总状花序具 8 ～ 15 花，长 3 ～ 6 cm，总梗长 1 ～ 2 cm，常下垂；花梗长 3 ～ 6 mm，无毛；花黄色；苞片条形，长 2 ～ 3 mm；小苞片 2，披针形，长 1.8 ～ 2 mm；萼片 2 轮，外萼片椭圆形或长圆状

卵形，长约 2 mm，宽 1.3 ~ 1.5 mm，内萼片长圆状椭圆形，长约 3 mm，宽约 2 mm；花瓣倒卵形或椭圆形，长约 3 mm，宽约 1.5 mm，先端锐裂，基部微缢缩，略呈爪形，具分离腺体 2；雄蕊长约 2 mm，药隔先端不延伸，平截；胚珠通常单生，有时 2。浆果长圆形，红色，长约 9 mm，直径 4 ~ 5 mm，先端无宿存花柱，不被白粉。花期 5 ~ 6 月，果期 7 ~ 9 月。

| 生境分布 | 生于海拔 600 ~ 2 000 m 的山地灌丛、砾质地、草原化荒漠、山沟河岸或林下。分布于湖南张家界（慈利）、衡阳（衡东）等。

| 资源情况 | 野生资源较少。药材来源于野生。

| 采收加工 | 春、秋季采挖根，全年均可采收茎，洗净，晒干。

| 药材性状 | 本品茎枝圆柱形，直，多分枝，直径 1 ~ 5 mm，长短不一。表面黑褐色或棕黑色，具纵皱纹，针刺多单一，稀具 3 叉。质硬，易折断，折断面纤维性；横切面皮部淡黄色，木部黄色，有较密的放射状纹理，髓部较小，黄白色。气微，味苦。以茎枝粗壮、断面色黄者为佳。

| 功能主治 | 苦，寒。清热，燥湿，泻火解毒。用于湿热痢疾，腹泻，黄疸，湿疹，疮疡，口疮，目赤，咽痛。

| 用法用量 | 内服煎汤，5 ~ 15 g；或浸酒。外用适量，研末调敷。

小檗科 Berberidaceae 小檗属 *Berberis*

假豪猪刺 *Berberis soulieana* Schneid.

| 药 材 名 |

假豪猪刺（药用部位：根。别名：鸡足黄连）。

| 形态特征 |

常绿灌木，多分枝。幼枝淡黄色，具有显著的棱，老枝灰黄色，表面散布黑色细小疣点，刺粗壮，具 3 叉，长 1 ~ 4 cm。叶常 5 簇生，革质；叶柄长 1 ~ 4 mm；叶片椭圆形或广倒披针形，长 3 ~ 8 cm，宽 2 ~ 3 cm，先端急尖。花约 15 簇生于叶腋；花梗长 8 ~ 15 mm。浆果呈长圆形，蓝黑色；种子通常为 1。花期 5 ~ 6 月，果期 8 ~ 10 月。

| 生境分布 |

生于海拔 600 ~ 1 800 m 的山坡、沟边、林中、林缘或灌丛中。分布于湖南株洲（渌口）、邵阳（隆回、洞口）、张家界（慈利、桑植）、永州（祁阳）、怀化（芷江、沅陵、溆浦）、娄底（新化）、衡阳（衡东）、益阳（安化）等。

| 资源情况 |

野生资源丰富。栽培资源较少。药材来源于野生和栽培。

| **采收加工** | 全年均可采挖，秋季采挖最佳，洗净，鲜用或晒干。

| **药材性状** | 本品类圆形，稍弯曲，有少数分枝，长 8 ~ 15 cm，直径 1 ~ 3.5 cm。根头粗大，向下渐细。表面灰棕色，有细皱纹，栓皮易剥落。质坚硬，不易折断，断面不平坦，纤维性，鲜黄色；切断面近圆形或长圆形，略显放射状纹理，髓部小，黄白色。气微，味苦。以色黄、味苦者为佳。

| **功能主治** | 苦，平。清热燥湿，泻火解毒。

| **用法用量** | 内服煎汤，9 ~ 15 g。外用适量，研末调敷。

芒齿小檗
Berberis triacanthophora Fedde

| 药 材 名 | 芒齿小檗（药用部位：根）。

| 形态特征 | 常绿灌木，高 1 ~ 2 m。茎圆柱形，老枝暗灰色或棕褐色，幼枝带红色，具稀疏疣点；茎刺具 3 叉，长 1 ~ 2.5 cm，与枝同色。叶革质，线状披针形、长圆状披针形或狭椭圆形，长 2 ~ 6 cm，宽 2.5 ~ 8 mm，先端渐尖或急尖，常有刺尖头，基部楔形，上面深绿色，有光泽，下面灰绿色，中脉隆起，两面侧脉和网脉不明显，具乳头状突起，有时微被白粉，叶缘微向背面反卷，每边具 2 ~ 8 刺齿，偶全缘；近无柄。2 ~ 4 花簇生；花梗长 1.5 ~ 2.5 cm，光滑无毛；花黄色；小苞片红色，卵形，长约 1 mm；萼片 3 轮，外萼片卵状圆形，长 2 mm，宽 1.8 mm，中萼片卵形，长 3.5 mm，宽 2.5 mm，先

端急尖，内萼片倒卵形，长约 5 mm，宽约 4 mm，先端钝；花瓣倒卵形，长约
4 mm，宽约 3 mm，先端具浅缺裂，基部楔形，具分离长圆形腺体 2；雄蕊长约
2 mm，药隔延伸，先端平截；胚珠 2 ~ 3。浆果椭圆形，长 6 ~ 8 mm，直径 4 ~
5 mm，蓝黑色，微被白粉。花期 5 ~ 6 月，果期 6 ~ 10 月。

| **生境分布** | 生于海拔 500 ~ 2 000 m 的山区杂木林中。分布于湖南邵阳（邵东）、常德（桃源）、永州（东安、新田）、娄底（娄星）等。

| **资源情况** | 野生资源较少。药材来源于野生。

| **采收加工** | 秋季采挖，洗净，晒干。

| **功能主治** | 苦，寒。清热泻火，燥湿解毒。

| **用法用量** | 内服煎汤，5 ~ 15 g。外用适量，研末调敷。

小檗科 Berberidaceae 小檗属 Berberis

巴东小檗
Berberis veitchii Schneid.

| 药 材 名 |

巴东小檗（药用部位：根、枝）。

| 形态特征 |

常绿灌木，高 1 ~ 1.5 m。茎圆柱形，老枝淡灰黄色，不具疣点，幼枝带红色，无毛；茎刺具 3 叉，长 1.5 ~ 3 cm，腹面具槽，淡黄色。叶薄革质，披针形，长 5 ~ 11 cm，宽 1 ~ 2 cm，先端渐尖，基部楔形，上面暗绿色，中脉凹陷，侧脉微显，网脉不显，背面淡黄色，有光泽，中脉隆起，侧脉微隆起，网脉不显，不被白粉，叶缘略呈波状，微向背面反卷，每边具 10 ~ 30 刺齿；近无柄。2 ~ 10 花簇生；花梗长 1.5 ~ 3.5 cm，光滑无毛；花粉红色或红棕色；小苞片卵形，长、宽均约 2 mm；萼片 3 轮，外萼片长圆状卵形，长 3.5 mm，宽 3 mm，微带红褐色，中萼片和内萼片倒卵形，常呈凹状，中萼片长 5 mm，宽 4 mm，内萼片长 7.5 mm，宽 5.5 mm；花瓣倒卵形，先端圆形，锐裂，基部缢缩成爪，具紧靠的腺体 2；雄蕊长约 4 mm，药隔略延伸，先端圆钝；胚珠 2 ~ 4。浆果卵形至椭圆形，长约 9 mm，直径约 6 mm，先端无宿存花柱，被蓝粉。花期 5 ~ 6月，果期 8 ~ 10月。

生境分布	生于海拔 1 200 m 以上的山地灌丛、林中、林缘和河边。分布于湖南永州（道县）等。
资源情况	野生资源较少。药材来源于野生。
采收加工	秋季采收，洗净，晒干。
功能主治	苦，寒。清热，消炎，止痢。
用法用量	内服煎汤，5 ~ 15 g。外用适量，研末调敷。

小檗科 Berberidaceae 小檗属 Berberis

庐山小檗 *Berberis virgetorum* Schneid.

| 药 材 名 | 黄疸树（药用部位：根、茎。别名：三颗针）。

| 形态特征 | 落叶灌木，高 1.5 ~ 2 m。幼枝紫褐色，老枝灰黄色，具条棱，无疣点；茎刺单生，偶有 3 叉，长 1 ~ 4 cm，腹面具槽。叶薄纸质，长圆状菱形，长 3.5 ~ 8 cm，宽 1.5 ~ 4 cm，先端急尖，短渐尖或微钝，基部楔形，渐狭下延，上面暗黄绿色，中脉稍隆起，侧脉显著，斜上至近叶缘联结处，背面灰白色，中脉和侧脉明显隆起，叶缘平展，全缘，有时稍呈波状；叶柄长 1 ~ 2 cm。总状花序具 3 ~ 15 花，长 2 ~ 5 cm，总梗长 1 ~ 2 cm；花梗细弱，长 4 ~ 8 mm，无毛；苞片披针形，先端渐尖，长 1 ~ 1.5 mm；花黄色；萼片 2 轮，外萼片长圆状卵形，长 1.5 ~ 2 mm，宽 1 ~ 1.2 mm，先端急尖，内萼片长圆状倒卵形，

长约 4 mm，宽 1 ～ 1.8 mm，先端钝；花瓣椭圆状倒卵形，长 3 ～ 3.5 mm，宽 1 ～ 1.8（～ 2.5）mm，先端钝，全缘，基部缢缩成爪，具分离的长圆形腺体 2；雄蕊长约 3 mm，药隔先端不延伸，钝形；胚珠单生，无柄。浆果长圆状椭圆形，长 8 ～ 12 mm，直径 3 ～ 4.5 mm，成熟时呈红色，先端不具宿存花柱，不被白粉。花期 4 ～ 5 月，果期 6 ～ 10 月。

| **生境分布** | 生于海拔 250 ～ 1 800 m 的山区、山地灌丛中或山谷溪边。分布于湖南邵阳（武冈）、郴州（汝城、安仁）、永州（道县、蓝山）、长沙（浏阳）等。

| **资源情况** | 野生资源较少。栽培资源较少。药材来源于野生和栽培。

| **采收加工** | 春、秋季采挖根，全年均可采收茎，洗净，晒干。

| **药材性状** | 本品主根圆柱形，直径 4 ～ 5 cm，侧根及支根扭曲；表面土黄色至灰棕色，栓皮易成片脱落而露出棕黄色的皮部；质地坚硬，断面强纤维性，鲜黄色。茎呈圆柱形，直径约 5 mm；表面灰棕色，有略弯曲的不整齐沟纹，并具少数小皮孔，茎上部多分枝；分枝直径 3 ～ 5 mm，有数条纵棱，针刺较多，具 1 叉或 2 ～ 3 叉。气微，味极苦。

| **功能主治** | 苦，寒。清湿热，解毒。用于湿热泻痢，黄疸，胆囊炎，口疮，咽喉肿痛，火眼目赤，湿热淋浊，丹毒，疮疡肿毒，烫火伤。

| **用法用量** | 内服煎汤，9 ～ 15 g。外用适量，研末调敷。

红毛七 *Caulophyllum robustum* Maxim.

药材名

红毛漆（药用部位：根茎。别名：鸡骨升麻）。

形态特征

茎生 2 叶，叶互生，二至三回三出复叶，下部叶具长柄；小叶卵形、长圆形或阔披针形，长 4 ~ 8 cm，宽 1.5 ~ 5 cm，先端渐尖，基部宽楔形，全缘，有时 2 ~ 3 裂，上面绿色，背面淡绿色或带灰白色，两面无毛；顶生小叶具柄，侧生小叶近无柄。圆锥花序顶生；花淡黄色，直径 7 ~ 8 mm；苞片 3 ~ 6；萼片 6，倒卵形，花瓣状，长 5 ~ 6 mm，宽 2.5 ~ 3 mm，先端圆形；花瓣 6，较萼片小，蜜腺状，扇形，基部缢缩成爪；雄蕊 6，长约 2 mm，花丝稍长于花药；雌蕊单一，子房 1 室，具基生胚珠 2，花后子房开裂，露出 2 球形种子。果实成熟时果柄变粗，长 7 ~ 8 mm；种子浆果状，直径 6 ~ 8 mm，微被白粉，成熟后呈蓝黑色，外被肉质假种皮。花期 5 ~ 6 月，果期 7 ~ 9 月。

生境分布

生于海拔 950 ~ 2 000 m 的林下、山沟阴湿处。分布于湖南张家界（永定）等。

| **资源情况** | 野生资源较少。药材来源于野生。

| **采收加工** | 夏、秋季采挖，晒干。

| **药材性状** | 本品呈细圆柱形，多分枝，节明显，略弯曲，长短不一，直径约 5 mm。表面棕褐色，被短柔毛。质硬，不易断。

| **功能主治** | 苦，寒。祛风通络，调经，活血散瘀，祛风止痛，清热解毒，降血压，止血。

| **用法用量** | 内服煎汤，3 ~ 15 g。

小八角莲

Dysosma difformis (Hemsl. et Wils.) T. H. Wang ex Ying

| 药 材 名 | 包袱七（药用部位：根及根茎。别名：药中王）。

| 形态特征 | 多年生草本。茎直立，细弱，无毛，基部有薄纸质的黄棕色鳞叶包被。根茎横走，细小，节间有近圆形的碗状凹陷，生多数侧根，表面黄棕色，被白色或淡黄色毛。叶互生，薄纸质；叶片通常 2，稀 3，不等大，形状多样，常呈偏心形，长 5 ~ 11 cm，宽 8 ~ 18 cm，先端为宽楔形，基部多为圆形，上面有时带紫红色，下面绿色或灰绿色，边缘不裂或具不明显的 4 ~ 8 浅裂，有稀疏的腺状锯齿；叶柄着生于叶片中部，长 5 ~ 10 cm。伞形花序有花 2 ~ 5，生于离叶不远的叶柄近顶处；花梗长不及 2 cm，下弯，有长柔毛；萼片早落；花瓣 6，深红色，线状长圆形；雄蕊 6，长约 7 mm，内弯，药隔先端延长成

细尖；子房上位，1室。浆果小，球形；种子多数。花期4～6月，果期6～9月。

| **生境分布** | 生于海拔750～1 800 m的山区林下。分布于湖南永州（双牌）、张家界（永定、桑植、慈利）、怀化（洪江）等。

| **资源情况** | 野生资源一般。药材来源于野生。

| **采收加工** | 4～10月采挖，晒干或鲜用。

| **药材性状** | 本品根长可达10 cm，直径0.5～1.5 mm；表面棕红色，有纵行细纹理，须根痕圆点状，黄色；质硬；折断面平坦，黄色，中柱点状，色稍深。根茎呈不规则条块状，直径3～6 mm；表面红棕色，环节不明显，有众多须状根；折断面平坦，皮部狭窄，木部黄色，环列，凸出，髓部圆形，黄白色。气微，味苦。

| **功能主治** | 苦、辛。清热解毒，化痰散结，祛瘀止痛。用于咽喉肿痛，痈肿，疔疮，肺炎，腮腺炎，毒蛇咬伤，瘰疬，跌打损伤。

| **用法用量** | 内服煎汤，3～12 g。外用适量，研末调敷。

贵州八角莲

Dysosma majorensis (Gagnep.) Ying

| **药 材 名** | 白八角莲（药用部位：根及根茎。别名：血丝金盆、鬼臼）。

| **形态特征** | 根茎粗壮，横生，棕褐色。茎直立。叶薄纸质，2 叶互生，盾状着生，叶片近扁圆形；叶柄长 4 ~ 20 cm。花 2 ~ 5 排成伞形，着生于近叶基处；花梗被灰白色细柔毛；花紫色；萼片 6，不等大，椭圆形；花瓣 6，椭圆状披针形；雄蕊 6，花丝与花药近等长；子房长圆形，基部和顶部缢缩，柱头盾状，半球形。浆果长圆形，成熟时呈红色。花期 4 ~ 6 月，果期 6 ~ 9 月。

| **生境分布** | 生于海拔 1 300 ~ 1 800 m 的密林或疏林下、沟边。分布于湖南张家界（桑植）、湘西州（保靖）等。

| **资源情况** | 野生资源较少。药材来源于野生。

| **采收加工** | 4 ~ 8 月采挖，晒干或鲜用。

| **药材性状** | 本品根茎呈不规则结节块状，直径 1.5 ~ 2 cm；表面棕色或棕红色，上方有明显下凹的茎痕，环节不甚明显，有时可见残留的鳞叶，有众多须状根或点状突出的须根痕。根长可达 10 cm，直径 1 ~ 1.5 mm；表面棕黄色，有细纵纹。质坚硬，折断面平坦，颗粒状。根茎皮部浅棕红色，维管束环列，髓部大，黄白色；须状根皮部厚，黄白色，木部小，棕黄色。气微，特异，味苦。

| **功能主治** | 苦、辛。滋阴补肾，清肺润燥，解毒消肿。用于劳伤筋骨痛，阳痿，胃痛，无名肿痛，刀枪外伤。

| **用法用量** | 内服煎汤，3 ~ 9 g。外用适量，研末调敷。

小檗科 Berberidaceae 鬼臼属 Dysosma

八角莲

Dysosma versipellis (Hance) M. Cheng

| 药 材 名 | 八角莲（药用部位：根及根茎。别名：金边七）。

| 形态特征 | 多年生草本，茎直立，高 20 ～ 30 cm。不分枝，无毛，淡绿色。根茎粗壮，横生，具明显的碗状节。茎生叶 1，有时 2，盾状着生；叶柄长 10 ～ 15 cm；叶片圆形，直径约 30 cm，掌状深裂几达叶中部，边缘 4 ～ 9 浅裂或深裂，裂片楔状长圆形或卵状椭圆形，长 2.5 ～ 9 cm，宽 5 ～ 7 cm，先端锐尖，边缘具针刺状锯齿，上面无毛，下面密生或疏生柔毛。花 5 ～ 8 排成伞形花序，着生于叶柄基处上方近叶片处；花梗细，长约 5 cm；花下垂，花冠深红色；萼片 6，外面被疏毛；花瓣 6，勺状倒卵形，长约 2.5 cm；雄蕊 6，药隔突出；子房上位，1 室，柱头大，盾状。浆果椭圆形或卵形；种子多数。花期 4 ～ 6 月，果期 8 ～ 10 月。

| **生境分布** | 生于海拔 300 ~ 2 000 m 的山区山坡林下阴湿处。湖南有广泛分布。

| **资源情况** | 野生资源丰富。栽培资源较少。药材来源于野生和栽培。

| **采收加工** | 全年均可采挖，秋季采挖最佳，晒干。

| **药材性状** | 本品根茎横生，数个至十数个连成结节状，结节圆盘形，大小不一，直径 0.6 ~ 4 cm，厚 0.5 ~ 1.5 cm。表面黄棕色，上方具大型圆凹状茎痕，周围环节明显，同心圆状排列，色较浅，下方有环节及不规则皱纹或裂纹，可见圆点状须状根痕或须根，须根直径约 1 mm，浅棕黄色。质极硬，不易折断，折断面略平坦，颗粒状，角质样，浅黄红色，横切面平坦，可见环列的维管束小点。气微，味苦。

| **功能主治** | 苦、辛。化痰散结，祛瘀止痛，清热解毒。用于咳嗽，咽喉肿痛，瘰疬，瘿瘤，痈肿，疔疮，毒蛇咬伤，跌打损伤，痹证。

| **用法用量** | 内服煎汤，3 ~ 12 g。外用适量，研末调敷。

小檗科 Berberidaceae 淫羊藿属 Epimedium

宝兴淫羊藿 *Epimedium davidii* Franch.

| 药 材 名 | 淫羊藿（药用部位：茎、叶。别名：岗前）。

| 形态特征 | 多年生草本，植株高 30 ~ 50 cm。根茎短粗，质坚硬，密生多数须根。一回三出复叶基生和茎生；基生叶通常较花茎短很多，长 12 ~ 25 cm；茎生对生叶 2，小叶 5 或 3，纸质或革质，卵形或宽卵形，长 6 ~ 12 cm，宽 2 ~ 5 cm，先端钝或急尖，基部心形，两侧近相等，上面深绿色，有光泽，背面苍白色，具乳突，被稀疏柔毛，两面基出脉及网脉显著，叶缘具细密刺齿；花茎具对生叶 2，有时具互生叶。圆锥花序（花序上部花稀疏，为总状花序）长 15 ~ 25 cm；花梗纤细，长 1.5 ~ 2 cm，被腺毛；花淡黄色，直径 2 ~ 3 cm；萼片 2 轮，外萼片卵形，先端钝圆，长 2 ~ 4 mm，内萼

片淡红色，狭卵形，先端近急尖，长 6 ~ 7 mm，宽 3 ~ 4 mm；花瓣远较内萼片长，距呈钻状，长 1.5 ~ 1.8 cm，内弯，花距基部瓣片呈杯状，高约 7 mm；雄蕊长 3 ~ 4 mm，花丝长约 7 mm，扁平，花药瓣裂，裂片外卷，先端钝尖；子房圆柱形，长约 5 mm，花柱略短于子房。蒴果长 1.5 ~ 2 cm，宿存花柱长约 5 mm，喙状。花期 4 ~ 5 月，果期 5 ~ 8 月。

| **生境分布** | 生于海拔 1 400 ~ 2 000 m 的山区林下、灌丛中、岩石上或河边杂木林中。分布于湖南张家界（永定、慈利）、永州（祁阳），怀化（新晃）、长沙（浏阳）等。

| **资源情况** | 野生资源较少。药材来源于野生。

| **采收加工** | 夏、秋季采收，晒干。

| **功能主治** | 辛。补肾阳，强筋骨，祛风湿。用于肾阳虚衰，阳痿，遗精，筋骨痿软，风湿痹痛，肢体麻木拘挛。

| **用法用量** | 内服煎汤，3 ~ 9 g；或浸酒；或熬膏；或入丸、散剂。

小檗科 Berberidaceae 淫羊藿属 Epimedium

木鱼坪淫羊藿 *Epimedium franchetii* Stearn

| 药 材 名 |

木鱼坪淫羊藿（药用部位：茎、叶）。

| 形态特征 |

多年生草本，植株高 20 ～ 60 cm。根茎密集，直径约 7 mm。一回三出复叶基生和茎生，具 3 小叶；小叶革质，狭卵形，长 9 ～ 14 cm，宽 6 ～ 7 cm，先端急尖或渐尖，基部深心形，顶生小叶基部裂片几相等，钝或急尖，侧生小叶基部偏斜，内侧裂片小，急尖或钝，外侧裂片较长，渐尖，上面有光泽，无毛，背面苍白色，有时带淡红色，微被伏毛，叶缘具密刺齿；花茎具对生叶 2。总状花序具 14 ～ 25 花，长 15 ～ 30 cm；花梗长 1 ～ 3 cm，被腺毛；花直径约 4.5 cm，淡黄色；萼片 2 轮，外萼片早落，长达 5 mm，绿色，内萼片狭卵形，长约 10 mm，宽 4 ～ 5 mm，先端渐尖，淡黄色；花瓣远长于内萼片，淡黄色，距呈钻状，长约 2 cm，显著向上弯曲，基部无瓣片；雄蕊露出，长约 4.5 mm，花丝长约 2 mm，淡黄色，花药淡黄色，瓣裂；雌蕊长约 5 mm，花柱长于子房。花期 4 月。

| **生境分布** | 生于海拔 1 200 m 的山坡林下。分布于湖南张家界（武陵源、桑植）、怀化（辰溪）、湘西州（泸溪、古丈、永顺、凤凰）等。 |

| **资源情况** | 野生资源较少。药材来源于野生。 |

| **采收加工** | 夏、秋季采收，晒干。 |

| **功能主治** | 辛。补肾阳，强筋骨，祛风湿。用于肾阳虚衰，阳痿，遗精，筋骨痿软，风湿痹痛，肢体麻木拘挛。 |

| **用法用量** | 内服煎汤，10 ~ 15 g；或浸酒；或熬膏；或入丸、散剂。 |

湖南淫羊藿 *Epimedium hunanense* (Hand.-Mazz.) Hand.-Mazz.

| **药 材 名** | 湖南淫羊藿（药用部位：茎、叶）。

| **形态特征** | 多年生草本，植株高约 40 cm。根茎短而横走，直径约 3 mm。一回
三出复叶基生和茎生，基生叶与花茎几等长，具小叶 3；小叶革质，
长 10 ~ 13 cm，宽 6 cm，顶生小叶长圆形，先端急尖，基部心形，
两侧裂片对称，侧生小叶狭卵形，先端长渐尖，基部深心形，两侧
裂片显著偏斜，上面深绿色，无毛，背面苍白色，或被白粉，具
乳突，被稀疏短柔毛或几乎无毛，叶缘具细密刺齿，花茎具对生
复叶 2。圆锥花序具 10 ~ 16 花，长 10 ~ 15 cm，几无毛，无总梗；
花梗长 1 ~ 2 cm，疏被腺毛；花黄色，直径约 3.5 cm；萼片 2 轮，
外萼片长圆状椭圆形，先端钝圆，长约 4 mm，宽约 2 mm，内萼片

阔椭圆形，先端钝圆，长 5 ~ 6 mm，宽 3 ~ 4 mm；花瓣远较内萼片长，距圆柱状，先端钝圆，水平开展，不弯曲，长 1.5 ~ 1.8 cm，距基部瓣片呈杯状，高约 8 mm；雄蕊长约 4 mm，花丝长约 1 mm，花药长约 3 mm，瓣裂，裂片外卷。蒴果长椭圆形，长约 1.3 cm，宿存花柱喙状，长 2 ~ 3 mm。花期 3 ~ 4 月，果期 4 ~ 6 月。

| **生境分布** | 生于海拔 400 ~ 1 400 m 的山区林下。分布于湖南邵阳（绥宁）、常德（桃源）、永州（道县）、怀化（会同、麻阳）、湘西州（吉首）、张家界（武陵源、桑植）等。

| **资源情况** | 野生资源较少。栽培资源较少。药材来源于野生和栽培。

| **采收加工** | 夏、秋季采收，晒干。

| **功能主治** | 补肾阳，强筋骨，祛风湿。用于肾阳虚衰，阳痿，遗精，筋骨痿软，风湿痹痛，肢体麻木拘挛。

| **用法用量** | 内服煎汤，10 ~ 15 g；或浸酒；或熬膏；或入丸、散剂。

小檗科 Berberidaceae　淫羊藿属 Epimedium

黔岭淫羊藿 *Epimedium leptorrhizum* Stearn

药材名

黔岭淫羊藿（药用部位：茎、叶）。

形态特征

多年生草本，植株高 12 ~ 30 cm。匍匐根茎长达 20 cm，直径 1 ~ 2 mm，具节。一回三出复叶基生或茎生；叶柄被棕色柔毛；小叶柄着生处被褐色柔毛；小叶 3，革质，狭卵形或卵形，长 3 ~ 10 cm，宽 2 ~ 5 cm，先端长渐尖，基部深心形，顶生小叶基部裂片近等大，相互靠近，侧生小叶基部裂片不等大，极偏斜，上面色暗，无毛，背面沿主脉被棕色柔毛，常被白粉，具乳突，边缘具刺齿；花茎具一回三出复叶 2。总状花序具 4 ~ 8 花，长 13 ~ 20 cm，被腺毛；花梗长 1 ~ 2.5 cm，被腺毛；花大，直径约 4 cm，淡红色；萼片 2 轮，外萼片卵状长圆形，长 3 ~ 4 mm，先端钝圆，内萼片狭椭圆形，长 11 ~ 16 mm，宽 4 ~ 7 mm；花瓣较内萼片长，长达 2 cm，呈角距状，基部无瓣片；雄蕊长约 4 mm，花药长约 3 mm，瓣裂，裂片外卷。蒴果长圆形，长约 15 mm，宿存花柱喙状。花期 4 月，果期 4 ~ 6 月。

| 生境分布 | 生于海拔 600 ~ 1 500 m 的山区林下或灌丛中。分布于湖南邵阳（绥宁）、郴州（宜章）、湘西州（吉首、花垣、保靖）等。 |

| 资源情况 | 野生资源较少。药材来源于野生。 |

| 采收加工 | 夏、秋季采收，晒干。 |

| 功能主治 | 辛。补肾阳，强筋骨，祛风湿。用于肾阳虚衰，阳痿，遗精，筋骨痿软，风湿痹痛，肢体麻木拘挛。 |

| 用法用量 | 内服煎汤，10 ~ 15 g；或浸酒；或熬膏；或入丸、散剂。 |

小檗科 Berberidaceae 淫羊藿属 Epimedium

时珍淫羊藿

Epimedium lishihchenii Stearn

|药材名|

时珍淫羊藿（药用部位：茎、叶）。

|形态特征|

多年生草本，植株高 30 ~ 40 cm。匍匐根茎细长，直径 2 ~ 3 mm。一回三出复叶基生和茎生，具小叶 3；小叶革质，狭卵形，长 5 ~ 11 cm，宽 3.5 ~ 5 cm，先端渐尖或急尖，基部深心形，顶生小叶基部裂片近等大，钝圆，侧生小叶基部裂片不等大，内裂片较小，圆形或钝形，外裂片较大，急尖或短渐尖，正面暗绿色，背面苍白色，被多细胞长毛或近无毛，叶缘具细密刺齿；花茎具对生叶 2。总状花序长 7 ~ 12 cm，具 5 ~ 11花；花梗长 1 ~ 2 cm，被腺毛；花大，黄色；萼片 2 轮，外萼片早落，长 4 ~ 5 mm，边缘白色，内萼片紧贴花瓣，卵形或狭长圆形，淡黄色，长 10 ~ 11 mm，宽 6 ~ 7 mm，先端急尖；花瓣远较内萼片长，淡黄色，距钻状，长 20 ~ 25 mm，极弯曲，基部无瓣片；雄蕊露出，长约 5 mm，淡黄色，花丝长约 1 mm，花药长约 4 mm，瓣裂；雌蕊长约 7 mm。花期 4 ~ 5 月。

| **生境分布** | 生于山坡林下。分布于湖南张家界（武陵源、桑植）等。

| **资源情况** | 野生资源丰富。栽培资源较丰富。药材来源于野生和栽培。

| **采收加工** | 夏、秋季采收，晒干。

| **功能主治** | 辛。补肾阳，强筋骨，祛风湿。用于肾阳虚衰，阳痿，遗精，筋骨痿软，风湿痹痛，肢体麻木拘挛。

| **用法用量** | 内服煎汤，10 ~ 15 g；或浸酒；或熬膏；或入丸、散剂。

三枝九叶草

Epimedium sagittatum (Sieb. et Zucc.) Maxim.

| 药 材 名 |

箭叶淫羊藿（药用部位：全草）。

| 形态特征 |

多年生草本，植株高 30 ~ 50 cm。根茎短粗，节结状，质硬，多须根。一回三出复叶基生和茎生，具小叶 3；小叶革质，卵形至卵状披针形，长 5 ~ 19 cm，宽 3 ~ 8 cm，叶片大小变化大，先端急尖或渐尖，基部心形，顶生小叶基部两侧裂片近相等，圆形，侧生小叶基部偏斜，外裂片远较内裂片大，三角形，急尖，内裂片圆形，上面无毛，背面疏被短粗伏毛或无毛，叶缘具刺齿；花茎具对生叶 2。圆锥花序长 10 ~ 20（~ 30）cm，宽 2 ~ 4 cm，具 200 花，通常无毛，偶被少数腺毛；花梗长约 1 cm，无毛；花较小，直径约 8 mm，白色；萼片 2 轮，外萼片 4，先端钝圆，具紫色斑点，其中 1 对外萼片狭卵形，长约 3.5 mm，宽 1.5 mm，另 1 对外萼片长圆状卵形，长约 4.5 mm，宽约 2 mm，内萼片卵状三角形，先端急尖，长约 4 mm，宽约 2 mm，白色；花瓣囊状，淡棕黄色，先端钝圆，长 1.5 ~ 2 mm；雄蕊长 3 ~ 5 mm，花药长 2 ~ 3 mm；雌蕊长约 3 mm，花柱长于子房。蒴果长约 1 cm，宿存花柱长约 6 mm。花期 4 ~ 5 月，果期 5 ~ 7 月。

| 生境分布 | 生于海拔 200 ~ 1 750 m 的山坡草丛中、林下、灌丛中、水沟边或岩石缝中。湖南各地均有分布。

| 资源情况 | 野生资源丰富。栽培资源较少。药材来源于野生和栽培。

| 采收加工 | 夏、秋季采收，晒干。

| 药材性状 | 本品地上部分长约 40 cm，一回三出复叶，小叶长 4 ~ 10 cm，两侧小叶基部极斜，叶缘锯齿硬刺状，长约 2 mm，下表面具稀疏毛或近无毛。叶片革质，硬脆。

| 功能主治 | 辛。补精强壮，祛风湿。用于阳痿，风湿关节痛，带下等。

| 用法用量 | 内服煎汤，3 ~ 9 g。

小檗科 Berberidaceae 淫羊藿属 Epimedium

天门山淫羊藿

Epimedium tianmenshanense T. Deng, D. G. Zhang & H. Sun

| 药 材 名 |

天门山淫羊藿（药用部位：全草）。

| 形态特征 |

多年生草本，高 28 ~ 45 cm。茎直立。叶基生和茎生，三出复叶；小叶厚革质，卵形至狭卵形，基部深心形，正面平滑，背面脱毛，顶生的小叶柄具短缘毛、平滑、背面脱毛、具等长圆形裂片，侧生小叶斜生；能育茎具2三出叶，叶对生。总状花序具 13 ~ 19 花，密被腺毛；花小，黄色，直径 0.2 ~ 0.4 cm；外萼片 4，卵形，早落，内萼片卵球形至宽卵球形，边缘波状；花瓣内卷，与内萼片等长或稍短于内萼片，具距，但花萼或距很短，拉长，稍弯曲或不弯曲，长约 5 cm；雄蕊黄色，长约 3 mm，稍露出花瓣，花丝直立，长约 0.7 mm，黄色，花药镊合状，外卷。蒴果长约 1.2 cm，宿存花柱长约 2.5 mm；种子 2，长椭圆形至圆筒状。

| 生境分布 |

生于海拔约 1 600 m 的山顶林下、路旁。分布于湖南张家界（永定）等。

| **资源情况** | 野生资源稀少。药材来源于野生。

| **功能主治** | 补肾阳，强筋骨，祛风湿。用于肾阳虚衰，阳痿遗精，筋骨痿软，风湿痹痛，麻木拘挛。

小檗科 Berberidaceae 十大功劳属 *Mahonia*

阔叶十大功劳

Mahonia bealei (Fort.) Carr.

| 药 材 名 | 功劳木（药用部位：茎或茎皮）、十大功劳根（药用部位：根）、十大功劳叶（药用部位：叶）、功劳子（药用部位：果实）。

| 形态特征 | 灌木或小乔木，高 0.5 ~ 4（~ 8）m。叶狭倒卵形至长圆形，长 27 ~ 51 cm，宽 10 ~ 20 cm，具 4 ~ 10 对小叶，最下面 1 对小叶距叶柄基部 0.5 ~ 2.5 cm，正面暗灰绿色，背面被白霜，有时呈淡黄绿色或苍白色，两面叶脉不显，叶轴直径 2 ~ 4 mm，节间长 3 ~ 10 cm；小叶厚革质，硬且直，自叶下部往上小叶渐次变长而狭，最下面 1 对小叶卵形，长 1.2 ~ 3.5 cm，宽 1 ~ 2 cm，具 1 ~ 2 粗锯齿，上面小叶近圆形至卵形或长圆形，长 2 ~ 10.5 cm，宽 2 ~ 6 cm，基部阔楔形或圆形，偏斜，有时呈心形，边缘每边具 2 ~ 6

粗锯齿，先端具硬尖。总状花序直立，通常 3 ~ 9 簇生；芽鳞卵形至卵状披针形，长 1.5 ~ 4 cm，宽 0.7 ~ 1.2 cm；花梗长 4 ~ 6 cm；花黄色。浆果卵形，长约 1.5 cm，直径 1 ~ 1.2 cm，深蓝色，被白粉。花期 9 月至翌年 1 月，果期 3 ~ 5 月。

| 生境分布 | 生于海拔 500 ~ 2 000 m 的向阳山坡灌丛中。湖南各地均有分布。

| 资源情况 | 野生资源丰富。栽培资源较少。药材来源于野生和栽培。

| 采收加工 | **功劳木：**全年均可采收，鲜用或晒干。

十大功劳根：全年均可采挖，洗净泥土，除去须根，切段，晒干或鲜用。

十大功劳叶：全年均可采摘，晒干。

功劳子：6 月采摘，晒干，去净杂质，晒至足干为度。

| 药材性状 | **功劳木：**本品茎圆柱形，直径 0.7 ~ 1.5 cm，多为长短不一的段条或块片。表面灰棕色，有众多纵沟、横裂纹及凸起的皮孔；嫩茎较平滑，节明显，略膨大，节上有叶痕。外皮易剥离，剥去后内部鲜黄色。质坚硬，折断面呈纤维性或破裂状；横断面皮部棕黄色，木部鲜黄色，可见数个同心性环纹及排列紧密的放射状纹理，髓部淡黄色。气微，味苦。

| 功能主治 | **功劳木：**苦，寒。清热，燥湿，解毒。用于肺热咳嗽，黄疸，泄泻，痢疾，目

赤肿痛，疮疡，湿疹，烫伤。

十大功劳根： 清热，燥湿，消肿解毒。用于湿热痢疾，腹泻，黄疸，肺痨咯血，咽喉痛。

十大功劳叶： 清虚热，燥湿，解毒。用于肺痨咯血，骨蒸潮热，头晕耳鸣，腰膝酸软。

功劳子： 清虚热，补肾，燥湿。用于骨蒸潮热，头晕耳鸣，腰膝酸软。

| **用法用量** | **功劳木：** 内服煎汤，5 ～ 10 g。外用适量，煎汤洗；或研末调敷。

十大功劳根： 内服煎汤，10 ～ 15 g，鲜品 30 ～ 60 g。外用适量，捣烂或研末调敷。

十大功劳叶： 内服煎汤，6 ～ 9 g。外用适量，捣敷。

功劳子： 内服煎汤，6 ～ 9 g；或泡茶。

小檗科 Berberidaceae 十大功劳属 Mahonia

小果十大功劳 *Mahonia bodinieri* Gagnep.

| 药 材 名 |

小果十大功劳（药用部位：根及根茎。别名：巴东十大功劳）。

| 形态特征 |

灌木或小乔木。高 0.5 ～ 4 m。叶倒卵状长圆形，长 20 ～ 50 cm，宽 10 ～ 25 cm，具小叶 8 ～ 13 对，最下面 1 对小叶生于叶柄基部，叶上面深绿色，有光泽，下面黄绿色，网脉微隆起；叶轴粗壮，直径 2 ～ 4 mm，节间长（2 ～）5 ～ 9 cm；侧生小叶无叶柄，顶生小叶具柄；最下面 1 对小叶近圆形，长 2.5 ～ 3 cm，宽 1.5 ～ 2.5 cm；以上小叶长圆形至阔披针形，长 5 ～ 17 cm，宽 2.5 ～ 5.5 cm，基部偏斜、平截至楔形；顶生小叶长 5 ～ 15 cm，宽 1.5 ～ 5.5 cm，具小叶柄，长 1 ～ 2 cm，叶缘每边具 3 ～ 10 粗大刺锯齿，齿间距通常为 1 ～ 2 cm。花序为 5 ～ 11 总状花序簇生，长 10 ～ 20（～ 25）cm；芽鳞披针形，长 2 ～ 3 cm，宽 0.5 ～ 0.7 cm；花梗长 1.5 ～ 5 mm；花瓣长圆形，长 4.5 ～ 5 mm，宽 2 ～ 2.4 mm，基部腺体不明显，先端缺裂或微凹；雄蕊长 2.2 ～ 3 mm，先端平截，偶具 3 细牙齿，药隔不延伸；子房长约 2 mm，花柱不明显，胚珠 2。浆果球形,有时梨形,直径 4 ～ 6 mm,紫黑色,被白霜。花期 6 ～ 9 月,果期 8 ～ 12 月。

| 生境分布 |　生于海拔 100 ～ 1800 m 的常绿阔叶林、常绿落叶阔叶混交林、针叶林、灌丛、林缘或溪旁。分布于湖南郴州(永兴)、怀化(中方、辰溪)等。

| 资源情况 |　野生资源稀少。药材来源于野生。

| 功能主治 |　清热解毒,活血消肿。

小檗科 Berberidaceae 十大功劳属 Mahonia

短序十大功劳 *Mahonia breviracema* Y. S. Wang et Hsiao

| 药 材 名 | 功劳木（药用部位：根、茎）。

| 形态特征 | 灌木，高约1m。叶卵形或卵状椭圆形，长14～16cm，宽6～8cm，具3～4对小叶，最下1对小叶距叶柄基部约4cm，叶轴直径1～2mm，节间近相等，长2.5～3cm，上面绿色，叶脉凹陷，下面淡绿色，叶脉明显隆起；小叶革质，椭圆形至近菱形，长3～6.6cm，宽1.2～3cm，基部楔形，叶缘每边具2～4刺锯齿，先端急尖至渐尖，顶生小叶较大，长5.5～6.5cm，宽2.5～3cm，无柄。总状花序5～8簇生，长3～8cm；芽鳞披针形，长1～1.5cm，宽3～6mm；花梗长2～2.5mm；苞片卵形，长1～1.2mm，宽0.6～0.8mm；花黄色；外萼片卵形，长1.6～1.8mm，宽1～

1.1 mm，中萼片倒卵状长圆形，长 3.7 ～ 3.8 mm，宽 1.7 ～ 1.8 mm，内萼片
倒卵形，长约 4 mm；花瓣椭圆形，长 3.5 ～ 3.6 mm，宽 1.3 ～ 1.4 mm，基部
具 2 明显腺体，先端微缺裂；雄蕊长约 2.1 mm，药隔延伸，先端圆形；子房长
约 1.7 mm，花柱长 0.3 ～ 0.5 mm，胚珠 2。浆果不详。花期 10 ～ 11 月。

| **生境分布** | 生于林下。分布于湖南永州（道县）等。

| **资源情况** | 野生资源稀少。药材来源于野生。

| **功能主治** | 清热燥湿，泻火解毒，滋阴益肺，补肝肾。用于肺结核潮热，肝炎腹泻，腰膝
无力，感冒咳嗽，头晕耳鸣，目赤肿痛等。

小檗科 Berberidaceae 十大功劳属 Mahonia

宽苞十大功劳 Mahonia eurybracteata Fedde

药材名

宽苞十大功劳（药用部位：根及根茎）。

形态特征

灌木，高 0.5 ~ 2（~ 4）m。叶长圆状倒披针形，长 25 ~ 45 cm，宽 8 ~ 15 cm，具 6 ~ 9 对斜升的小叶，最下面 1 对小叶距叶柄基部约 5 cm 或靠近基部，正面暗绿色，侧脉不显，背面淡黄绿色，叶脉开放，明显隆起，叶轴直径 2 ~ 3 mm，节间长 3 ~ 6 cm，往上节间渐短；小叶椭圆状披针形至狭卵形，最下面 1 对小叶长 2.6 cm，宽 0.8 ~ 1.2 cm，上面小叶长 4 ~ 10 cm，宽 2 ~ 4 cm，基部楔形，边缘每边具 3 ~ 9 刺齿，先端渐尖，顶生小叶稍大，长 8 ~ 10 cm，宽 1.2 ~ 4 cm，近无柄或具长约 3 cm 的柄。总状花序，4 ~ 10 花簇生，长 5 ~ 10 cm；芽鳞卵形，长 1 ~ 1.5 cm，宽 0.6 ~ 1 cm；花梗细弱，长 3 ~ 5 mm；苞片卵形，长 2.5 ~ 3 mm，宽 1.5 ~ 2 mm；花黄色；外萼片卵形，长 2 ~ 3 mm，宽 1 ~ 2 mm，中萼片椭圆形，长 3 ~ 4.5 mm，宽 1.6 ~ 2.8 mm，内萼片椭圆形，长 3 ~ 5 mm，宽 1.8 ~ 3 mm；花瓣椭圆形，长 3 ~ 4.3 mm，宽 1 ~ 2 mm，基部腺体明显或不明显，先端微缺裂；雄蕊长 2 ~ 2.6 mm，药隔不延伸，先端平截；子房长约 2.5 mm，柱头显著，长约 0.5 mm，胚珠 2。浆果倒卵形或长圆形，长 4 ~ 5 mm，直径 2 ~ 4 mm，蓝色或淡红紫色，具宿存花柱，被白粉。花期 8 ~ 11 月，果期 11 月至翌年 5 月。

| **生境分布** | 生于海拔 350 ~ 1 950 m 的山区常绿阔叶林、灌丛、草坡或向阳岩石坡。分布于湖南张家界（桑植）、永州（零陵、江永）、怀化（洪江）、湘西州（吉首、花垣、古丈、永顺、凤凰）等。

| **资源情况** | 野生资源一般。栽培资源较少。药材来源于野生和栽培。

| **采收加工** | 全年均可采收，鲜用或晒干。

| **功能主治** | 苦，寒。清肺热，泻火。用于肺热咳嗽，黄疸，泄泻，痢疾，目赤肿痛，疮疡，湿疹，烫伤。

| **用法用量** | 内服煎汤，15 ~ 30 g。

小檗科 Berberidaceae 十大功劳属 Mahonia

北江十大功劳 *Mahonia fordii* Schneid.

| **药 材 名** | 北江十大功劳（药用部位：根、茎、叶）。

| **形态特征** | 灌木，高 0.8 ~ 1.5 m。叶长圆形至狭长圆形，长 20 ~ 35 cm，宽 7 ~ 11 cm，具 5 ~ 9 对排列稀疏的小叶；最下面 1 对小叶距叶柄基部 1 ~ 1.5 cm，正面暗绿色，叶脉微显，背面淡绿色，叶脉不显，狭卵形，长 3.5 ~ 5.5 cm，宽 1.5 ~ 2.4 cm，叶轴直径 1.5 ~ 2.5 mm，节间长 2 ~ 7 cm，向上小叶狭卵形至椭圆状卵形，近等大，长 5 ~ 8 cm，宽 1.8 ~ 2.7 cm，基部阔圆形至楔形，边缘每边具 2 ~ 9 刺锯齿，先端渐尖，顶生小叶稍大，具小叶柄，长 1.5 ~ 2 cm。总状花序，5 ~ 7 花簇生，长 6 ~ 15 cm；芽鳞卵形至卵状披针形，长 1 ~ 1.4 cm，宽 0.6 ~ 0.8 cm；花梗长 2.5 ~ 4 mm；苞片阔卵形，

长 1.5 ~ 2 mm，宽 0.6 ~ 1 mm；花黄色；外萼片卵形，长约 2 mm，宽约 1.6 mm，中萼片椭圆形，长 3.5 ~ 4 mm，宽 2.5 ~ 3 mm，先端钝，内萼片倒卵状椭圆形，长 4 ~ 4.5 mm，宽约 3 mm；花瓣椭圆形，长约 4 mm，宽约 2.3 mm，基部腺体显著，先端微缺；雄蕊长 2.6 mm，药隔不延伸，先端平截；子房长约 2.3 mm，胚珠 2。浆果（未成熟）长约 7 mm，直径约 5 mm，宿存花柱很短。花期 7 ~ 9 月，果期 10 ~ 12 月。

| **生境分布** | 生于海拔约 850 m 的林下或灌丛中。分布于湖南郴州（宜章）等。

| **资源情况** | 野生资源较少。栽培资源较少。药材来源于野生和栽培。

| **采收加工** | 全年均可采收，晒干或鲜用。

| **功能主治** | 苦，寒。用于细菌性痢疾，急性胃肠炎，病毒性肝炎，肺炎，肺结核，支气管炎，咽喉肿痛。

| **用法用量** | 内服煎汤，15 ~ 30 g。

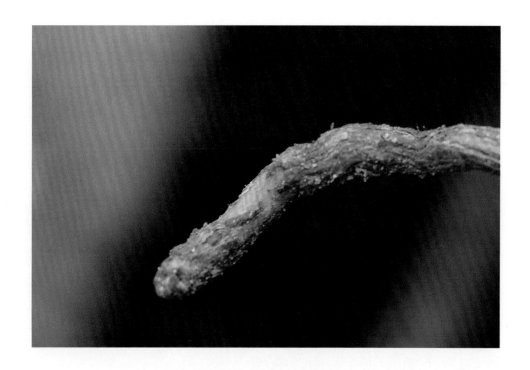

小檗科 Berberidaceae 十大功劳属 Mahonia

十大功劳 *Mahonia fortunei* (Lindl.) Fedde

| 药 材 名 | 功劳木（药用部位：茎或茎皮）、十大功劳根（药用部位：根）、功劳子（药用部位：果实）。

| 形态特征 | 常绿灌木，高达 2 m。一回羽状复叶互生，长 15 ~ 30 cm；小叶 3 ~ 9，革质，披针形，长 5 ~ 12 cm，宽 1 ~ 2.5 cm，侧生小叶等长，顶生小叶最大，均无柄，先端急尖或渐尖，基部狭楔形，边缘有 6 ~ 13 刺状锐齿；托叶细小。总状花序直立，4 ~ 8 花簇生；萼片 9，3 轮；花瓣 6，黄色，2 轮；花梗长 1 ~ 4 mm。浆果圆形或长圆形，长 4 ~ 6 mm，蓝黑色，有白粉。花期 7 ~ 10 月。

| 生境分布 | 生于海拔 350 ~ 2 000 m 的山坡沟谷林中、灌丛中、路边或河边。

湖南有广泛分布。

| 资源情况 | 野生资源丰富。药材来源于野生。

| 采收加工 | **功劳木**：全年均可采收，鲜用或晒干。

十大功劳根：全年均可采挖，洗净泥土，除去须根，切段，晒干或鲜用。

功劳子：6 月采摘，晒干，去净杂质，晒至足干为度。

| 功能主治 | **功劳木**：苦，寒。清热，燥湿，解毒。用于肺热咳嗽，黄疸，泄泻，痢疾，目赤肿痛，疮疡，湿疹，烫伤。

十大功劳根：清热，燥湿，消肿解毒。用于湿热痢疾，腹泻，黄疸，肺痨咯血，咽喉痛。

功劳子：清虚热，补肾，燥湿。用于骨蒸潮热，头晕耳鸣，腰膝酸软。

| 用法用量 | **功劳木**：内服煎汤，5 ～ 10 g。外用适量，煎汤洗；或研末调敷。

十大功劳根：内服煎汤，10 ～ 15 g，鲜品 30 ～ 60 g。外用适量，捣烂或研末调敷。

功劳子：内服煎汤，6 ～ 9 g；或泡茶。

台湾十大功劳 *Mahonia japonica* (Thunb.) DC.

| 药 材 名 | 十大功劳根（药用部位：根）。

| 形态特征 | 灌木，高约1m。叶长圆形，长15～27cm，宽5～10cm，具4～6
对无柄小叶；最下面1对小叶距叶柄基部约0.5cm，正面深绿色，
背面淡绿色，无白粉，叶脉隆起，叶轴直径2～3mm，节间长2～
4cm；小叶卵形，最下面1对小叶长1.8～2.7cm，宽1.2～2cm，
上面小叶较大，长3.5～7cm，宽2～4cm，基部偏斜，略呈心
形，下部小叶边缘每边具2～4牙齿，上部小叶具3～7牙齿，先
端急尖或渐尖，顶生小叶较大，具小叶柄，长1～2cm。总状花序
下垂，5～10花簇生，长5～10cm；芽鳞卵形至卵状披针形，长
0.8～1.5cm，宽0.4～0.7mm，先端渐尖；花梗长6～7mm；苞

片卵形，长 3.5 ~ 4 mm，宽 2 ~ 2.5 mm，先端钝；花黄色；外萼片卵形，长
2.5 ~ 2.7 mm，宽 2.2 ~ 2.3 mm，先端钝，中萼片阔倒卵形，长 3.3 ~ 3.5 mm，
宽 2.8 ~ 2.9 mm，内萼片倒卵状长圆形，长 6 ~ 6.4 mm，宽 3.4 ~ 3.5 mm；花
瓣椭圆形，长 5.5 ~ 6 mm，宽 2.5 ~ 2.6 mm，先端微缺，基部腺体显著；雄蕊
长约 3.3 mm，药隔稍延伸，先端圆形；子房长约 3.4 mm，无花柱，胚珠 4 ~ 7。
浆果卵形，长约 8 mm，直径约 4 mm，暗紫色，略被白粉，宿存花柱极短或无。
花期 12 月至翌年 4 月，果期 4 ~ 8 月。

| **生境分布** | 生于海拔 800 ~ 2 000 m 的林中或灌丛中。分布于湖南郴州（宜章、永兴）、
怀化（会同、麻阳）、湘西州（吉首、泸溪、花垣、古丈、永顺、凤凰、保靖）、
衡阳（常宁）等。

| **资源情况** | 野生资源一般。栽培资源较少。药材来源于野生和栽培。

| **功能主治** | 苦，寒。清热，燥湿，消肿解毒。用于湿热痢疾，腹泻，黄疸，肺痨咯血，咽喉痛。

| **用法用量** | 内服煎汤，10 ~ 15 g，鲜品 30 ~ 60 g。外用适量，捣烂或研末调敷。

小檗科 Berberidaceae 十大功劳属 Mahonia

尼泊尔十大功劳 Mahonia napaulensis DC.

| 药 材 名 | 尼泊尔十大功劳（药用部位：根、茎）。

| 形态特征 | 灌木或小乔木，高 1 ~ 7 m。叶椭圆形至卵形，具 5 ~ 12 对小叶，小叶长圆形、长圆状卵形、卵形至卵状披针形，基部阔楔形、圆形或近心形，边缘每边具 3 ~ 10 牙齿，先端急尖、渐尖或骤尖，顶生小叶较大，无柄或具柄，长达 2.5 cm。总状花序 3 ~ 18 簇生；芽鳞长圆形至卵形或卵状披针形；花黄色至深黄色，淳香；外萼片三角状卵形、卵形至近圆形，长 2 ~ 3.2 mm，宽 1 ~ 2.4 mm，中萼片卵形至长圆形，内萼片椭圆形至长圆状椭圆形；花瓣椭圆形至长圆状椭圆形，基部腺体显著，有时不明显，先端微缺至狭锐裂；雄蕊长 3.5 ~ 7 mm，药隔延伸，先端突尖至圆形；子房长 3.2 ~ 4 mm，花柱长 0.7 ~ 1.5 mm，胚珠 2 ~ 6。浆果长圆形，长 9 ~ 10 mm，

直径 5 ～ 7 mm，蓝黑色，被白粉。花期 6 月至翌年 1 月，果期翌年 1 ～ 7 月。

| 生境分布 |　生于海拔 1 200 ～ 2 000 m 的常绿落叶阔叶混交林、林缘或灌丛中。分布于湖南常德（石门）等。

| 资源情况 |　野生资源稀少。药材来源于野生。

| 功能主治 |　清热解毒。用于痢疾。

小檗科 Berberidaceae 十大功劳属 Mahonia

沈氏十大功劳 *Mahonia shenii* W. Y. Chun

| 药 材 名 | 木黄连（药用部位：根、茎）。

| 形态特征 | 灌木，高 0.6 ~ 2 m。叶卵状椭圆形，长 23 ~ 40 cm，宽 13 ~ 22 cm，具 1 ~ 6 对小叶；最下面 1 对小叶距叶柄基部 3.5 ~ 14 cm，上面深绿色，有时具光泽，基出脉 3，微显至显著，扁平或稍隆起，背面淡黄绿色，有光泽，细脉不显，叶轴直径 1.5 ~ 2.5 mm，节间长 2.5 ~ 8 cm，向先端节间较短；小叶无柄，基部 1 对小叶较小，其余小叶较大，狭椭圆形至阔椭圆形或倒卵形，长 6 ~ 13 cm，宽 1 ~ 5 cm，基部楔形或阔楔形，边缘增厚，全缘或近先端具 1 ~ 3 不明显锯齿，先端急尖或渐尖，顶生小叶长圆状椭圆形至倒卵形，长 10 ~ 15 cm，宽 3 ~ 6 cm，全缘或近先端具 1 或 2 不明显锯齿，

柄长 1.5 ~ 6.5 cm。总状花序，6 ~ 10 花簇生，长约 10 cm；芽鳞披针形，长 1 ~ 2 cm，宽 3 ~ 5 mm；花梗长 2 ~ 3 mm，纤细；苞片卵形，长约 1 mm，宽约 0.8 mm；花黄色；外萼片卵形，长约 2 mm，宽 1 ~ 1.6 mm，中萼片卵状椭圆形至椭圆形，长 4 ~ 4.1 mm，宽 2 ~ 3 mm，内萼片倒卵状椭圆形，长 4.5 ~ 4.6 mm，宽 2.2 ~ 3 mm；花瓣倒卵状长圆形，长约 3.6 mm，宽 1.6 ~ 2 mm，基部腺体不明显，先端全缘，圆形；雄蕊长 2.5 mm，药隔不延伸，平截；子房长 1.8 ~ 2 mm，花柱长约 0.3 mm，胚珠 2。浆果球形或近球形，直径 6 ~ 7 mm，蓝色，被白粉，无宿存花柱。花期 4 ~ 9 月，果期 10 ~ 12 月。

| **生境分布** | 生于海拔 450 ~ 1 450 m 的山区常绿落叶阔叶混交林、灌丛或岩石坡。分布于湖南郴州（北湖、永兴、安仁）等。

| **资源情况** | 野生资源较少。栽培资源较少。药材来源于野生和栽培。

| **采收加工** | 全年均可采收，晒干或鲜用。

| **药材性状** | 本品根圆柱形，稍扭曲；表面棕黄色，有纵沟纹及支根痕；质硬，不易折断，断面粗糙，黄色。茎圆柱形；表面灰棕色至暗棕色，有浅纵沟和横向裂纹，较嫩的茎较平滑，常有叶柄残基及叶痕，皮部易脱落，内面黄色；质坚脆，折断面破裂状，淡黄色，横断面木部黄色，髓部淡黄色，射线清晰。

| **功能主治** | 苦，寒。清热，燥湿，解毒。用于湿热痢疾，腹泻，黄疸，目赤肿痛，烫火伤。

| **用法用量** | 内服煎汤，6 ~ 15 g。外用适量，捣敷；或煎汤涂搽、滴眼。

小檗科 Berberidaceae 南天竹属 Nandina

南天竹
Nandina domestica Thunb.

| 药 材 名 | 南天竹子（药用部位：果实。别名：红杷子）。

| 形态特征 | 常绿小灌木。茎常丛生而少分枝，高 1 ~ 3 m，光滑无毛，幼枝常
为红色，老后呈灰色。叶互生，集生于茎的上部，三回羽状复叶，
长 30 ~ 50 cm，二至三回羽片对生；小叶薄革质，椭圆形或椭圆状
披针形，长 2 ~ 10 cm，宽 0.5 ~ 2 cm，先端渐尖，基部楔形，全缘，
正面深绿色，冬季变为红色，背面叶脉隆起，两面均无毛，近无柄。
圆锥花序直立，长 20 ~ 35 cm；花小，白色，芳香，直径 6 ~ 7 mm；
萼片多轮，外轮萼片卵状三角形，长 1 ~ 2 mm，向内各轮渐大，最
内轮萼片卵状长圆形，长 2 ~ 4 mm；花瓣长圆形，长约 4.2 mm，
宽约 2.5 mm，先端圆钝；雄蕊 6，长约 3.5 mm，花丝短，花药纵裂，

药隔延伸；子房 1 室，具 1 ~ 3 胚珠。果柄长 4 ~ 8 mm；浆果球形，直径 6 ~ 8 mm，成熟时呈鲜红色，稀为橙红色；种子扁圆形。花期 3 ~ 6 月，果期 5 ~ 11 月。

| 生境分布 | 生于海拔 1 200 m 以下的山地林下、沟旁、路边或灌丛中。湖南各地均有分布。

| 资源情况 | 野生资源丰富。药材来源于野生。

| 采收加工 | 秋季果实成熟时或翌年春季采收，晒干。

| 药材性状 | 本品球形，直径 6 ~ 8 mm，表面黄红色、暗红色或红紫色，平滑，微具光泽，有的局部下陷，先端具有凸起的宿存柱基，基部半球形，内面下凹，类白色至黄棕色。气无，味微涩。

| 功能主治 | 酸，平。敛肺止咳，平喘。用于久咳，气喘，百日咳。

| 用法用量 | 内服煎汤，6 ~ 15 g；或研末。

木通 *Akebia quinata* (Houtt.) Decne.

| **药 材 名** | 预知子（药用部位：果实。别名：八月瓜、八月炸、八月扎）、木通（药用部位：藤茎。别名：通草、附支、丁翁）、木通根（药用部位：根。别名：八月瓜根）。 |

| **形态特征** | 落叶木质藤本。茎纤细，圆柱形，缠绕，茎皮灰褐色，有呈圆形且小而凸起的皮孔。掌状复叶互生或在短枝上簇生，通常具小叶 5，偶具小叶 3 ~ 4 或 6 ~ 7；叶柄纤细，长 4.5 ~ 10 cm。伞房状总状花序腋生，长 6 ~ 12 cm，花疏，基部有雌花 1 ~ 2，基部以上有雄花 4 ~ 10。果实孪生或单生，长圆形或椭圆形，长 5 ~ 8 cm，直径 3 ~ 4 cm，成熟时呈紫色，腹缝开裂；种子多数，卵状长圆形，略扁平，多行不规则排列，着生于白色、多汁的果肉中，种皮褐色或黑色， |

有光泽。花期 4 ~ 5 月，果期 6 ~ 8 月。

| **生境分布** | 生于海拔 300 ~ 1 500 m 的山地灌丛、林缘和沟谷中。湖南各地均有分布。

| **资源情况** | 野生资源丰富。药材来源于野生。

| **采收加工** | **预知子**：夏、秋季果实呈绿黄色时采收，晒干，或置沸水中略烫后晒干。
木通：9 月采收，刮去外皮，阴干。
木通根：秋、冬季采挖，晒干或烘干。

| **药材性状** | **预知子**：本品呈肾形或长椭圆形，稍弯曲，长 3 ~ 8 cm，直径 1.5 ~ 3.5 cm；表面黄棕色或黑褐色，有不规则的深皱纹，先端钝圆，基部有果柄痕；质硬，破开后可见淡黄色或黄棕色果瓤。种子多数，扁长卵形，黄棕色或紫褐色，具光泽，有条状纹理。气微香，味苦。

木通：木通圆柱形，稍扭曲，直径 0.2 ～ 0.5 cm。表面灰棕色，有光泽，有浅纵纹，皮孔圆形或横向长圆形，凸起，直径约 1 mm；有分枝。质坚脆，较易折断，横断面较平整，皮部薄，易剥离，木部灰白色，导管孔排列紧密而无规则，射线细，不明显，中央髓圆形，明显。气微，味淡而微辛。

| 功能主治 | **预知子**：苦，寒。疏肝理气，活血止痛，利尿，杀虫。用于脘胁胀痛，经闭，痛经，小便不利，蛇虫咬伤。

木通：苦，寒。利尿通淋，清心除烦，通经下乳。用于淋证，水肿，心烦尿赤，口舌生疮，经闭，乳少，湿热痹痛。

木通根：苦，平。祛风除湿，活血行气，利尿，解毒。

| 用法用量 | **预知子**：内服煎汤，3 ～ 9 g。

木通：内服煎汤，3 ～ 6 g。

木通根：内服煎汤，9 ～ 15 g。外用适量，捣敷。

木通科 Lardizabalaceae 木通属 Akebia

三叶木通
Akebia trifoliata (Thunb.) Koidz.

| 药 材 名 | 预知子（药用部位：果实。别名：八月瓜、八月炸、八月扎）、木通（药用部位：藤茎。别名：通草、附支、丁翁）、木通根（药用部位：根。别名：八月瓜根）。

| 形态特征 | 落叶木质藤本。茎皮灰褐色。掌状复叶互生或在短枝上的簇生；叶柄直，长 7 ~ 11 cm；小叶 3，卵形至阔卵形，长 4 ~ 7.5 cm，宽 2 ~ 6 cm，先端通常钝或略凹入。总状花序自短枝上簇生叶中抽出，下部有 1 ~ 2 雌花，上部有 15 ~ 30 雄花，长 6 ~ 16 cm；总花梗纤细，长约 5 cm；雄花花梗丝状，长 2 ~ 5 cm，萼片 3，淡紫色，阔椭圆形或椭圆形，长 2.5 ~ 3 cm，雄蕊 6，离生。果实长圆形，长 6 ~ 8 cm，直径 2 ~ 4 cm，直或稍弯，成熟时为灰白色且略带淡

紫色；种子多数，扁卵形，长 5 ～ 7mm，宽 4 ～ 5 mm，种皮红褐色或黑褐色，稍有光泽。花期 4 ～ 5 月，果期 7 ～ 8 月。

| **生境分布** | 生于海拔 250 ～ 2 000 m 的山坡、溪旁、林中。湖南各地均有分布。栽培于排水良好的疏松砂壤土中。湖南各地均有栽培。

| **资源情况** | 野生资源丰富。栽培资源一般。药材来源于野生和栽培。

| **采收加工** | 预知子：夏、秋季果实呈绿黄色时采收，晒干，或置沸水中略烫后晒干。

木通：9 月采收，刮去外皮，阴干。

木通根：秋、冬季采挖，晒干或烘干。

| **药材性状** | 预知子：本品呈肾形或长椭圆形，稍弯曲，长 3 ～ 8 cm，直径 2 ～ 3 cm；表面黄棕色或浅灰棕色，有不规则的纵向网状皱纹，先端钝圆，基部有呈圆形且稍内凹的果柄痕；质硬，破开后可见淡黄色或黄棕色果瓤。种子多数，扁长卵形或不规则三角形，表面红棕色或深红棕色，有光泽，密布细网纹。气微弱，味苦，有油腻感。

木通：本品圆柱形，稍扭曲，直径 0.2 ～ 0.5 cm。表面灰棕色，有光泽，有浅纵纹，皮孔圆形或横向长圆形，凸起，直径约 1 mm，有分枝。质坚脆，较易折断，横断面较平整，皮部薄且易剥离，木部灰白色，导管孔排列紧密而无规则，射线细，不明显，中央髓圆形，明显。气微，味淡而微辛。

| **功能主治** | **预知子**：苦，寒。疏肝理气，活血止痛，利尿，杀虫。用于脘胁胀痛，经闭，痛经，小便不利，蛇虫咬伤。
| | **木通**：苦，寒。利尿通淋，清心除烦，通经下乳。用于淋证，水肿，心烦尿赤，口舌生疮，经闭，乳少，湿热痹痛。
| | **木通根**：苦，平。祛风除湿，活血行气，利尿，解毒。

| **用法用量** | **预知子**：内服煎汤，3～9 g。
| | **木通**：内服煎汤，3～6 g。
| | **木通根**：内服煎汤，9～15 g。外用适量，捣敷。

木通科 Lardizabalaceae 木通属 *Akebia*

白木通
Akebia trifoliata subsp. *australis* (Diels) T. Shimizu

| 药 材 名 | 预知子（药用部位：果实。别名：八月瓜、八月炸、八月扎）、木通（药用部位：藤茎。别名：通草、附支、丁翁）、木通根（药用部位：根。别名：八月瓜根）。

| 形态特征 | 落叶木质藤本。小叶革质，卵状长圆形或卵形，长 4 ~ 7 cm，宽 1.5 ~ 3（~ 5）cm，先端狭圆，顶微凹入而具小凸尖，基部圆形、阔楔形、平截或心形，通常全缘，有时略具少数不规则的浅缺刻。总状花序长 7 ~ 9 cm，腋生或生于短枝上；雄花萼片长 2 ~ 3 mm，紫色，雄蕊 6，离生，长约 2.5 mm，红色或紫红色，干后呈褐色或淡褐色；雌花直径约 2 cm，萼片长 9 ~ 12 mm，宽 7 ~ 10 mm，暗紫色，心皮 5 ~ 7，紫色。果实长圆形，长 6 ~ 8 cm，直径 3 ~ 5 cm，

成熟时呈黄褐色；种子卵形，黑褐色。花期 4 ~ 5 月，果期 6 ~ 9 月。

| **生境分布** | 生于海拔 300 ~ 2 000 m 的山坡灌丛或沟谷疏林中。湖南各地均有分布。栽培于排水良好的砂壤土中。湖南各地均有栽培。

| **资源情况** | 野生资源丰富。栽培资源一般。药材来源于野生和栽培。

| **采收加工** | **预知子**：夏、秋季果实呈绿黄色时采收，晒干，或置沸水中略烫后晒干。
木通：9 月采收，刮去外皮，阴干。
木通根：秋、冬季采挖，晒干或烘干。

| **药材性状** | **预知子**：本品呈肾形或长椭圆形，稍弯曲，长 3 ~ 8 cm，直径 2 ~ 3 cm；表面黄棕色或浅灰棕色，有不规则的纵向网状皱纹，先端钝圆，基部有呈圆形且稍内凹的果柄痕；质硬，破开后可见淡黄色或黄棕色果瓤。种子多数，扁长卵形或不规则三角形，表面红棕色或深红棕色，有光泽，密布细网纹。气微弱，味苦，有油腻感。
木通：本品直径 5 ~ 8 mm。表面黄棕色或暗棕色，有不规则纵沟纹和枝痕。质坚韧，难折断，断面木部浅黄色，导管细密且排列不规则，射线约 13，浅黄色，髓类圆形。气微，味微苦。

| 功能主治 | **预知子**：苦，寒。疏肝理气，活血止痛，利尿，杀虫。用于脘胁胀痛，经闭，痛经，小便不利，蛇虫咬伤。

木通：苦，寒。利尿通淋，清心除烦，通经下乳。用于淋证，水肿，心烦尿赤，口舌生疮，经闭，乳少，湿热痹痛。

木通根：苦，平。祛风除湿，活血行气，利尿，解毒。

| 用法用量 | **预知子**：内服煎汤，3～9 g。

木通：内服煎汤，3～6 g。

木通根：内服煎汤，9～15 g。外用适量，捣敷。

木通科 Lardizabalaceae 猫儿屎属 Decaisnea

猫儿屎
Decaisnea insignis (Griff.) Hook. f. et Thoms.

| 药 材 名 | 猫儿屎根（药用部位：根。别名：鸡肠子、沾连子）。

| 形态特征 | 直立灌木，高 5 m。茎有圆形或椭圆形的皮孔；枝粗而脆，易断，渐变黄色。羽状复叶长 50 ～ 80 cm，有小叶 13 ～ 25；小叶先端渐尖或尾状渐尖，基部圆形或阔楔形，上面无毛，下面青白色；叶柄长 10 ～ 20 cm。总状花序腋生，或数个再复合为疏松、下垂、顶生的圆锥花序，长 2.5 ～ 3（～ 4）cm；花梗长 1 ～ 2 cm。果实下垂，圆柱形，蓝色，长 5 ～ 10 cm，直径约 2 cm，先端平截，但腹缝先端延伸为圆锥形凸头，具小疣凸，果皮表面有或无环状缢纹；种子倒卵形，黑色，扁平，长约 1 cm。花期 4 ～ 6 月，果期 7 ～ 8 月。

| **生境分布** | 生于海拔 900 ～ 2 000 m 的山坡灌丛或沟谷杂木林下阴湿处。分布于湖南邵阳（绥宁）、郴州（临武）、岳阳（平江）等。

| **资源情况** | 野生资源稀少。药材来源于野生。

| **采收加工** | 全年均可采挖，洗净，晒干。

| **功能主治** | 甘、辛，平。祛风除湿，清肺止咳。用于风湿病，咳嗽。

| **用法用量** | 内服煎汤，15 ～ 30 g。外用适量，煎汤洗；或取浓汁搽。

木通科 Lardizabalaceae 八月瓜属 Holboellia

五月瓜藤
Holboellia fargesii Reaub.

| **药材名** | 八月瓜（药用部位：果实。别名：八月果、野人瓜）。

| **形态特征** | 常绿木质藤本。茎与枝圆柱形，灰褐色，具线纹。掌状复叶有小叶（3～）5～7（～9）；叶柄长 2～5 cm；小叶近革质或革质，线状长圆形、长圆状披针形至倒披针形，长 5～9（～11）cm，宽 1.2～2（～3）cm，先端渐尖、急尖、钝或圆，有时凹入，基部钝、阔楔形或近圆形，边缘略背卷，上面绿色，有光泽，下面苍白色且密布极微小的乳突，中脉在上面凹陷，在下面凸起，每边具侧脉 6～10，与基出 2 脉均至近叶缘处弯拱网结，网脉和侧脉在两面均明显凸起，或在上面不显著，在下面微凸起；小叶柄长 5～25 mm。花雌雄同株，红色、紫红色、暗紫色、绿白色或淡黄

色，数朵组成伞房状的短总状花序；总花梗短，长 8 ~ 20 mm，多个簇生于叶腋，基部被阔卵形的芽鳞片所包；雄花花梗长 10 ~ 15 mm，外轮萼片线状长圆形，长 10 ~ 15 mm，宽 3 ~ 4 mm，先端钝，内轮萼片较小，花瓣极小，近圆形，直径不及 1 mm，雄蕊直，长约 10 mm，花丝圆柱状，药隔延伸为长约 0.7 mm 的凸头，药室线形，退化心皮小，锥尖；雌花紫红色，花梗长 3.5 ~ 5 cm，外轮萼片倒卵状圆形或广卵形，长 14 ~ 16 mm，宽 7 ~ 9 mm，内轮萼片较小，花瓣小，卵状三角形，宽 0.4 mm，退化雄蕊无花丝，长约 0.7 mm，心皮棍棒状，柱头头状，具镰隙。果实紫色，长圆形，长 5 ~ 9 cm，先端圆而具凸头；种子椭圆形，长 5 ~ 8 mm，厚 4 ~ 5 mm，种皮褐黑色，有光泽。花期 4 ~ 5 月，果期 7 ~ 8 月。

| **生境分布** | 生于海拔 500 ~ 2 000 m 的山坡杂木林及沟谷林中。分布于湖南邵阳（隆回、新宁）、常德（鼎城）、郴州（桂阳）、怀化（辰溪、麻阳、洪江）、湘西州（吉首、花垣、古丈、凤凰、保靖）、张家界（慈利、桑植）等。

| **资源情况** | 野生资源一般。药材来源于野生。

| **采收加工** | 秋季果实成熟时采摘，晒干。

| **药材性状** | 本品紫红色，长圆形，常呈结肠状，长 5 ~ 9 cm，直径约 2 cm。

| **功能主治** | 苦，凉。清热解毒，活血通脉，行气止痛。用于小便短赤，淋浊，水肿，风湿痹痛，跌打损伤，乳汁不通，子宫脱垂。

| **用法用量** | 内服煎汤，3 ~ 9 g。

| **附　注** | 本种的拉丁学名在 FOC 中被修订为 *Holboellia angustifolia* Wallich。

木通科 Lardizabalaceae 八月瓜属 Holboellia

鹰爪枫
Holboellia coriacea Diels

| **药 材 名** | 鹰爪枫（药用部位：根。别名：破骨风）。

| **形态特征** | 常绿木质藤本。茎皮褐色。掌状复叶有小叶 3；小叶先端渐尖或微凹而有小尖头，基部圆形或楔形，边缘略背卷，上面深绿色，有光泽，下面粉绿色；叶柄长 3.5 ～ 10 cm。花雌雄同株，白绿色或紫色，组成短的伞房状总状花序。果实长圆状柱形，长 5 ～ 6 cm，直径约 3 cm，成熟时呈紫色，干后呈黑色，外面密布小疣点；种子椭圆形，略扁平，长约 8 mm，宽 5 ～ 6 mm，种皮黑色，有光泽。花期 4 ～ 5 月，果期 6 ～ 8 月。

| **生境分布** | 生于海拔 500 ～ 2 000 m 的山地杂木林或路旁灌丛中。分布于湖南长沙（宁乡）、邵阳（邵阳）、张家界（武陵源）、怀化（新晃）、

娄底（冷水江）、湘西州（吉首、花垣、古丈、永顺、保靖）、衡阳（常宁）等。

| **资源情况** | 野生资源较少。药材来源于野生。

| **采收加工** | 全年均可采挖，除去须根，洗净，晒干。

| **功能主治** | 苦，寒。祛风除湿，活血通络。用于风湿痹痛，跌打损伤。

| **用法用量** | 内服煎汤，15 ~ 30 g。

牛姆瓜

Holboellia grandiflora Reaub.

| 药 材 名 |

牛姆瓜（药用部位：果实。别名：六月瓜）。

| 形态特征 |

常绿缠绕藤本。长达 5 m，全株无毛。掌状复叶具（4 ~）5 ~ 7 小叶；叶柄长 5 ~ 13（~ 15）cm；小叶革质，倒卵形、长圆形或卵形，稀倒披针形，长（5 ~）7 ~ 11（~ 15）cm，宽 2.5 ~ 4.5（~ 6.5）cm，先端骤尖，基部楔形至圆形，下面灰绿色，网脉不明显，小叶柄长 1 ~ 4 cm。花白色至淡紫白色，微芳香；总状伞房花序长 4 ~ 9（~ 12）cm，雌雄同株。雄花花梗长 1 ~ 2.5（~ 4）cm；萼片 6，2 轮，长 1.4 ~ 1.9（~ 2.3）cm，宽 4 ~ 6（~ 9）cm；花瓣状，倒披针形；雄蕊 6，退化雌蕊 6。雌花 1 ~ 2；花梗长 2.5 ~ 4（~ 7）cm；萼片 6，卵形，肉质，长 1.2 ~ 1.8（~ 2.7）cm，宽 0.8 ~ 1.3 cm；退化雄蕊 6，雌蕊长 6 ~ 9 mm，柱头头状。果实不裂，圆柱形，长 5 ~ 9 cm，直径 1.5 ~ 3 cm，稍内曲；种子多数，长约 6 mm，黑色，埋于果肉中。花期 4 ~ 5 月，果期 7 ~ 9 月。

| 生境分布 | 生于海拔 1 100 ~ 2 000 m 的山地杂木林或沟边灌丛内。分布于湖南张家界（永定）、郴州（宜章）、永州（东安、双牌、蓝山）、怀化（中方）等。

| 资源情况 | 野生资源一般。药材来源于野生。

| 功能主治 | 疏肝理气，活血止痛，利尿杀虫。

木通科 Lardizabalaceae 大血藤属 Sargentodoxa

大血藤
Sargentodoxa cuneata (Oliv.) Rehd. et Wils.

| 药 材 名 | 血藤（药用部位：藤茎。别名：血灌肠、花血藤）。

| 形态特征 | 落叶木质藤本，长达 10 余米，全株无毛。藤茎直径达 9 cm。当年生枝条暗红色，老树皮有时纵裂。三出复叶，或兼具单叶，稀全部为单叶；叶柄长 3 ~ 12 cm；小叶革质，顶生小叶近棱状倒卵圆形，长 4 ~ 12.5 cm，宽 3 ~ 9 cm，先端急尖，基部渐狭成 6 ~ 15 mm 的短柄，全缘，侧生小叶斜卵形，先端急尖，基部内面楔形，外面截形或圆形，上面绿色，下面淡绿色，干时常变为红褐色，比顶生小叶略大，无小叶柄。浆果近球形，直径约 1 cm，成熟时呈黑蓝色，小果柄长 0.6 ~ 1.2 cm；种子卵球形，长约 5 mm，基部截形，种皮黑色，光亮，平滑，种脐显著。花期 4 ~ 5 月，果期 6 ~ 9 月。

| 生境分布 | 生于海拔 100 ～ 1 000 m 的山坡灌丛、疏林中和林缘等。湖南各地均有分布。

| 资源情况 | 野生资源丰富。药材来源于野生。

| 采收加工 | 8 ～ 9 月采收，晒干。

| 药材性状 | 本品茎圆柱形，略弯曲，直径 1 ～ 3 cm；表面灰棕色，粗糙，外皮常呈鳞片状脱落，剥落处呈暗红棕色，有时可见膨大的节及略凹陷的枝痕或叶痕。枝断面皮部红棕色，有数处向内嵌入木部，木部黄白色，有多数细孔及红棕色放射状纹理，周边灰棕色，粗糙；质坚硬。气微，味微涩。

| 功能主治 | 苦，平。解毒消肿，活血止痛，祛风除湿，杀虫。用于痛经，经闭，跌打损伤。

| 用法用量 | 内服煎汤，9 ～ 15 g。外用适量，捣敷。

木通科 Lardizabalaceae 串果藤属 Sinofranchetia

串果藤 *Sinofranchetia chinensis* (Franch.) Hemsl.

| 药 材 名 | 串果藤（药用部位：藤茎。别名：木通、三叶淮通、淮木通）。

| 形态特征 | 落叶木质藤本，全株无毛。幼枝被白粉；冬芽大，有数枚至多枚覆瓦状排列的鳞片。叶具羽状 3 小叶，通常密集，与花序同自芽鳞片中抽出；叶柄长 10 ~ 20 cm；托叶小，早落；小叶纸质，顶生小叶菱状倒卵形，长 9 ~ 15 cm，宽 7 ~ 12 cm，先端渐尖，基部楔形，侧生小叶较小，基部略偏斜，上面暗绿色，下面苍白灰绿色，侧脉每边 6 ~ 7，小叶柄顶生的长 1 ~ 3 cm，侧生的极短。总状花序长而纤细，下垂，长 15 ~ 30 cm，基部为芽鳞片所包；花稍密集着生于花序总轴上；花梗长 2 ~ 3 mm。雄花：萼片 6，绿白色，有紫色条纹，倒卵形，长约 2 mm；蜜腺状花瓣 6，肉质，近倒心形，长不

及 1 mm；雄蕊 6，花丝肉质，离生，花药略短于花丝，药隔不突出；退化心皮小。雌花：萼片与雄花的相似，长约 2.5 mm；花瓣很小；退化雄蕊与雄蕊形状相似但较小；心皮 3，椭圆形或倒卵状长圆形，比花瓣长，长 1.5 ~ 2 mm，无花柱，柱头不明显，胚珠多数，2 列。果实椭圆形，淡紫蓝色，长约 2 cm，直径 1.5 cm；种子多数，卵圆形，压扁，长 4 ~ 6 mm，种皮灰黑色。花期 5 ~ 6月，果期 9 ~ 10 月。

| 生境分布 |　生于海拔 900 ~ 2 000 m 的山沟密林、林缘或灌丛。分布于湖南张家界（桑植）、常德（石门）、邵阳（新宁）等。

| 资源情况 |　野生资源稀少。药材来源于野生。

| 功能主治 |　清热利尿，通经活络。

木通科 Lardizabalaceae 野木瓜属 Stauntonia

三叶野木瓜 *Stauntonia brunoniana* Wall. ex Hems.

| 药 材 名 |

野木瓜（药用部位：根及根皮、茎叶）。

| 形态特征 |

木质大藤本，全株无毛。小枝光滑；老茎外皮稍粗糙。羽状 3 小叶，连叶柄长 20 ~ 30 cm；叶柄纤细，长 5 ~ 8 cm；小叶近革质，长圆状椭圆形或长圆状披针形，长 7 ~ 15 cm，宽 3 ~ 7 cm，先端渐尖或具短凸头，基部圆或楔形，侧小叶基部有时不对称，上面有光泽，下面略呈苍白色，侧脉每边 4 ~ 6，与网脉同于两面明显凸起；小叶柄长 1 ~ 4（~ 6）cm。总状花序 2 ~ 5 簇生于叶腋，具多花；总花梗短；苞片或小苞片阔卵形，长不及 1 mm；花雌雄异株，白色而略带淡绿色。雄花：花梗长约 9 mm；萼片长 5.5 ~ 6.5 mm，外轮的卵形，内轮的披针形；花瓣小，卵形至披针形，长约 1.5 mm；雄蕊花丝合生为短管状，先端稍分离，药隔伸出所成的附属体锥尖，比药室长；退化心皮 3，丝状，比花丝管稍长。雌花：花梗长 1.5 ~ 2 cm；萼片长 1.2 ~ 1.5 cm，外轮的卵状披针形，内轮的线状披针形；心皮卵形，柱头锥尖；花瓣与雄花的相似；退化雄蕊与花瓣近等长，先端具比药室长的附属体。果实倒卵状长圆形，长约 3.5 cm，直径约 2 cm，外面有小疣状突起。花期 11 月。

| **生境分布** | 生于海拔 900 ~ 1 500 m 的山地林中。分布于湖南湘西州（吉首）等。

| **资源情况** | 野生资源稀少。药材来源于野生。

| **功能主治** | 祛风活络，活血止痛，利尿消肿。用于风湿痹痛，脘腹疼痛，三叉神经痛，跌打损伤，痛经，小便不利，水肿。

木通科 Lardizabalaceae 野木瓜属 Stauntonia

西南野木瓜 *Stauntonia cavalerieana* Gagnep.

| **药 材 名** | 六月瓜（药用部位：果实。别名：野木瓜）。 |

| **形态特征** | 木质藤本，全体无毛。枝有线纹。掌状复叶有小叶 7 ~ 9；叶柄长 9 ~ 13 cm；小叶近革质（嫩时膜质），披针状线形或披针形，长 7 ~ 11 cm，宽 2 ~ 4 cm，先端具细长的尾状渐尖，尾尖长可达 3 cm，基部急尖，上面深绿色，下面淡绿色，嫩时密布白色斑点，侧脉每边约 9，离边缘弯拱会合，网脉纤细，小叶柄放射状，纤细，中间的长可达 3 cm，最侧的长 7 ~ 10 mm。花序圆锥状，与嫩叶同自芽鳞片中抽出，长约 12 cm；芽鳞片深褐色，覆瓦状排列；小苞片线形，长 7 ~ 9 mm，先端渐尖；花雌雄异株；花梗纤细，长 1 ~ 2 cm，花序下部的花梗较长；雄花外轮萼片披针形，先端渐 |

尖而头钝，长约 11 mm，宽约 3 mm，内轮萼片极狭，线形，长约 8 mm，宽约 1 mm，基部渐狭，形如瓣爪，花瓣缺，雄蕊长 6 ~ 9 mm，花丝合生为管，比花药稍长，花药披针形，顶具长约 0.6 mm 的凸头，退化心皮锥尖，藏于花丝管内。雌花及果实未见。

| **生境分布** | 生于海拔 500 ~ 1 500 m 的山谷溪旁林中。分布于湖南邵阳（绥宁）、张家界（武陵源）、永州（蓝山）等。

| **资源情况** | 野生资源较少。药材来源于野生。

| **采收加工** | 果实成熟时采收，晒干。

| **药材性状** | 本品椭圆形，长 5 ~ 9.5 cm，直径 3 ~ 5 cm，黄褐色，不开裂，种子藏于果肉中，种皮脆壳质。

| **功能主治** | 甘，温。祛风除湿，行气活血，补虚。用于风湿痹痛，疝气疼痛，跌打损伤，肾虚腰痛。

| **用法用量** | 内服煎汤，30 ~ 60 g。

野木瓜 *Stauntonia chinensis* DC.

| 药 材 名 | 七叶莲（药用部位：根或根皮、茎叶。别名：五爪金龙、假荔枝、木通七叶莲）。

| 形态特征 | 木质藤本。茎绿色，具线纹，老茎皮厚，粗糙，浅灰褐色，纵裂。掌状复叶有小叶 5 ~ 7；叶柄长 5 ~ 10 cm；小叶革质，长圆形、椭圆形或长圆状披针形，长 6 ~ 9（~ 11.5）cm，宽 2 ~ 4 cm，先端渐尖，基部钝、圆形或楔形，边缘略厚，上面深绿色，有光泽，下面浅绿色，嫩时常密布浅色斑点。花雌雄同株，通常 3 ~ 4 组成伞房状的总状花序；总花梗纤细，基部被大型的芽鳞片包托；花梗长 2 ~ 3 cm；苞片和小苞片线状披针形，长 15 ~ 18 mm；雄花萼片外面淡黄色或乳白色，内面紫红色，外轮萼片披针形，长约 18 mm，

宽约 6 mm，内轮萼片线状披针形，长约 16 mm，宽约 3 mm；雌花萼片比雄花
萼片稍大，外轮长 22 ~ 25 mm，退化雄蕊长约 1 mm。果实长圆形，长 7 ~ 10 cm，
直径 3 ~ 5 cm；种子近三角形，长约 1 cm，压扁，种皮深褐色至近黑色，有光泽。
花期 3 ~ 4 月，果期 6 ~ 10 月。

| **生境分布** | 生于海拔 500 ~ 1 300 m 的山地密林、山腰灌丛或山谷疏林中。湖南有广泛分布。

| **资源情况** | 野生资源丰富。药材来源于野生。

| **采收加工** | 夏、秋季采收，晒干或鲜用。

| **药材性状** | 本品茎圆柱形，长 3 ~ 5 cm，直径 0.3 ~ 2.5 cm，表面灰棕色至棕色，有粗纵纹，
栓皮常块状脱落而露出内部纤维束，细茎具光泽，纵纹明显，有小枝痕与叶痕。
质坚硬，稍带韧性。切断面皮部常与木质部分离，皮部狭窄，深棕色，导管明
显。叶片完整或破碎，背面网脉间有白色斑点。气微，味淡，稍苦、涩。

| **功能主治** | 甘，温。祛风和络，活血止痛，利尿消肿。用于风湿痹痛，胃、肠、胆疾患之疼痛，
三叉神经痛，跌打损伤，痛经，小便不利，水肿。

| **用法用量** | 内服煎汤，9 ~ 15 g。外用适量，捣敷。

木通科 Lardizabalaceae 野木瓜属 Stauntonia

倒卵叶野木瓜 *Stauntonia obovata* Hemsl.

| 药 材 名 | 倒卵叶野木瓜（药用部位：根或根皮）、倒卵叶野木瓜叶（药用部位：茎叶）。

| 形态特征 | 常绿木质藤本。小叶（3 ~ ）5 ~ 7，薄革质，倒卵状披针形、倒卵状长圆形或倒卵形，长（3 ~ ）4 ~ 10 cm，宽（1 ~ ）1.7 ~ 4.5 cm，先端常急尖，有时渐尖，基部常楔形，边缘微背卷，上面淡绿色，下面常灰白色，干后常淡黄色。伞房花序长 4 ~ 6 cm，3 ~ 5 簇生于叶腋；花白色或黄白色。雄花萼片 6，外轮 3 萼片披针形，长 7 ~ 9 mm，宽 1 ~ 3 mm，内轮 3 萼片线形，长 6 ~ 8 mm，宽 1 mm；雄蕊 6，长约 4 mm，花丝长约 3 mm，上部分离，下部合生，偶有全部合生，花药扁球形，长约 1 mm，先端钝，药隔不突

出；退化心皮 3，微小。雌花与雄花同形，比雄花长 1 ～ 2 mm；外轮萼片宽约 4 mm。果实椭圆形，长 4 ～ 5（～ 6）cm，直径 2 ～ 3 cm，成熟时黄色；果皮较厚，不开裂。

| **生境分布** | 生于海拔 300 ～ 1 500 m 的山谷、溪边、山坡灌丛中或疏林边。分布于湖南邵阳（新宁）、衡阳（南岳）等。

| **资源情况** | 野生资源稀少。药材来源于野生。

| **功能主治** | **倒卵叶野木瓜**：用于腋痛，睾丸肿大，痛经。
倒卵叶野木瓜叶：舒筋活络，散瘀止痛，利尿消肿，调经。用于风湿痹痛，跌打损伤，痈肿，水肿，小便淋痛，月经不调。

木通科 Lardizabalaceae ▌野木瓜属 Stauntonia

尾叶那藤

Stauntonia obovatifoliola Hayata subsp. *urophylla* (Hand.-Mazz.) H. N. Qin

| 药 材 名 | 尾叶七叶莲（药用部位：全株或根。别名：七叶莲、七叶藤、鸭脚莲）。

| 形态特征 | 木质藤本。茎、枝和叶柄具细线纹。掌状复叶有 5 ~ 7 小叶；叶柄纤细，长 3 ~ 8 cm。小叶革质，倒卵形或阔匙形，长 4 ~ 10 cm，宽 2 ~ 4.5 cm，基部 1 ~ 2 小叶较小，先端骤然收缩为一狭而弯的长尾尖，尾尖长可达小叶长的（1/5 ~ ）1/4，基部狭圆形或阔楔形，侧脉每边 6 ~ 9，与网脉同于两面略凸起或有时在上面凹入；小叶柄长 1 ~ 3 cm。总状花序数个簇生于叶腋，每花序有 3 ~ 5 淡黄绿色的花；雄花花梗长 1 ~ 2 cm，外轮萼片卵状披针形，长 10 ~ 12 mm，内轮萼片披针形，无花瓣，雄蕊花丝合生为管状，药室先端具长约 1 mm、锥尖的附属体；雌花未见。果实长圆形或

椭圆形，长 4 ～ 6 cm，直径 3 ～ 3.5 cm；种子三角形，压扁，基部稍呈心形，长约 1 cm，宽约 7 mm，种皮深褐色，有光泽。花期 4 月，果期 6 ～ 7 月。

| 生境分布 | 生于海拔 700 ～ 1 400 m 的山谷水旁疏林或密林中。分布于湖南邵阳（邵阳、新宁）、常德（桃源）、张家界（武陵源）、益阳（赫山、桃江）、郴州（桂阳、永兴、汝城、安仁）、永州（零陵、冷水滩、东安、江永、蓝山）、怀化（鹤城、中方、辰溪）、湘西州（保靖）等。

| 资源情况 | 野生资源较丰富。药材来源于野生。

| 功能主治 | 散瘀止痛，利尿消肿。用于风湿性关节炎，跌打损伤，神经性疼痛，水肿，小便不利，月经不调。